満漢合璧版『古新聖經』の研究

竹越孝 斉燦 余雅婷 陳暁 著

好文出版

前　言

1.

　本書は，イエズス会士ポワロ（Louis Antoine de Poirot 賀清泰，1735-1813）による聖書翻訳の一バージョンである満漢合璧版『古新聖經』（ロシア科学アカデミー東方文献研究所蔵）を対象とする研究である。同本のローマ字転写・校注と，満洲語・漢語の語彙索引，及び 4 篇の研究論文からなる。ここでは，Pfister（1932-34），徐宗澤（1949），方豪（1967），Mende（2004），李奭學（2013），内田・李（2019）等の先行研究に基づいて，訳者やテキストの概要，及び本書の目指すところを記しておきたい。

2.

　17 世紀末から 18 世紀初にかけてのいわゆる「典礼論争」，雍正期（1723-1735）の禁教などを経て，中国に居住するヨーロッパの宣教師たちは一切の布教活動を禁じられ，特定の技能をもって清の朝廷に仕える者だけが北京に滞在することを許された。1770（乾隆 35）年に来華した最後期のイエズス会士であるポワロは，宮廷画家として清朝の信任を得る一方，その天才的な言語能力を生かして，新旧約聖書の全訳という大事業に挑んだ人物であった。

　ポワロは，当時フランス出身の在華宣教師たちの拠点であった蚕池口の北堂教会に起居し，公務で円明園の如意館に赴く以外の時間は，聖書の満洲語訳と漢語訳に打ち込んだとされる。彼はその生涯をかけて標準ラテン語版（ウルガタ，editio Vulgata）の新旧約聖書全 73 巻をすべて満洲語に訳したほか，漢語では全体の 3 分の 2 に及ぶ量を訳した。『古新聖經』と称されるこの聖書翻訳は，世界で最初の満洲語訳であり，最初の白話による漢語訳である。

　宮廷画家としての同僚であったパンジ（Joseph Panzi 潘廷章，1734-1812 頃）の書簡によれば，ポワロは 1790（乾隆 55）年頃までに満洲語訳を完成した後，ただちに漢語訳に取り掛かったという。その後，1803（嘉慶 8）年頃までには漢語訳も完成の目途がつき，バチカンの教皇庁に訳書の刊行を願い出た。しかし，ラテン語を尊び，すでに聖書をいかなる言語にも翻訳することを禁じていた教皇庁は，彼に出版の不許可を言い渡し，その 10 年後，彼は失意のうちに生涯を閉じる。『古新聖經』が「幻の聖書」と言われてきた所以である。

3.

　ポワロの生前に出版されることのなかった『古新聖經』は，鈔写によってその一部が現代に伝えられている。

　まず，漢語版の主な現存テキストとしては，北堂旧蔵本，上海徐家匯蔵書楼蔵本，中国国家図書館蔵本がある。

ポワロの死後，北堂に所蔵されていた漢語版鈔本は，最も原本に近い存在とされる。同本は，その価値を認めたフランシスコ会士アレグラ（Gabriele Allegra 雷永明，1907-1976）によって1930年代に写真撮影がなされ，全部で30冊のアルバムに整理されたという。その後の抗日戦争・国共内戦を経て，書物自体は既に佚し，わずか2冊のアルバムと数十枚の写真のみが戦火を潜り抜けて香港・思高聖教学会に伝わった[1]。先頃，内田・李（2019）によってその影印と翻字が公表されている。

　漢語版の全容を今に伝えるのは，来華イエズス会士によって創始された上海徐家匯蔵書楼に所蔵される清鈔本であり，同楼が開館した1847（道光27）年以後の鈔写と目される。同本は鐘鳴旦等編（2013）に影印が収められ，李奭學等編（2014）として詳細な校注も刊行されている。

　また，中国国家図書館にも漢語版鈔本の残巻が所蔵されていることが知られる[2]。

　次に，満洲語版の主な現存テキストとしては，東洋文庫蔵本，英国聖書協会蔵本，ロシア科学アカデミー東方文献研究所蔵本がある。

　東洋文庫蔵鈔本は『滿文附注新舊譯聖書』の書名を持ち，最も原本に近い存在とされる。松村（1976）によると，1934（昭和9）年の登録印があり，当時北京在住の松村太郎（?-1944）を経て東洋文庫が入手したものという。全20冊からなり，第1冊から第3冊までは新約聖書，第4冊以降が旧約聖書という構成になっている[3]。

　英国聖書協会（Bible Society）[4]蔵鈔本は，スワン（William Swan 史維廉，1791-1866）がボロー（George Borrow, 1803-1881）の助けを借り，サンクトペテルブルクで1832年から翌年にかけて鈔写したものであるといい[5]，ほぼ旧約聖書のすべてをカバーする。

　この他，サンクトペテルブルクのロシア科学アカデミー東方文献研究所に，カメンスキー（Пётр Каменский, ?-1845）の鈔写にかかる満洲語版が所蔵されているという[6]。

4.

　本書が対象とする『古新聖經』は，これまで知られていたどのテキストとも異なり，満洲語と漢語の並置対訳（合璧）形式であることを特徴とする。

　満漢合璧版の原本はロシア科学アカデミー東方文献研究所蔵（所蔵番号 C. 11 mns）。

---

[1] 現存するのは全309枚の写真であり，内容は「數目經」51枚，「第二次傳法度經」69枚，「救出之經」1枚，「衆王經卷一」71枚，「衆王經卷二」117枚である。
[2] 李奭學（2013）によれば，中国国家図書館蔵本は2種類あり，一つはポワロによる「聖經序」，「再序」と「化成之經」を1冊としたもの，もう一つは「聖保禄論羅馬教友之札」と題する1函3冊である。いずれも筆跡が徐家匯本と酷似しているため，同時期の鈔本と推定されるという。
[3] 松村（1976）によると，それは旧約聖書の巻頭に置かれるべき「創世記」と「出エジプト記」が欠けていたために，これを売却した西洋人が新約聖書の巻頭にある「マタイによる福音書」と「使徒行法」で補ったためであろうとしている。同本はPoppe et al.（1964 : 297-298）に著録されている。
[4] 1804年に設立された英国外国聖書協会（The British and Foreign Bible Society, BFBS）を前身とする。
[5] 同本についてはWylie（1855 : 47），渡部（1932 : 44）に言及がある。松村（1976）及びSimon and Nelson（1977 : 27-28）によると，英国聖書協会にはこれ以外に，スタリーブラス（Edward Stallybrass 施徳華，1794-1884）が1850年頃に鈔写した稿本も収められているという。
[6] Mende（2004）によれば，1825年から翌年にかけて鈔写されたものであるという。

鈔本，一冊，全101葉。朱で印字された四周双辺，毎半葉11行の罫紙を用い，罫を中心線として満洲語・漢語各5行が記される。内容は「如達國衆王經尾増的總綱・卷壹下」の「第十三篇」から「第二十九篇」まで，即ち旧約聖書における「歴代誌上」第13章から第29章までに対応する。この満漢合璧版『古新聖經』の発見に至る経緯については，内田（2014, 2016）に詳しい。内田・李（2019）には前述の北堂本とともに同本の影印が収められ，漢語部分の翻字及び徐家匯本との校合結果も付されている。

5.

　ポワロの『古新聖經』が東アジアの聖書翻訳史において欠かすことのできない重要性を持ち，漢語史・満洲語史の面からも貴重な資料であることは言を俟たないが，このたび満漢合璧版が発見されたことによって，同書をめぐる研究は新たな段階を迎えたと言える。同一人物の手になる翻訳とはいえ，これまで漢語版と満洲語版とは互いに独立したものとして扱われてきたが，満漢合璧版は，漢語版，満洲語版双方の現存テキストと校合することを可能にし，その成立過程とともに，満洲語訳と漢語訳はいかなる関係を有するかという新たな問題を提起する。いわば，満漢合璧版の出現によって，『古新聖經』の漢語版と満洲語版は架橋されたことになる。

　本書の目的は，満漢合璧版『古新聖經』の全体像を示し，今後の研究の足がかりとなる素材を提供することである。同本の満洲語部分をローマ字転写し，日本語の逐語訳を付すとともに，漢語部分を迻録する形でその全容を再現し，かつ満洲語部分は東洋文庫蔵本，漢語部分は徐家匯蔵書楼蔵本との校合結果を注記した。これはかつて竹越等（2017-19）として発表し，今回新たに整理と修訂を加えたものである。また，満洲語と漢語の語彙索引を付すとともに，満漢合璧版の成立，漢語の語彙，文体，そして翻訳論をめぐる論考を加えている。

　満漢合璧版は，ポワロの遺した『古新聖經』の全体から見ればごくわずかな範囲をカバーするものに過ぎないが，決して軽視できない重要な問題を我々に問いかける。本書によって，この分野の研究を少しでも促進することができれば幸いである。

　おわりに，関係する諸資料を快く提供して下さった内田慶市氏に深く感謝する。

＜参考文献＞

（日文）

内田慶市（2014）「世界図書館巡礼―東西文化交渉の書籍を求めて（2）―2013年夏欧州訪書記」，『関西大学図書館フォーラム』第19号，3-11頁.

内田慶市（2016）「漢譯聖經研究的新的局面：以『古新聖經』為主」，『関西大学中国文学会紀要』第37号（河田悌一教授・日下恒夫教授退休記念号），1-13頁.

内田慶市・李奭學編（2019）『古新聖經殘稿外二種：北堂本與滿漢合璧本』，吹田：関西大学出版部.

竹越孝・斉燦・余雅婷・陳暁（2017-19）「満漢合璧版『古新聖経』訳注稿（1-6）」，『或問』第 31-36 号.

松村潤（1976）「満州語訳の聖書について」，『東洋文庫書報』第 7 号，37-53 頁.

渡部薫太郎（1932）『増訂滿洲語圖書目録』，大阪：大阪東洋學會.

（中文）

方豪（1967）『中國天主教史人物傳』，香港：香港公教真理學會.

賀清泰譯注；李奭學・鄭海娟主編（2014）『古新聖經殘稿』（中國和歐洲文化交流史文獻叢刊），北京：中華書局.

金東昭・金貞愛（2001）「東洋文庫藏現存滿文聖經稿本介紹」，『滿族研究』2001 年第 3 期，92-96 頁.

李奭學（2013）「近代白話文・宗教啓蒙・耶穌會傳統——試窺賀清泰及其所譯〈古新聖經〉的語言問題」，『中國文哲研究集刊』第 42 期，51-108 頁；（2016）『明清西學六論』，178-248 頁，杭州：浙江大學出版社.

徐宗澤編（1949）『明清間耶穌會士譯著提要』，北京：中華書局.

趙曉陽（2017）「滿語聖經譯本考述」，『滿族研究』2017 年第 3 期，80-83 頁.

鄭海娟（2014）「文本之網：《古新聖經》與前後代《聖經》漢譯本之關係」，『清華中文學報』11 期，261-298 頁.

鐘鳴旦・杜鼎克・王仁芳主編（2013）『徐家匯藏書樓明清天主教文獻續編』第 28-34 冊，台北：台北利氏學社.

（欧文）

Mende, Erling von (2004) Problems in translating the Bible into Manchu: observations on Louis Poirot's Old Testament, in Stephen Batalden et al. eds., *Sowing the Word: the cultural impact of the British and Foreign Bible Society, 1804-2004*, pp. 149-168, Sheffield: Sheffield Phoenix Press.

Pfister, Louis Aloys (1932-34) *Notices biographiques et bibliographiques sur les jésuites de l'ancienne mission de Chine, 1552-1773*, 2 vols., Shanghai: Imprimerie de la Mission Catholique; 費賴之著・馮承鈞譯（1995）『在華耶穌會士列傳及書目』（中外關係史名著譯叢），北京：中華書局.

Poppe, N., Hurvitz, L., Okada, H. (1964) *Catalogue of the Manchu-Mongol section of the Toyo Bunko*, Tokyo: Toyo Bunko, University of Washington Press.

Simon, W. and Nelson, Howard G. H. (1977) *Manchu books in London: A union catalogue*, London: The British Library.

Wylie, Alexander (1855) *Translation of the Ts'ing Wan K'e Mung, A Chinese Grammar of the Manchu Tartar Language; with Introductory Notes on Manchu Literature*, Shanghai: London Mission Press.

目　次

I

テキスト編

満漢合璧版『古新聖經』ローマ字転写と校注

＜凡例＞

- 本章は，満漢合璧版『古新聖經』の満洲文字をローマ字転写して日本語の逐語訳を付すとともに，漢語部分を迻録し，併せて他のテキストとの異同を注記したものである。

- ロシア科学アカデミー東方文献研究所蔵鈔本を底本とし，満洲語の部分については東洋文庫蔵鈔本（東洋本），漢語の部分については上海徐家匯蔵書楼蔵鈔本（徐家匯本）との異同を注記する。

- 行頭に原本における葉，表裏，行を提示し，各行は満洲文字のローマ字転写，満洲語の逐語訳，対訳の漢語で構成する。

- 原本では注が必要な部分に満洲文字を丸で囲んだ記号を付し，各篇の最後に sure gisun（註解）として釈文を記している。本章もその体裁に倣う。

- 満洲文字は Möllendorff 式によりローマ字転写する。逐語訳は純粋に直訳的なものではなく，日本語としての理解しやすさを優先する。人名部分の逐語訳は旧約聖書口語訳（日本聖書協会，1955 年版）に基づく。

- 満洲文字の異同は字形から差異の明らかなものに限って注記する。

- 漢字は原則として底本の使用する字体を用いる。細かな字体の異同については注記しない。

1a1   yudas gurun i wang sai nonggingge šošohon i nomun bithe.

ユダ　国　の　王　達の　加えるもの　総綱　の　経　書

如達國衆王經尾增的総綱

1a1   ujuci debtelin i fejergi.

第一　巻　の　下

巻壹下[1]

1a2   juwan ilaci fiyelen.

十　三　篇

第十三篇

1a3   daweit[2] ememu minggan ememu tanggū cooha i dasa[3]. jai geren ambasa be hebe i

ダビデ　何　千　何　百　軍隊の　頭目達　また　多くの　大臣達を　会議の

達味請了千百二捴[4]商議　　　　　　　　　　　　望将軍

1a4   deyen de solifi acaha. israyel[5] gurun i hafasa de hendume. aika mini gisun

宮殿　に　招き　会見した　イスラエル　国　の　役人達　に　言うには　もし　私の　話

並依斯拉耶耳國聚的衆人説　　　　　若我的話

1a5   suweni gūnin de acanaci. geli muse abkai ejen[6] i hese bici. be israyel[7] gurun[8]

お前達の　考え　に　合えば　また　私達　天の　主　の　勅旨　あれば　我々　イスラエル　国

合你們的心　　　　又有我們主陞斯的旨意　　　我們望依斯拉

1b1   ai ai bade tehe meni ahūta deote. hoton i tule bisire wecen i da. leweidasai

諸々の　所に　いた　私達の　兄達　弟達　城　の　外に　いる　祭祀　の　頭目　レビの頭目達に

耶耳國各方住的我們的弟兄　　　城外有的諸祭首　　　　肋未的

1b2   baru niyalma be unggifi. cembe yerusalem de isibukini.

向かって　人　を　遣わし　彼達を　エルサレム　に　連れて来るがよい

衆子孫　　　　　叫[9]他們全到我們這裡

1b2   gemu enduringge guise be ubade

皆　聖なる　櫃　を　ここに

我們一齊把聖櫃挪進日露

1b3   gurinjikini. saūl i fonde terebe asuru hargašahakū sehe.

移すがよい　サウル　の　時に　それを　あまり　仰ぎ見なかった　と言った

撒冷　　　本撒烏耳時我們不多瞻仰

---

1 如達國衆王經尾增的総綱　巻壹下：徐家匯本はこの題名を欠く。
2 daweit：東洋本は taweit に作る。
3 dasa：東洋本は da sa に分綴する。
4 捴：徐家匯本は「總」に作る。
5 israyel：東洋本は israel に作る。
6 abkai ejen：東洋本は ejen deus に作る。
7 israyel：東洋本は israel に作る。
8 gurun：東洋本はこの後に i を有する。
9 叫：徐家匯本は「教」に作る。

1b3　　ere gisun geren de icangga
　　　　この 言葉 皆 に 快い
　　　　衆人答應狠是

1b4　　ofi. tuttu jabume esi gisun i songkoi yabuci sehe.
　　　　ので そうだ と答え もちろん 言葉 の 通りに 行えば と言った
　　　　　　他們内没有一個不服

1b4　　ede daweit[1] abkai ejen[2] i guise be
　　　　そこで ダビデ 天の 主 の 櫃 を
　　　　達味的話故多[3]説狠是

1b5　　kariyatiyarim ci gurinere turgun. esido ba i sihor birgan ci emat i
　　　　キリアテヤリム から 運んでくる ため エジプト 地方 の シホル 川 から ハマテ の
　　　　　　　　　因此達味從厄日多的西割耳[4]到厄瑪得邊

2a1　　duka de isitala. israyel[5] i omosi be bireme solime[6]. taweit. israyel[7] i
　　　　入口 に 至るまで イスラエル の 子孫達 を すべて 誘い ダビデ イスラエル の
　　　　界　　　　聚了依斯拉耶耳的民要自加里亜里莫[8]挪來陡斯的櫃達味同依

2a2　　geren omosi i emgi. yudas mukūn i bade bisire kariyatiyarim i dabaha be
　　　　多くの 子孫達 と 共に ユダ 族 の 所に ある キリアテヤリム の 峠 を
　　　　斯拉耶耳後代　　上如達斯族地方有的加里亜弟亜里莫[9]的山嶺

2a3　　wesifi. kerubin i dergi tehe abkai ejen[10] i guise be ere baci gamaki
　　　　上り ケルビム の 上に あった 天の 主 の 櫃 を この 所から 持って行こう
　　　　　　要拿坐在克魯實上的主陡斯的櫃

2a4　　sembihe. guise i juleri abkai ejen i gebu be kundulefi. hese baici
　　　　と思っていた 櫃 の 前で 天の 主 の 名前を 敬い 勅旨 求めること
　　　　　　那裡呼天主聖名　　　　　　求旨意

2a5　　ombihe. ⓐ abkai ejen[11] i guise be abinadab i boo ci aljame. ice
　　　　できた 天の 主 の 櫃 を アビナダブ の 家 から 離し 新しい
　　　　從亜必那大伯家請陡斯的聖櫃　　　　放了

---

[1] daweit：東洋本は taweit に作る。
[2] abkai ejen：東洋本は deus に作る。
[3] 多：徐家匯本は「都」に作る。
[4] 西割耳：徐家匯本は「西豁耳」に作る。
[5] israyel：東洋本は israel に作る。
[6] solime：東洋本は soliha に作る。
[7] israyel：東洋本は israel に作る。
[8] 加里亜里莫：徐家匯本は「加里亞弟亞里黙」に作る。
[9] 加里亜弟亜里莫：徐家匯本は「加里亞弟亞里黙」に作る。
[10] abkai ejen：東洋本は ejen deus に作る。
[11] abkai ejen：東洋本は deus に作る。

2b1 sejen de sindaha. odza. terei deo ahiyo juwe nofi sejen be
車 に 置いた ウザ 彼の弟 アヒヨ 二 人 車 を
新車上 阿匝 及他的弟亜西約[1]両個赶車

2b2 jafambihe. taweit oci. dahalara israyel[2] i geren irgen abkai ejen[3] i
御していた ダビデ は 付き従う イスラエル の 多くの 民衆 天の 主 の
論達味 連依斯拉耶耳衆民 在陡斯前盡

2b3 jakade hūsun i ebsihe. hacin hacin i ucun. fifan. kin. tungken. longken
前で 力 の 限り 様 々な 歌 琵琶 琴 太鼓 鑼
力 用琵琶琴鼓鑼等號器謌唱發顕自己的悦樂

2b4 buren de beyei urgun be temgetulembihe. sidun[4] i ☺ je falan de isinaha
ラッパ に 自分の 喜び を 表していた キドン の 打ち 場 に 到着した
到了雞東的打粮食傷[5]裡

2b5 manggi. odzo[6] guise be wahiyara gūnin gala be saniyaha. ihan amargi
後 ウザ 櫃 を 支える 考え 手 を 伸ばした 牛 後ろ
因為牛忽後腿踢聖櫃歪[7]阿匝伸手要扶櫃

3a1 bethei fesheleme matalambihede. guise heni urhu haihū ofi kai. abkai ejen
脚で 蹴り 上げていたので 櫃 少し ゆら ゆら した のだ 天の 主
天主惱阿匝摩

3a2 odza be ushame guise be bišuha turgun imbe isebuhe. i abkai ejen i
ウザ を 怒り 櫃 を なでた ために 彼を 罰した 彼 天の 主 の
櫃罰他 他就在天主櫃前死了

3a3 guisei juleri ubade bucehe. abkai ejen odza be waha ofi. taweit
櫃の 前 ここで 死んだ 天の 主 ウザ を 殺した ので ダビデ
達味心裡憂悶 因為天主罰了阿匝

3a4 dolo ališambime. geli tere babe odza i isebun seme gebulehe ere gebu
心中 苦しみ さらに その所を ウザ の 罰 と 名付けた この 名前
給那地方取名叫阿匝 的罰 如今

3a5 tetele bi. tere inenggi taweit abkai ejen[8] de geleme hendume. abkai ejen[9] i
今まで ある その日 ダビデ 天の 主 を 恐れて 言うには 天の 主 の
還有這名 那日達味驚惧陡斯説 我怎敢請

---

[1] 亜西約：徐家匯本は「亜希約」に作る。
[2] israyel：東洋本は israel に作る。
[3] abkai ejen：東洋本は deus に作る。
[4] sidun：東洋本は šidon に作る。
[5] 傷：徐家匯本は「塲」に作る。
[6] odzo：東洋本は odza に作る。
[7] 聖櫃歪：徐家匯本は「聖櫃畧歪」に作る。
[8] abkai ejen：東洋本は deus に作る。
[9] abkai ejen：東洋本は deus に作る。

3b1　guise mini tehe bade dosimbuci ombio sehe. terebe gelhun akū taweit i

　　　　櫃　私が いた 所に 入らせること できるか と言った それを 敢え て ダビデ の

　　　陡斯的櫃進我的家哦　　　　　　　　　因此沒有送到他家裡就是

3b2　hoton de gurinjirakū. elemangga žet ba i obededom i boo de benehe. abkai

　　　　城　に　移さず　　かえって ガテ 地方 の オベデエドム の 家 に 送った 天の

　　　達味城裡　　　　反送到熱得家裡阿柏得多莫[1]　　　　　陡斯

3b3　ejen[2] i guise ilan biya obededom i boode[3] bifi. abkai ejen ini boo. ini

　　　　主　の 櫃 三か 月 オベデエドム の 家に あり 天の　主 彼の 家 彼の

　　　的櫃三個月在阿柏得多莫[4]家　　　　　天主降福他的家　及

3b4　bisirele jaka be karmame hūturi isibuha..

　　　　すべての もの を　守り　福　及ぼした

　　　他所有的物

4a1　sure gisun

　　　解く 言葉

　　　註解

4a2　ⓐ damu dalaha wecen i da abkai ejen i hese be baime mutembihe. gūwa

　　　　僅かに 頭となった 祭祀 の 頭目 天の 主 の 勅旨 を 求めること できていた 別の

　　　惟獨揔[5]祭首　　　絟能求天主的旨　　　　　別的

4a3　niyalma udu gurun i wang secibe. enduringge guise i[6] jakade baime muterakū.

　　　　人 たとえ 国 の 王 でも　聖なる　櫃 の 前で 求めること できない

　　　人　　雖是國王　　　亦不敢在櫃跟前求旨

4a4　ⓔ sidon[7]. nason[8] juwe gebu tere emu niyalma i gebu inu.

　　　キドン　ナソン 二つ 名前 その 一　人 の 名前 である

　　　雞東還叫那順

---

[1] 反送到熱得家裡阿柏得多莫：徐家匯本は「反送到熱得的阿栢得多黙家裡」に作る。
[2] abkai ejen：東洋本は deus に作る。
[3] boode：東洋本は boo de に分綴する。
[4] 阿柏得多莫：徐家匯本は「阿栢得多黙」に作る。
[5] 揔：徐家匯本は「總」に作る。
[6] guise i：東洋本は guisei に合綴する。
[7] sidon：東洋本は šidon に作る。
[8] nason：東洋本は našon に作る。

4b1　juwan duici fiyelen

　　　　十　　四　　篇

第十四篇

4b2　tiro ba i wang hiram elcisa be taweit i baru takūrafi. ini gurung

　　ティロ 地方 の 王 ヒラム 使者達 を ダビデ に 向けて 派遣し 彼の 宮殿

弟落國的王喜拉莫[1]　　　　望達味遣使者　　　還送給他各

4b3　ilibure turgun. hacingga šedoro moo. fu sahara faksi. mujasi be unggihe.

　　建設する ために 各種の シェドロ 木 壁 築く 石工 木工 を 送った

様蛇多落材料　　　　　　砌匠木匠為修他的宮殿

4b4　taweit tereci bahafi sara. abkai ejen imbe israyel[2] i[3] irgesei wang toktobuha.

　　ダビデ それから 知ること できる 天の 主 彼を イスラエル の 民衆の 王 と定めた

達味于是知知[4]天主　　堅定他做依斯拉耶耳國的王

4b5　ini gurun be mukdembufi. geren irgen be kadalara jalin. horon toose be

　　彼の 国 を 繁栄させ 多くの 民衆 を 治める ために 威力 権力 を

　　　　　　又賞他威權管天主的民依斯拉耶耳後代

5a1　inde salgabuhangge inu. taweit kemuni gūwa sargata be yerusalem de

　　彼に 天が与えたもの である ダビデ さらに 別の 妻達 を エルサレム で

　　　　　　達味在日露撒冷又娶了別妻生了子女

5a2　gaime haha juse. sargan juse be banjiha haha juse i gebu uthai

　　　娶り 男の 子達 女の 子達 を 生んだ 男の 子達 の 名 即ち

　　　　　　　　日露撒冷養的子的名就是

5a3　samuwa. sobab. nadan. salomon. yebahar. eliswa. elifalet. noga. nafek

　　シャンマ ショバブ ナタン ソロモン イブハル エリシュア エルペレテ ノガ ネペグ

撒木瓦 索巴柏[5] 那丹 撒落孟 耶巴哈落[6] 厄里蘇娃[7] 厄里法肋得 諾加 那費克

5a4　yafiya. elisam. bahaliyata[8]. elifalet se inu.

　　ヤピア エリシャマ ベエリアダ エリペレテ 達 である

亜費亜 厄里撒瑪 巴哈里亜達 厄里法肋得

5a4　taweit enduringge nimenggi i

　　ダビデ 聖なる 油 で

斐里斯定支派的人 听了[9]達味傳了聖

---

[1] 喜拉莫：徐家匯本は「喜拉默」に作る。
[2] israyel：東洋本は israel に作る。
[3] i：東洋本はこの一語を欠く。
[4] 達味于是知知：徐家匯本は「達味於是得知」に作る。
[5] 索巴柏：徐家匯本は「索巴栢」に作る。
[6] 耶巴哈落：徐家匯本は「耶巴哈肋」に作る。
[7] 厄里蘇娃：徐家匯本は「厄里穌娃」に作る。
[8] bahaliyata：東洋本は bahaliyada に作る。
[9] 听了：徐家匯本は「聽」に作る。

5a5 ijubuha. israyel[1] gurun i wang ilibuha sere mejige filistim sade[2] isinjifi
　　　塗られた　イスラエル　国　の　王　になった　という　消息　ペリシテ　達に　伝わり
　　　油　　　做了依斯拉耶耳眾民都王都來征討

5b1 imbe dailame jihe. taweit donjime. cembe okdonoho. filistim cooha
　　　彼を　撃ちに　来た　ダビデ　聞いて　彼等を　迎え出た　ペリシテ　軍隊
　　　　　　　達味得這信　　　達味出來迎探他們　斐里斯定的兵

5b2 ibenjihei rafaim alin holo be yalumbihe. taweit abkai ejen i hese be
　　　進んだまま　リパイム　山　谷　を　馬に乗っていた　ダビデ　天の　主　の　勅旨　を
　　　都滿擺在拉法意莫[3]山谷　　　　　達味求主旨意說

5b3 baime. filistim sai[4] emgi afaci ombio. ejen si cembe mini gala de
　　　求めて　ペリシテ　達と　共に　戦って　よいか　主　あなた　彼等を　私の　手　に
　　　　　同斐里斯定戰可麼　　　　主你將他放我手裡麼

5b4 sindareo sindarakūn. abkai ejen hendume. tesebe afame gene bi cembe
　　　置くか　置かないか　天の　主　言うには　彼らを　攻めに　行け　私　彼等を
　　　　　　天主答應他去戰　　　　　　　我把他們放

5b5 sini gala de tuhebuki sehe. filistim se bahal farasim bade isinahade.
　　　お前の　手　に　落とそう　と言った　ペリシテ　達　バアル　ペラジム　地方へ　達した時
　　　你手裡　　　　斐里斯定的人到了巴哈耳法拉西莫[5]

6a1 taweit cembe gidaha manggi hendume. abkai ejen[6] mini gala be baitalafi
　　　ダビデ　彼らを　破った　後に　言うには　天の　主　私の　手　を　用いて
　　　達味在這裡殺敗了他們說　　　　陡斯用我的手

6a2 mini bata be sisaha mukei gese samsibuha. tuttu ohode. tere ba i
　　　私の　敵　を　こぼした　水　の　様に　四散させた　そう　なると　その　所　の
　　　教我的仇　像撒水一樣散了　　　　故給那地方取名叫巴哈耳

6a3 gebu bahal farasim seme gebulehe. filistim cooha ere bade ceni enduri
　　　名前　バアル　ペラジム　と　名付けた　ペリシテ　軍隊　この　場所で　彼らの　神
　　　法拉西莫[7]　　　　仇敵在這地拋遺了他們的神像

6a4 sai ūren be waliyaha. taweit fafulame. ere jergi ūren be yooni deijibu
　　　達の　像　を　捨てた　ダビデ　命じて　この　種類の　像　を　すべて　焼かせろ
　　　　　達味全命[8]燒那些像斐里斯定的兵

---

[1] israyel：東洋本は israel に作る。
[2] sade：東洋本は sede に作る。
[3] 拉法意莫：徐家匯本は「拉法意黙」に作る。
[4] sai：東洋本は sei に作る。
[5] 巴哈耳法拉西莫：徐家匯本は「巴哈耳法拉西黙」に作る。
[6] abkai ejen：東洋本は deus に作る。
[7] 巴哈耳法拉西莫：徐家匯本は「巴哈耳法拉西黙」に作る。
[8] 全命：徐家匯本は「命全」に作る。

6a5　　sehe filistim se jai emu mudan kunggur seme jifi alin holo de
　　　　と言った ペリシテ 達 もう 一 度 ばたばた と 来て 山 谷 に
　　　　　　　　　　　又一次來擺滿了山谷

6b1　　baksan meyen be teksilehe. taweit dasame abkai ejen i hese be
　　　　　隊　　列　を　整えた ダビデ 再び 天の 主 の 勅旨を
　　　　　　　　　　　達味又求陡斯的旨意

6b2　　bairede. abkai ejen jabume. ume šuwe cende baitalara[1]. ceci aljafi.
　　　　求めると 天の　主 答えて 決して 真っ直ぐ 彼らに 相対するな 彼らから 離れて
　　　　　　　　　陡斯答他　　　不要直望他們打仗　　　離開他們

6b3　　šulhe moo i ishun bifi. teni tesebe afana. šulhe moo i dele
　　　　梨　木 の 向かいに いて そこで 彼らを 攻めよ 梨 木 の 上で
　　　　　　　你到梨樹對面　　才[2]望他們去　　你听[3]梨樹上

6b4　　oksoloro muru asuki be emgeri donjihade. si nushume dosi. eljeme
　　　　歩いていく 様子 音 を すでに 聞いた時 お前 突進して 中で 逆らい
　　　　　　　向[4]走的脚響　　　　　　你陡入[5]對敵勇戰

6b5　　bakcila. abkai ejen[6] filistim bata be suntere gūnin sini juleri yabume
　　　　敵対せよ 天の　主　ペリシテ 敵 を 滅ぼす 考え お前の 前に 行って
　　　　　　　因為陡斯在你前行 為殺敗斐里斯定的兵

7a1　　bi. ⓐ taweit abkai ejen i hese be dahame. gabahon ci gadzera de
　　　　いる　 ダビデ 天の　主 の 勅旨に 従って ギベオン から ゲゼルに
　　　　　　　達味照陡斯的命行　　　　　從加巴翁到加則拉殺敗了

7a2　　isitala filistim cooha be gisabuha. ⓒ taweit i gebu babade algimbuha bime.
　　　　至る ペリシテ 軍隊 を 殺し尽くした ダビデ の 名前 各所に 聞こえ渡って いて
　　　　　　　斐里斯定仇　　　　　　　達味的名處處傳開了

7a3　　geli ba ba i urse taweit de dahakini sere jalin. abkai ejen gelere
　　　　さらに 各 所 の 人々 ダビデ に 従いたい と思う ので 天の 主 恐れ
　　　　　　　　　　　　　　　　　天主也使各等

7a4　　goloro mujilen be cende bahabuha.
　　　　驚く　　心　　を 彼らに 持たせた
　　　　支派都怕他

7b1　　sure gisun
　　　　解く 言葉

---

[1] baitalara：東洋本は bakcilara に作る。
[2] 才：徐家匯本は「緫」に作る。
[3] 听：徐家匯本は「聽」に作る。
[4] 向：徐家匯本は「像」に作る。
[5] 陡入：徐家匯本は「突入」に作る。
[6] abkai ejen：東洋本は deus に作る。

註解

7b2　ⓐ ubade gisurehe abkai ejen[1]. damu abkai ejen i takūraha abkai enduri
　　　　　ここで　話した　天の　主　　ただ　天の　主　が　遣わした　天の　神

　　　這裡説的陡斯　　　　　　是陡斯遣的一天神

7b3　　inu. ⓒ gabahon[2] inu. gadzera žeser inu sembihe.
　　　であル　ギベオン　であル　ゲゼル　ネゼル　とも　言っていた

　　　　　加巴翁也叫加巴哈　加則拉也叫熱則耳

---

[1] abkai ejen：東洋本は deus に作る。
[2] gabahon：東洋本はこの後に gabaha を有する。

7b4　tofohoci fiyelen

十五　　篇

第十五篇

7b5　kemuni utala gurung be taweit i hoton de ilibuha. jai abkai ejen[1] i
　　　さらに 多くの　宮殿 を ダビデ の 城 に 建てた また 天の 主　 の

還在達味城内修盖了多房舎　　　　　　　　為陡斯的聖櫃

8a1　guise de emu deyen be belhefi. šurdeme wadan sarakabi. taweit teni
　　　　櫃 に 一つ 宮殿 を 備えて 周りに 掛け布 張った ダビデ そこで

預俻了地方　　　　　　　也做了皮幔[2]的殿　　　達味才[3]説

8a2　hendume. leweida sa abkai ejen[4] i guise be tukiyeci acambi. gūwa
　　　言うには レビの頭目 達 天の 主 の 櫃 を 持ち上げる べきだ 別の

　　　　　　肋未子孫該當抬陡斯的櫃　　　　　　　　別人

8a3　niyalma terebe tukiyeci ojorakū. abkai ejen guise be tukiyere jalin.
　　　　　人　 それを 持ち上げては いけない 天の 主 櫃 を 持ち上げる ために

不可抬　　　　　　　　天主特選他們為抬天主的櫃

8a4　deyen i baita enteheme icihiyara turgun cembe sonjoho kai. tereci abkai
　　　宮殿 の 事　 永久に　処理する ために 彼らを 選んだ のだ それから 天の

永辨殿裡的事　　　　　　　　　　為挪移陡斯

8a5　ejen[5] i guise be ini beyei belhehe bade guribuki seme israyel[6] i geren
　　　主　 の 櫃 を 彼 自身の 準備した 所に 移そう と イスラエル の 多くの

的櫃　　　　　　　　　　　　　到他親自預俻的

8b1　irgen be yerusalem de isabuha. aron i juse leweida sabe solinjiha.
　　　民衆 を エルサレム に 集まらせた アロン の 子達 レビの頭目 達を 招いた

地方照[7]依斯拉耶耳衆民來日露撒冷　又請亜隆的子並肋未的子孫

8b2　kat i mukūn da uriyel sembihe. ini deote emu tanggū orin niyalma
　　　コハテ の 族 長 ウリエル と 言っていた 彼の 弟達は 一 百 二十 人

從加得族來的長是烏里耶耳　連帯的他的弟兄一百二十人

8b3　emgi bihe. asaiya merari mukūn da ombihe. ini harangga juwe tanggū
　　　共に いた アサヤ メラリ 族 長 であった 彼の 所屬する 二　 百

　　　　　從莫拉里族[8]來的長是亜塞亜[9]　連他帯的弟兄二百二十

---

[1] abkai ejen：東洋本は deus に作る。
[2] 皮幔：徐家匯本は「皮慢」に作る。
[3] 才：徐家匯本は「綫」に作る。
[4] abkai ejen：東洋本は deus に作る。
[5] abkai ejen：東洋本は deus に作る。
[6] israyel：東洋本は israel に作る。
[7] 照：徐家匯本は「召」に作る。
[8] 莫拉里族：徐家匯本は「黙拉里族」に作る。
[9] 亜塞亜：徐家匯本は「亞賽亞」に作る。

8b4　orin deote. yohel žerson mukūn da ofi. emu tanggū gūsin deote
　　　二十 弟達 ヨエル ゲルショム 族 長 なので 一 百 三十 弟達
　　　人　　　　從熱耳宋族來的長是約黑耳 連帶的弟兄一百三十人

8b5　imbe dahalambihe. semeyas elisafen[1] i mukūn da juwe tanggū deote be
　　　彼に 從っていた シマヤ エリザハン の 族 長 二 百 弟達 を
　　　　　　從厄里撒範族來的長是撒莫亜斯[2]連帶的弟兄二百人

9a1　gaime jihe. heberon mukūn da eliyel jakūnju deote be gaiha odziyel mukūn
　　　連れて 来た ヘブロン 族 長 エリエル 八十 弟達 を 連れて来た ウジエル 族
　　　　　從黑柏隆[3]族來的長是厄里耶耳連帶的弟兄八十人 從阿漆

9a2　da aminadab ini tanggū juwan juwe deote i juleri yabumbihe. taweit hono
　　　長 アミナダブ 彼の 百 十 二 弟達 の 前に 行っていた ダビデ さらに
　　　耳族來的長是亜米那大伯[4]連帶的弟兄一百二十二人　　達味還請揔[5]

9a3　wecen i dalaha da sadok abiyatar se. leweida se uriyel asaiya yohel
　　　祭祀 の 頭となった 頭目 サドク アビアタル 達 レビの頭目 達 ウリエル アサヤ ヨエル
　　　祭首　　　　撒多克亜必亜大耳 同肋未子孫烏里耶耳亜塞亜[6]約黑

9a4　semeyas. eliyel. aminadab jergi niyalma be hūlame gajifi hendume. suwe lewei i
　　　シマヤ エリエル アミナダブ 等の 人 を 呼び 集めて 言うには お前達 レビ の
　　　耳塞莫亜斯[7]厄里耶耳亜米那大伯望他們説　　　　　你們既是肋未

9a5　hacingga boo i ejete oci tetendere. suweni deote i emgi bolhomikini. israyel[8] i
　　　各種の 家 の 主達 である 以上 お前達の 弟達 と 一緒に 清めるがよい イスラエル の
　　　後代的首　　　　　同你們的弟兄一齊潔浄　　為抬依斯

9b1　abkai ejen[9] i guise be belhebuhe deyen i dolo benecina. suwe tuktan mudan
　　　天の 主 の 櫃 を 備えさせた 宮殿 の 中に 送るがよい お前達 初 回
　　　拉耶耳陡斯的櫃送進預儉的殿内　　　　　初次因你們沒[10]

9b2　musei emgi akū ofi. abkai ejen mende jobolon isibuha. ne meni yabure
　　　我々と 一緒 でない ので 天の 主 我々に 災難 及ぼした 今 私達の 行う
　　　來　　　　故天主降給我們災　　　倘如今我們又

---

[1] elisafen：東洋本は elisafan に作る。
[2] 撒莫亜斯：徐家匯本は「塞默亞斯」に作る。
[3] 黑柏隆：徐家匯本は「黑栢隆」に作る。
[4] 亜米那大伯：徐家匯本は「亜米那米那大伯」に作る。
[5] 揔：徐家匯本は「總」に作る。
[6] 亜塞亜：徐家匯本は「亞賽亞」に作る。
[7] 塞莫亜斯：徐家匯本は「塞默亞斯」に作る。
[8] israyel：東洋本は israel に作る。
[9] abkai ejen：東洋本は ejen deus に作る。
[10] 沒：徐家匯本は「未」に作る。

9b3　baita de heni waka be[1] akū seme saikan olhošoci acambi sehe. ede
　　　事　に　少しの　非　が　ない　と　ちゃんと　用心する　べきだ　と言った　そこで
　　　錯了禮　恐天主又要降災　　　　　　　　　　　　　　　　為此

9b4　wecen i da leweida sa israyel[2] i abkai ejen[3] i guise be tukiyere gūnin
　　　祭祀　の　頭目　レビの頭目　達　イスラエル　の　天の　主　の　櫃　を　持ち上げる　考え
　　　捴[4]祭首　肋未子孫為抬依斯拉耶耳主陡斯的櫃

9b5　beye beyebe bolgomiha. moises abkai ejen i hesei songkoi adarame fafulaha
　　　自分で　自分を　清めた　　モーセ　天の　主　の　勅旨に　従い　どうにか　伝えて
　　　都潔浄了本身[5]　　　　肋未子孫照天主命毎瑟的㫖意

10a1　bihe. lewei i juse abkai ejen[6] i guisei mukšan be sibkelehe. taweit
　　　いた　レビの　子達　天の　主　の　櫃の　棒　を　担った　ダビデ
　　　　　　放棍肩上抬陡斯的櫃　　　　　　　　達味還

10a2　kemuni lewei i mukūn da sade hendume. suweni deote i dorgici ememu ucun
　　　さらに　レビの　族　長　達に言うには　お前達の　弟達　の　中から　ある　歌
　　　望肋未族内的長説　　　　　従你們弟兄内　　　定或謳誦

10a3　uculere. ememu kumun i agūra kin yatuhan be fithere. teišun i fila.
　　　歌う者　ある　楽　器琴　箏　を弾く者　銅の　シンバル
　　　或弾琴吹筲[7]打鑼鼓銅鈸的人

10a4　tungken forirengge be toktokini. urgun i jilgan abka de sucunakini sehe.
　　　鼓　打ちはやす者　を定めるがよい　喜び　の　声　天　に　上げるがよい　と言った
　　　為歡樂聲音冲上天去

10a5　yala utala leweida be toktohobi. ceni gebu uthai yohel i jui heman
　　　そこで　多くの　レビの頭目　を選んだ　彼等の　名前　即ち　ヨエル　の　子　ヘマン
　　　因此排了[8]許多肋未子孫　　排的就是這約黒耳的子黒幔[9]

10b1　kat mukūn i niyalma. jai terei ahūta deote ci barkiyas i jui asafe
　　　コハテ　族の　人　また　彼の　兄達　弟達　から　ベレキヤ　の　子　アサフ
　　　従他弟兄加得族的巴拉既亜斯的子亜撒費

10b2　žerson mukūn i niyalma. kemuni ceni ahūta deote. merari mukūn ningge ci
　　　ゲルショム　族の　人　さらに　彼等の　兄達　弟達　メラリ　族　者　から
　　　従莫拉里[1]黒幔亜撒費的弟兄[2]

---

[1] be：東洋本は ba に作る。
[2] israyel：東洋本は israel に作る。
[3] abkai ejen：東洋本は ejen deus に作る。
[4] 捴：徐家匯本は「總」に作る。
[5] 本身：徐家匯本は「身體」に作る。
[6] abkai ejen：東洋本は deus に作る。
[7] 吹筲：徐家匯本は「吹簫」に作る。
[8] 排了：徐家匯本は「排定了」に作る。
[9] 黒幔：徐家匯本は「黒慢」に作る。

10b3   kangsaiya[3] i jui etan meimeni mukūn i niyalma ere ilan be dahalambihe. ilhi

      クシャヤ　の 子 エタン それぞれの 族 の 人　この 三人 に 従っていた　次の

      加撒亜的子厄丹　　他們的弟兄都随着他們三人　　　　　　　次隊

10b4   baksan de sakariyas[4]. ben yadziyel. semiremot[5]. yehiyel. ani eliyab. baniyas[6]

       隊 に ゼカリア　ベン ヤジエル セミラモテ エイエル ウンニ エリアブ ベナヤ

      定了匝加里亜斯 崩 亜西耳[7] 塞米拉莫得 耶希亜耳[8] 亜尼 厄里亜伯 巴那亜

10b5   mahasiyas matatiyas elifalu mašeniyas obededom yehiyel se

      マアセヤ マッタテヤ エリペレホ ミクネヤ オベデエドム エイエル 達

      瑪哈亜西[9] 瑪大弟亜斯 厄里法禄 瑪蛇尼亜斯 阿柏得多莫[10] 耶希耳

10b5   duka tuwakiyara

      門　　　守る

      這些人看守殿門

11a1   niyalma inu. heman asefe. etan se oci. teišun i fila i mudan de

      人　である ヘマン アサフ エタン 達 は 銅 の シンバル の 調べ に

      論黒慢亜撒費厄丹　　一面謳誦一面打銅鈸

11a2   acabume uculembihe. sakariyas[11] odziyel. samiramot yahiyel ani eliyab mahasiyas

      合わせて　歌っていた　ゼカリア　アジエル セミラモテ エイエル ウンニ エリアブ マアセヤ

      匝加里亜斯 阿漆耳 塞米拉莫得 亜希耶耳 亜尼 厄里亜伯 瑪哈西亜

11a3   baniyas[12] se emderei kumun i agūra be fulgiyeme. emderei somishūn doroi

      ベナヤ　達 一方で　楽　器 を 吹いて　一方で　秘密の 礼で

      巴那亜用別的樂器　　　　　　唱奧妙的經

11a4   irgebun irgebumbihe. matatiyas. elifalo[13] mašeniyas obededom. yahiyel[14]. odzadziu

      詩　吟じていた マッタテヤ エリペレホ ミクネヤ オベデエドム エイエル アザジア

      瑪大弟亜斯 厄里法禄 瑪蛇弟亜斯 阿柏得多莫[15] 耶希耳 阿匝秋

11a5   jakūn sirge i yatuhan de etehe gungge be saišame uculembihe ⓐ

      八　絃 の 筝 に 勝った 功績 を 讃えて　歌っていた

---

[1] 莫拉里：徐家匯本は「默拉里」に作る。
[2] 弟兄：徐家匯本は「兄弟」に作る。
[3] kangsaiya：東洋本は kasaiya に作る。
[4] sakariyas：東洋本は dzakariyas に作る。
[5] semiremot：東洋本は semiramot に作る。
[6] baniyas：東洋本は baniyas に作る。
[7] 亜西耳：徐家匯本は「亞漆耳」に作る。
[8] 耶希亜耳：徐家匯本は「亞希耶耳」に作る。
[9] 瑪哈亜西：徐家匯本は「瑪哈西亞」に作る。
[10] 阿柏得多莫：徐家匯本は「阿栢得多默」に作る。
[11] sakariyas：東洋本は dzakariyas に作る。
[12] baniyas：東洋本は banayas に作る。
[13] elifalo：東洋本は elifalu に作る。
[14] yahiyel：東洋本は yehiyel に作る。
[15] 阿柏得多莫：徐家匯本は「阿栢得多默」に作る。

弾八絃的琴唱凱旋感謝的經[1]

11b1　šoneniyas geren leweida i da uculere mangga saisa. ini beye kumun be
　　　　ケナニヤ 多くの レビの頭目 の 長 歌う者 上手な 賢者 彼 自身　音樂 を
　　　　肋未子孫的首郭奈里亜斯[2]　　　　　　　　管理音樂隊是他

11b2　alifi neneme ucun deribufi. geren i jilgan be yarume hūwaliyambihe barkiyas
　　　　支えて 先に　歌　奏でて 多くの 声 を 導き　調合していた ベレキヤ
　　　　親領衆人唱經奏樂　　　　因為他比別人熟練　　　　　　　巴拉既亜斯

11b3　elkana se guise i juleri bifi. terebe tuwakiyara dabala. sebeniyas yosefat
　　　　エルカナ 達 櫃 の 前に いて それを　守る　だけだ シバニヤ ヨシャパテ
　　　　厄耳加那在櫃前頭看守　　　　　　　　　塞柏尼亜斯[3] 約撒法得

11b4　natanahel amasai dzakariyas. baniyas[4]. eliyedzer se wecen i dasa abkai ejen[5] i
　　　　ネタネル アマサイ ゼカリヤ ベナヤ エリエゼ 達 祭祀 の 頭目達 天の 主 の
　　　　那大那耳 亜瑪塞 匝加里亜斯 巴那亜斯 厄里耶則耳 祭祀首們在陡斯櫃前

11b5　guise i jakade buren burdembihe. obededom. yehiyas se geli guise be
　　　　　櫃 の 前で ラッパ 吹いていた オベデエドム エヒア 達 また 櫃 を
　　　　吹號罵　　　　　　阿柏得多莫[6]家西亜斯[7]也看守櫃

12a1　tuwakiyambihe. uttu ohode taweit i[8] israyel[9] i omosi i sakda coohai da
　　　　　守っていた　　こう なると ダビデ の イスラエル の 孫達 の 長老 兵の 頭目
　　　　都如此安排了達未[10]及依斯拉耶耳會的長老千兵首一齊大

12a2　sa gemu amba urgun i abkai ejen i hūwaliyasun doro i guise be obededom i
　　　　達 みな 大きな 喜び で 天の 主 の　調和　礼儀 の 櫃 を オベデエドム の
　　　　樂　　　　　到阿柏得多莫[11]家要請天主和睦結約的櫃來

12a3　boo ci gurime genembi. abkai ejen i hūwaliyasun doroi guise be tukiyere
　　　　家 から 移して　行く　天の　主 の　調和　礼儀の 櫃 を 持ち上げて
　　　　　　　　因為肩抬和主[12]和睦結約櫃的肋未子孫

12a4　leweida sa abkai ejen[13] i kesi de elhe jobolon akū ofi. tuttu
　　　　レビの頭目 達 天の 主　の 恩 で 安らか 災い ない ので そのため

---

[1] 唱凱旋感謝的經：徐家匯本は「唱凱感謝的經」に作る。
[2] 郭奈里亜斯：徐家匯本は「郭奈尼亞斯」に作る。
[3] 塞柏尼亜斯：徐家匯本は「塞栢尼亞斯」に作る。
[4] baniyas：東洋本は banayas に作る。
[5] abkai ejen：東洋本は deus に作る。
[6] 阿柏得多莫：徐家匯本は「阿栢得多默」に作る。
[7] 家西亜斯：徐家匯本は「耶西亞斯」に作る。
[8] i：東洋本はこの一語を欠く。
[9] israyel：東洋本は israel に作る。
[10] 達未：徐家匯本には「達味」に作る。
[11] 阿柏得多莫：徐家匯本は「阿栢得多默」に作る。
[12] 和主：徐家匯本は「天主」に作る。
[13] abkai ejen：東洋本は deus に作る。

承陡斯的恩平安無災故祭　　　　献了七

12a5 nadan tukšan. nadan buka honin i wecen alibuhabi. taweit narhūn olo i

　七　子牛　七　雄　羊　で　祭祀　献げていた　ダビデ　細かい　麻　の

個牛犢　　七個公棉羊　　　　　　　　　　達味穿[1]了細麻[2]衣

12b1 etuku etumbihe. guise be tukiyere ucun uculere geren leweida sa jai

　衣服　着ていた　櫃　を　持ち上げる　歌　歌う　多くの　レビの頭目　達　また

服　　　　　抬櫃的那肋未[3]子孫連謳經的　並在他們當間

12b2 šoneniyas kumun yarure da. ere adali etuku etuhe bihe taweit de

　ケナニヤ　音楽　導く　頭目　この　様な　衣服　着て　いた　ダビデ　に

郭奈尼亜斯音樂的首領　都穿了[4]一樣的衣服　　但達味還有

12b3 hono narhūn olo i efot bihe. israyel[5] i[6] gurun i irgese urgunjeme sebjeleme

　さらに　細かい　麻　の　エポデ　あった　イスラエル　の　国　の　民衆達　喜び　楽しんで

細麻的厄佛得　　　　　依斯拉耶耳衆民大樂

12b4 abkai ejen i hūwaliyasun doroi guise be fudembihe. geli bileri buren

　天の　主　の　調和　礼儀の　櫃　を　送っていた　また　チャルメラ　ラッパ

吹號笛打鑼銅鈸弾琴[7]跟着天主和睦結約櫃

12b5 teišun fila. kin yatuhan jergi agūra be baitalambihe[8]. abkai ejen i

　銅　シンバル　琴　筝　等の楽器　を　用いていた　　天の　主　の

　　　　　　　　　　　　　　　　天主的和睦結約

13a1 hūwaliyasun doro i guise taweit i hoton de isinjifi. saūl i sargan jui

　　　調和　礼儀の　櫃　ダビデ　の　城　に　至り　サウル　の　女の子

櫃到了達味城内　　　　　　　撒烏耳的女孩

13a2 mikol fa deri hargasame tuwambihe. wang taweit i fekure efirengge be

　ミカル　窓　から　仰ぎ　見ていた　王　ダビデ　が　跳んで　遊ぶこと　を

米渇耳從窓見達味跳舞踴躍

13a3 sabuhade. imbe mujilen i dolo fusihūlaha.

　見た時　彼を　心　の　中で　蔑んだ.

　　　心裡輕慢他

13a4 sure gisun

　解く　言葉

---

[1] 穿：徐家匯本は「窄」に作る。
[2] 細麻：徐家匯本は「細麻的」に作る。
[3] 未：徐家匯本はこの一字を欠く。
[4] 了：徐家匯本はこの一字を欠く。
[5] israyel：東洋本は israel に作る。
[6] i：東洋本はこの一語を欠く。
[7] 琴：徐家匯本は「瑟」に作る。
[8] baitalambihe：東洋本は baitalambike に作る。

註解

13a5 enduringge guise tuktan ganan ba i hacingga mukūn uksura be suntehe
　　　聖なる　　　櫃　最初　カナン　地方　の　各種の　族　　支族　を　滅ぼした
聖櫃一進加南地方　　　　　　　滅盡[1]了那地方的各支派

13b1 siran siran i filistim se jergi bata be etehebi. ere gungge be jorime
　　　次　々と ペリシテ 達 等の 敵 に 勝っていた この 功績 を 指して
後漸漸[2]勝了斐里斯定等仇　　　　　指[3]這等功勞[4]謌誦

13b2 uculembihe.
　　　歌っていた

---

[1] 盡：徐家匯本はこの一字を欠く。
[2] 漸：徐家匯本はこの一字を欠く。
[3] 指：徐家匯本はこの前に「肋未子孫」を有する。
[4] 勞：徐家匯本はこの一字を欠く。

13b3　juwan ningguci fiyelen
　　　　十　　六　　篇
第十六篇

13b4　uttu ohode abkai ejen[1] i guise be tukiyefi terebe taweit i belhehe
　　　この様に なって 天の 主 の 櫃 を 持ち上げ それを ダビデ の 準備した
　　　因此抬陡斯的櫃　　　　　　　　　供在達味先預俻的殿内

13b5　deyen i dulimbade sindaha. geli yongkiyan wecen. elhe wecen be abkai
　　　宮殿 の 中に 置いた また 燔 祭 酬恩 祭 を 天の
　　　　　　又與天主献全安二祭　達味献了全安二祭後

14a1　ejen[2] de alibuha. taweit yongkiyan. elhe wecen be alibuha manggi.
　　　主 に 献げた ダビデ 燔祭 酬恩 祭 を 献げた 後
　　　呼天主聖名

14a2　abkai ejen i gebu be jorime geren irgen de hūturi isibuha haha ci
　　　天の 主 の 名前を 示し 多くの 民衆達に 福を 及ぼした 男 から
　　　　　　給衆民降福　　　　　　従男至女

14a3　deribume hehe de isibume. teisu teisu de emu farsi efen ihan i
　　　始めて 女 まで 及ぼし それ ぞれ に 一 塊 パン 牛の
　　　　　　賞每人一塊饅頭一塊燒牛肉

14a4　šoloho yali. nimenggi de caruha narhūn ufa. hacin tome emu
　　　焼 肉 油 で 揚げた 細い 麺 一つ ずつ 一
　　　　油煎的細面[3]　　　　従肋未子孫定了幾

14a5　ubu be salame buhe abkai ejen i guisei juleri tušan be akūmbure
　　　分 を 分けて 与えた 天の 主 の 櫃の 前で 職責 を 尽して
　　　班　　　　　　為天主櫃前盡職

14b1　israyel[4] i abkai ejen[5] i yabuha ferguwecuke baita be ejefi imbe erin
　　　イスラエル の 天の 主 が 行った 非凡な 事 を 記し 彼を 常
　　　記念衣斯拉耶耳[6]主陡斯行的竒事

14b2　akū. eldembure saišara leweida sai idu be toktohobi. asefen[7] da
　　　に 輝かせ 讃える レビの頭目 達の 当番 を 定めたのだ アサフ 頭目
　　　　　光榮稱讃　　　　　　　第一是亜撒

---

[1] abkai ejen：東洋本は deus に作る。
[2] abkai ejen：東洋本は deus に作る。
[3] 面：徐家匯本は「麵」に作る。
[4] israyel：東洋本は israel に作る。
[5] abkai ejen：東洋本は ejen deus に作る。
[6] 衣斯拉耶耳：徐家匯本は「依斯拉耶耳」に作る。
[7] asefen：東洋本は asafe に作る。

14b3 　ombihe. ilhi da dzakariyas. sirarangge yehiyel samiramot yehiyel matatiyas
　　　　であった　次の　頭目　ゼカリヤ　その次　エイエル　セミラモテ　エヒエル　マッタテヤ
　　　　費的班　第二是匜加里亜斯的班　後就是亜希耳　塞米拉莫得　耶西耳　瑪大弟亜斯

14b4 　eliyab baniyas[1] obededom se inu. yehiyel kin yatuhan jergi agūra fithere
　　　　エリアブ　ベナヤ　オベデエドム　達　である　エイエル　琴　箏　等の　楽器　弾く
　　　　厄里亜伯　巴那亜　阿柏得多莫[2]等人的班　耶西耳管弾琴琵琶的人

14b5 　leweida sabe kadalambihe. asafe oci teišun fila be tūmbihe. wecen i
　　　　レビの頭目　達を　管理していた　アサフ　は　銅　シンバル　を　打っていた　祭祀　の
　　　　論亜撒費是打銅鈸的職　　　　　　　　　　　　　　　　祭首

15a1 　da baniyas[3]. yasiyel[4] se abkai ejen i hūwaliyasun doroi guise i juleri
　　　　頭目　ベナヤ　ヤハジエル　達　天の　主　の　調和　礼儀の　櫃　の　前で
　　　　巴那亜斯　及亜漆耳本分該常在天主和睦結約櫃前吹號噐

15a2 　daruhai buren burdeci acambihe. tere inenggi taweit asafe be ini
　　　　常に　ラッパ　吹く　べきだった　その　日　ダビデ　アサフ　を　彼の
　　　　　　　　　　　　　　　那日達味立了亜塞費[5]　同他的

15a3 　deote i emgi abkai ejen be saišame maktara da obuha. ini
　　　　弟達　と　共に　天の　主　を　讃え　称賛する　頭目　とした　彼の
　　　　衆弟兄　　為讃誦天主諸隊的首謌的詞就是這

15a4 　uculehengge uttu. abkai ejen be saišakini. terei gebu be hūlakini. geren
　　　　歌ったこと　こうだ　天の　主　を　讃えるがよい　彼の　名前　を　呼ぶがよい　多くの
　　　　　　　　你們讃美天主　　　呼他的聖名　　　在衆

15a5 　gurun i dolo terei šumin gūniha. an ci colgoroko yabun be ulandukini.
　　　　国　の　中で　彼の　深く　考えた　日常　より　突出した　行い　を　伝えるがよい
　　　　支派内傳他的妙意　　　　行的大事

15b1 　imbe wesihulere turgun uculekini. kumun deribukini. terei hacingga. ferguwecun
　　　　彼を　尊敬する　理由　歌うがよい　音楽　演奏するがよい　彼の　様々な　非凡な
　　　　為尊敬他謌唱聲同樂對　　　　　　　暁諭衆人他的奇妙事

15b2 　babe selgiyekini. terei enduringge gebu be tukiyecekini. abkai ejen be
　　　　所を　伝えるがよい　彼の　聖なる　名前　を　誉めるがよい　天の　主　を
　　　　　　光榮他的聖名　　　　凡人覓天主心裡

15b3 　baire niyalma i mujilen urgunjecina. abkai ejen. terei erdemu be baisu.
　　　　求める　人　の　心　喜ぶがよい　天の　主　彼の　徳　を　求めよ

---

[1] baniyas：東洋本は banayas に作る。
[2] 阿栢得多莫：徐家匯本は「阿栢得多默」に作る。
[3] baniyas：東洋本は banayas に作る。
[4] yasiyel：東洋本は yadziyel に作る。
[5] 亜塞費：徐家匯本は「亞撒費」に作る。

悦樂找尋天主　　　　　　　也求他的徳

15b4　terei cira be erin akū baisu ⓐ ini yabuha ferguwecuke baita banjibuha
　　　彼の　顔を　常に　求めよ　彼の　行った　非凡な　事　作り出した
常想見他¹的顔面　　　記着他作的奇事

15b5　hacin hacin i songko. ini anggai beiden be ejeme gūni terei ahasi
　　　様々な　奇跡　彼の　口の　裁きを　記憶し　考えよ　彼の　奴僕達
顕的各様聖蹟　　他口出的審案　　　依斯拉耶耳

16a1　israyel² i juse. terei sonjoho irgen yakob i omosi inu. i uthai
　　　イスラエル の　子供達 彼の　選んだ 民衆 ヤコブ の　子孫達 である 彼 即ち
後代是他的奴才　亜各伯的子孫是他揀的民　　他就是我

16a2　muse abkai ejen³ kai. i geli abkai fejergi i amba ajige baita be
　　　我々の 天の 主 なのだ 彼 また 天の 下 の 大　小　事を
們的主陛斯　　普天下大小事都是他判断

16a3　beideme lashalambi. terei hūwaliyasun doro musei minggan jalan i omosi de
　　　裁いて　決定する　彼の　調和の　礼儀 我々の 千　代 の 子孫達に
永遠記着他定的和睦結約 他所命我們千代子孫要

16a4　isitala fafulaha fafun be mujilen de tebufi. ume onggoro. i enteke
　　　及ぶまで 出した 法令を　心　に 留め 決して 忘れるな 彼 この様な
守的法度　　　　不可忘了　他同亜巴

16a5　hūwaliyasun doro be abaraham i emgi toktobuha. isak i baru hono gashūha
　　　調和の　礼儀を アブラハム と 共に 定めた イサク に 向かって また 誓った
拉哈母定的和睦結約　　　　又向依撒格發誓的話

16b1　yakob de akdulaha. israyel⁴ i juse omosi de delhenduhe⁵ gisun i adali
　　　ヤコブ に 保証した イスラエル の 子供達 子孫達 に 遺言した 言葉 の 様に
堅穏給亜各伯　當是他的特命如永遠的遺言留給依斯拉耶耳後代

16b2　enteheme taksiburengge be werihebi. yala ganan babe sinde šangnaki. ere ba
　　　永遠に 残させるもの を 留めた 本当に カナン 地方を お前に 継がせよう この 地
説我賞給加南地方　　　用縄仗⁶

16b3　uthai suwende futa i futalaha boihon hethe inu sehe bihe. tere fonde
　　　即ち お前達に 縄 で 測った 土地 家産 である と言って いた その 時
量的産業　天主説這話時

---

¹ 他：徐家匯本は「天主」に作る。
² israyel：東洋本は israel に作る。
³ abkai ejen：東洋本は ejen deus に作る。
⁴ israyel：東洋本は israel に作る。
⁵ delhenduhe：東洋本は delhentuhe に作る。
⁶ 仗：徐家匯本は「丈」に作る。

16b4 ceni ton ajige. komso bime geli antaha i doro¹ tere bade tembihe ⓔ
　　　彼らの 数 小さく 少なく あり また 客 の 礼で その 地に 留まっていた
　　　他們的数目少　力弱旅居在那裡

16b5 emu gurun ci gūwa emu gurun de isinaha. emu uksura be waliyame
　　　一つの 国 から 別の 一つの 国 に 到着した 一つの 支派 を 捨てて
　　　棄了一支派到那一支派從這一國徃別的國

17a1 gūwa emu uksura i bade genehe. uttu sehe seme abkai ejen ai ai
　　　別の 一つの 支派 の 地に 行った こう 言った としても 天の 主 諸 々の
　　　　　　　　　　　　　　　雖這樣　　天主不許人委屈

17a2 niyalma cembe jobobure. muribure be jenderakū elemangga ceni turgun gurun
　　　　　人 彼らを 苦労させ 枉げさせる に 忍びず かえって 彼らの ために 国
　　　傷害他們　　　　　為保護他們處治衆王説

17a3 wang sabe isebuhe ume mini siliha ambasa be acinggiyara. ume
　　　　王 達を 罰した 決して 私の 選んだ 大臣達 を 動かすな 決して
　　　　　　　　　　不要動我選的民　　　　　　　　不要

17a4 mini saisa. jidere undengge be hafure niyalma be necire sembihe ⓘ
　　　私の 賢者 起こら ないこと を 分かる 人 を 侵すな と言っていた
　　　傷損我的先知者

17a5 na i gubci urse gemu abkai ejen be saišame uculekini. i adarame
　　　地 の すべての 人達 みな 天の 主 を 讃え 歌うがよい 彼 どの様に
　　　要普天下的人都謳唱讚美天主　　　　　　　日日傳揚

17b1 membe aitubuha seme inenggidari alakini. terei eldengge horonggo be encu
　　　私達を 救った と 日ごとに 伝えるがよい 彼の 光輝 威力 を 別の
　　　他怎麼救了我們　　　　　　各様支派内将²他的光榮威嚴

17b2 mukūn de selgiyefi. terei ferguwecun yabun be geren uksura de donjibukini.
　　　　族 に 伝え 彼の 非凡な 行い を 多くの 支派 に 聞かせるがよい
　　　　　　　　　　各國的³宣説他的奇事

17b3 abkai ejen yala amba. umesi saišacukangge inu. emu⁴ demun i enduri
　　　天の 主 本当に 大きく 極めて 讃えるべき者 である 一つの 異端 の 神
　　　因為天主至大極可讚美的　　　　　　　比異端的神更該敬

17b4 sa ci ele gelecukengge kai. encu demun i ursei kundulehe enduri sa.
　　　達 より 最も 恐るべき者 なのだ 別の 異端 の 人達が 敬った 神 達
　　　畏的　　　　　　異端的人們恭敬的諸神

---

¹ doro：東洋本は doroi に作る。
² 将：徐家匯本は「講」に作る。
³ 的：徐家匯本は「内」に作る。
⁴ emu：東洋本は encu に作る。

17b5 damu sure akū. muten akū. untuhun arbun ojoro teile. abkai
　　　ただ　賢く　なく　才能　なく　　空　　像　　となる　だけだ　天の
　　都是無靈無能的像　　　　　　　　　　　　　　　単天主

18a1 ejen oci. i hacingga abka be banjibuha. eldengge. horonggo terei šurdeme
　　　主　は　彼　様々な　天　を　造られた　　光輝　　　威力　　彼の　周りに
　　造成諸天　　　　　　　　　　　光輝威嚴圍着他　　　他

18a2 bi. akdun etuhun. urgun sebjen ini tehe bade bi. hacingga mukūn i
　　　ある　繁盛　強大　喜び　楽しみ　彼の　住んだ　所に　ある　様々な　族　の
　　在的地方有雛[1]盛　有喜樂　　　　　　　　別[2]族的家都來献你

18a3 boo bireme jio. abkai ejen i eldengge be wesihuleme. terei abka na
　　　家　尽く　来い　天の　主　の　光輝　を　尊敬し　彼の　天　地
　　們的贄儀給天主　光榮天主　　　　　　　　認他有的大權

18a4 salifi kadalara toose be ambakilakini. abkai ejen be eldembuhei. ini gebu be
　　　治めて　管理する　権力　を　尊ぶがよい　天の　主　を　輝かせたまま　彼の　名前　を
　　　　　　　　　　　　　　　　　　　　　　稱送[3]他的聖

18a5 ginggule. wecen alibu. imbe hargašanju. abkai ejen be enduringge yangsangga
　　　敬え　　祭祀　献じよ　彼に　来朝せよ　天の　主　を　　聖なる　　装い
　　名　　　送犧牲來　　在他台前　　恭敬叩拜天主

18b1 dorolon i ici kundule. terei cira i jakade na ambarame aššacina. i
　　　礼　に　応じて　尊べ　彼の　顔　の　そばで　地　大いに　動くがよい　彼
　　　　　　　　普地在他面前震動　　　　　　　就是

18b2 na i muhaliyan be teng seme toktobuha ofi. efuleci ojorakū geren abka
　　　地　の　球　　を　しっかりと　　定めた　ので　壊すこと　できない　多くの　天
　　他堅結定的地球　　　　　　　不能活動　　　諸天發顯

18b3 sebjelekini. na geli urgunjekini. eiten gurun i niyalma de abkai ejen
　　　楽しむがよい　地　も　喜ぶがよい　諸々の　国　の　人　　に　天の　主
　　他的樂　　全地露出他的喜　　報與萬民説　　　　天主掌管上

18b4 abkai dergi. abkai fejergi be salifi kadalambi seme boolakini. mederi i desereke
　　　天の　上　　天の　下　　を　治め　管理する　と　通知するがよい　海　の　洋々たる
　　天下地　　　　　　　　　　　　　　海波浪衝撞

18b5 muke turgekini. usin. usin de bisirele hacin urgunjeme sebjelekini.
　　　水　流れるがよい　田　田　に　あるすべての　物　喜び　　楽しむがよい
　　　　　以表欣悦田地内所有的物　也彰出他的歡樂

---

[1] 雛：徐家匯本は「強」に作る。
[2] 別：徐家匯本は「衆」に作る。
[3] 送：徐家匯本は「頌」に作る。

19a1　bujan i moo teni abkai ejen be saišambi. abkai ejen na i geren
　　　　林　の木　やっと天の主　を　讃える　天の　主　地の多くの
　　　那時林内有的樹讃美天主　　　　　因為降來審判世上的人

19a2　niyalma be beideme enggelenjihe turgun inu ☺[1] suwe abkai ejen be
　　　　人　を裁きに　訪れて来た　ため である　お前達 天の　主　を
　　　　　　　　　　　　　　　　　　　　　　你們稱頌天主

19a3　saišame maktakini. i sain bime. ini jilan de geli mohon wajin
　　　　讃え　称賛するがよい 彼 善良であり 彼の 慈しみに また極み 終り
　　　　　　　他本性[2]至善　他的人[3]慈無有窮盡

19a4　akū. suwe kemuni hendume. muse aitubure abkai ejen[4] muse be
　　　　ない お前達 さらに言うには 我々　救う　天の主よ　我々 を
　　　　　　你們還説　　　　　求救我們的陡斯　　　救我們將我

19a5　aitubureo. geren be uhe acafi. ai ai bata i gala ci ukcabureo. be
　　　　救いたまえ 皆 をすべて集めて諸々の敵の手から抜けさせよ 我々
　　　　們　　　聚合在一處　　　又脱我們於仇支派的手　　為

19b1　teni sini enduringge gebu be saišaki. simbe eldembure ucun uculeki. israyel[5] i
　　　　そこで貴方の聖なる名前を讃えよう 貴方を輝かせる歌を歌おう イスラエルの
　　　　我們光榮你的聖名　　　　怡怡唱經　　　　　依斯拉

19b2　abkai ejen[6] de enteheme ci adarame hūturi bihe. inu enteheme de isinatala
　　　　天の　主　に永遠からどれほど 福あった また永遠　に至るまで
　　　　耶耳主陡斯　從永遠到永遠是可讃揚的

19b3　hūturi bikini se. geren irgen gemu uttu inu seme yabucina. abkai
　　　　福あるようにと言え 多くの民衆達すべてこの様である と行うがよい 天の
　　　　　　衆民答罷　真是這様　　　　　又天主

19b4　ejen de banihūnjara irgebun irgebucina. taweit amala asafe. terei
　　　　主　に報いる　詩　吟じるがよい ダビデその後 アサフ その
　　　台前詞誦　　　　　　達味留亜撒費　連他的

19b5　deote be ubade abkai ejen i hūwaliyasun doroi guise i juleri bibuhe.
　　　弟達を ここに天の主　の調和　　礼儀の櫃の前に留めた
　　　弟兄為在天主和睦結約櫃前頭

20a1　meimeni idu be aname. inenggidari guise i jakade tacihiyan i baita icihiyara
　　　それぞれの当番を順番に 毎日　櫃のそばで 教え の事を処理する

---

[1] e：東洋本は o に作る。
[2] 本性：徐家匯本は「性本」に作る。
[3] 人：徐家匯本は「仁」に作る。
[4] abkai ejen：東洋本は deus に作る。
[5] israyel：東洋本は israel に作る。
[6] abkai ejen：東洋本は ejen deus に作る。

要他們一生按班日　聖櫃前盡唱經的本分

20a2　tušan be cende emu jalan i ebsi afabuha. obededom terei ninju jakūn
　　　職責 を 彼らに 一 生 で こうせよ と命じた オベデエドム 彼の 六十 八

定了阿柏得多莫[1]及他六十八

20a3　deote jai obededom i jui ididun[2]. hosa se be duka tuwakiyara ⓤ
　　　弟達 また オベデエドム の 子 エドトン ホサ 達 を 門 を 守る

個弟兄　並阿柏得多莫[3]的子依底同[4]兼阿匝看守殿門

20a4　tušan de sindaha. wecen i da sadok. terei deote wecen i da sabe
　　　 職責 に 任じた　 祭祀 の 頭目 ザドク 彼の 弟達 祭祀 の 頭目 達を

論揔[5]祭首撒多克 同他衆弟兄祭首

20a5　gabahon i den bade unggihe. ce abkai ejen i deyen i juleri ⓝⓐ bisire
　　　ギベオン の 高い 所に 遣わした 彼ら 天の 主 の 宮殿 の 前に　 ある

派在加巴翁　　　　　　　高地方有的天主殿内做本分的事

20b1　yongkiyan wecen i terkin de erde yamji daruhai yongkiyan wecen be abkai
　　　　 燔　 　祭 の 壇 で 早朝 夕方 いつでも　 燔　 　祭 を 天の

照天主命依斯拉耶耳後代

20b2　ejen de alibuci acambihe. yala abkai ejen israyel[6] i omosi de fafulaha
　　　主 に 献げる べきだった 本当に 天の 主 イスラエル の 子孫達 に 出した

早晩祭台上給天主献全祭祀

20b3　fafun bithe de uttu ejehe bihe. erei[7] amala heman iditun. gūwa
　　　法令の 書 に この様な 敕書 あった その 後 ヘマン エドトン 別の

撒多克後定了黒滿　依底同[8] 連別

20b4　siliha leweida sabe teisu teisu i gebu be jorime gabahon i deyen de
　　　選んだ レビの頭目 達を 各 々 の 名前 を 示し ギベオン の 宮殿　 に

的挑選的為唱經讃揚天主

20b5　takūraha. ce abkai ejen be saišame. ini gosin jilan mohon wajin
　　　遣わした 彼ら 天の 主 を　 讃え 彼の 仁 慈しみ 極み 終り

高聲説天主的仁慈本是無窮

21a1　akūngge seme den jilgan i hūlambihe. heman iditun se kemuni jing
　　　ないこと　と 高い　声 で 言っていた ヘマン エドトン 達 さらに 常々

---

[1] 阿柏得多莫：徐家匯本は「阿栢得多默」に作る。
[2] ididun：東洋本は iditun に作る。
[3] 阿柏得多莫：徐家匯本は「阿栢得多默」に作る。
[4] 依底同：徐家匯本は「依氏同」に作る。
[5] 揔：徐家匯本は「總」に作る。
[6] israyel：東洋本は israel に作る。
[7] erei：東洋本は ere i に分綴する。
[8] 依底同：徐家匯本は「依氏同」に作る。

無盡的　　　　　　　　　　　　　　　陡斯台前正唱經奏樂時黒滿

21a2　abkai ejen i nomun hūlarade buren burdembihe. teišun fila be tūmbihe.
　　　　天の　主　の　経　　読む時　ラッパ　吹いていた　銅　シンバル　を　打っていた

依底同¹該吹號　　　　　　　　　　　　打銅鈸

21a3　hacingga kumun i agūra be baitalambihe. iditun i juse be duka tuwakiyara
　　　　様々な　　楽　器　を　用いていた　エドトンの　子供達　を　門　　守る

依底同²的諸子作³看殿門的首

21a4　da obuha. geren irgen fakcafi boo de bederehe. taweit ini booi
　　　頭目　とした　多くの　民衆　離れ　家　に　帰った　ダビデ　彼の　家の

衆民散回本家　　　　　　　　達味也回要降福一

21a5　anggala de hūturi isibuki seme da gurung de amasi marihabi.
　　　人間　に　福　及ぼしたいと　元の　宮殿　に　引き　返したのだ

家的人

21b1　sure gisun
　　　解く　言葉

註解

21b2　ⓐ ubade gisurehe abkai ejen i erdemu. abkai ejen i enduringge
　　　　　ここで　話した　天の　主　の　徳　　天の　主　の　　聖なる

這裡説天主的徳　　　　　　即天主的聖寵聖佑

21b3　doshon. aisilan inu. muse niyalma erebe bahaci. udu banitai yadalinggū⁴
　　　寵愛　加護　である　我々　人　これを　得れば　いかに　天性　　弱く

若我們得了　　　　　　雖本性軟弱

21b4　uhuken bicibe. ai ai mangga gungge ilirakūngge akū. abkai ejen i
　　　軟弱　でも　諸々の　困難な　功績　立たないこと　ない　天の　主の

無論甚麼大難的事都容易作　　　又説當⁵想見

21b5　cira be erin akū baisu sehengge. eici erin akū deyen de
　　　顔を　常　に　求めよ　と言ったこと　或いは　常　に　宮殿に

天主的面　　　　　　　這話意或説該常進堂瞻仰聖櫃

22a1　dosifi enduringge guise be hargašanju. eici amba ajige baita yabure dari
　　　入り　聖なる　　櫃　を　仰ぎ見に来い　或いは　大　小　事を　行う　たびに

或毎次行大小事

---

¹ 依底同：徐家匯本は「依氏同」に作る。
² 依底同：徐家匯本は「依氏同」に作る。
³ 作：徐家匯本は「做」に作る。
⁴ yadalinggū：東洋本は yadalingkū に作る。
⁵ 當：徐家匯本は「常」に作る。

22a2 abkai ejen simbe tuwambi seme gūnina. ⓔ yala abaraham haladeya bade
　　　天の主　お前を　見る　と　思い出せ　本当に　アブラハム　カルデア　地方に
該常想天主見你　　　　　　　　亜巴拉哈母本生在加耳徳亜

22a3 banjiha. yakob i juse mesobotamiya de banjiha bihe. ⓘ isebuhe wang
　　　生まれた　ヤコブ　の　子供達　メソポタミヤ　に　生まれて　いた　罰した　王
地方　亜各柏[1]的十二子　本性[2]在莫索玻達米亜[3]地方　天主罰的王們就

22a4 sa farao abimelek se inu. abaraham. isak. yakob ilan nofi
　　　達　パロ　アビメレク　達　である　アブラハム　イサク　ヤコブ　三　人
是法労翁亜必莫肋克　因為亜巴拉哈母依撒各[4]亜各伯

22a5 dubere erin amaha baita be jorime gisurehe ofi. tuttu jidere undengge be
　　　終る　時　将来の　事　を　示し　話した　ので　その様に　起こら　ないこと　を
臨終時説了後來的事　　　　　　　　故説先知者

22b1 hafure saisa sembi. ⓞ abka na jergi jaka de sure banin akū.
　　　分かる　賢者　と言う　　天　地　等のもの　に　賢い　本性　ない
天地等物本是無靈的

22b2 damu irgebun arara niyalma erebe sure genggiyen obufi. terei emgi gisurere
　　　ただ　詩　作る　人　これを　賢く　明るい　とし　それと　共に　話す
但作詩人　　　　　把他當有靈明　　　　與他辯論

22b3 dabala. ⓤ duka tuwakiyara leweida sa abkai ejen de alibuha menggun be
　　　だけだ　　門　守る　レビの頭目　達　天の　主　に　献げた　銀　を
看殿門肋未的子孫[5]　　　収給天主献的銀

22b4 bargiyambihe. inenggi dobori akū duka de bifi. seremšembihe. ⓝ ere
　　　収めていた　昼　夜　なく　門　に　いて　守護していた　　　この
還晝夜在門上防俻　　　　　　　　這殿

22b5 deyen. yongkiyan wecen i terkin moises i weilehe bihe taweit gelhun akū
　　　宮殿　燔　祭　の　壇　モーセ　が　作って　いた　ダビデ　敢えて
及全祭台　　　　是毎瑟作的　　　達味不敢從加

23a1 gabahon baci gurinjirakū. ainci abkai ejen i hesei fe be da bade
　　　ギベオン　地方から　移って　来ない　恐らく　天の　主　の　旨の　古いの　を　元の　所に
巴翁挪來　　　　　大盖[6]也有天主的旨意　要留在那裡

23a2 bibufi. ice be yerusalem de weilehe dere.
　　　留め　新しいの　を　エルサレム　で　作った　のだろう

---

[1] 亜各柏：徐家匯本は「亞各伯」に作る。
[2] 性：徐家匯本は「生」に作る。
[3] 莫索玻達米亜：徐家匯本は「默索玻達米亞」に作る。
[4] 依撒各：徐家匯本は「依撒格」に作る。
[5] 看殿門肋未的子孫：徐家匯本は「看殿門的肋未子孫」に作る。
[6] 盖：徐家匯本は「概」に作る。

日露撒冷城内做了新祭台[1]

23a3   juwan nadaci fiyelen

　　　十　　七　　篇

第十七篇

23a4   daweit[1] ini gurung de terede. baita be doigomšome sara natan i baru
　　　ダビデ　彼の　宮殿　に　住む時　　事　を　あらかじめ　知る　ナタン　に向かって

達味在地[2]宮裡望先知者　　　　　　　　　　　　那丹説

23a5   hendume. ne bi nahūn moo i boode[3] teme bi. abkai ejen i hūwaliyasun doroi
　　　言うには　今　私　香柏　木　の　家に　住んで　いる　天の　主の　調和　礼儀の

　　　我如今住蛇多落木房　　　　　　　　天主的和睦結約櫃

23b1   guise nememe ilgin i deyen debi sehe. natan taweit de jabume. wang
　　　　　櫃　　かえって　革の　宮殿　にある　と言った　ナタン　ダビデ　に　言うには　王

　　　　　反在皮殿内　　　　　　　　　那丹答達味説　　　　王心裡

23b2   mujilen i dolo adarame yabuki. cingkai yabukini. abkai ejen[4] sini emgi bikai
　　　　　心　　の　中で　何か　行いたいなら　思うまま　行えばよい　天の　主　貴方と　共に　いるのだ

　　　想怎麼作　　　　　　　　　只管作　　　　　因陡斯在你一塊

23b3   sehe. damu tere emu dobori abkai ejen[5] hese wasimbufi. natan de afabume
　　　と言った　ただ　その　一　夜　天の　主　旨　発して　ナタン　に　命じ

　　　　　但那夜陡斯諭那丹説

23b4   si hasa gene. mini aha taweit de hendu abkai ejen i hese entekengge.
　　　お前　急いで　行け　私の　奴僕　ダビデ　に　言え　天の　主　の　旨　この様なもの

　　　你告訴我奴達味　　　　　　　天主的旨意是這樣

23b5   teci ojoro tanggin be si minde ilirakū. israyel[6] i omosi be esido
　　　住むこと　できる　堂　を　お前　私に　建てない　イスラエル　の　子孫達　を　エジプト

　　　你不可給我[7]住的堂　　　　　　　本來從厄日多救出依斯拉

24a1   gurun ci tucibuheci ebsi. bi umai tanggin i dorgi tehekū. elemangga tatan i
　　　　　国　から　救い出して　以来　私　全く　堂　の　中に　住んでいない　かえって　幕屋　の

　　　耶[8]後代　　　　　　　至今我揔沒住堂内　　　　　反在常遷走

24a2   babe halahai maikan de bihe. israyel[9] i geren irgen i dulimbade tembihe.
　　　所を　移したまま　天幕　に　いた　イスラエル　の　多くの　民衆　の　真ん中に　住んでいた

　　　的帳房内　　　　　　　住於依斯拉耶耳[1]當中

---

[1] daweit：東洋本は taweit に作る。
[2] 地：徐家匯本は「他」に作る。
[3] boode：東洋本は boo de に分綴する。
[4] abkai ejen：東洋本は deus に作る。
[5] abkai ejen：東洋本は deus に作る。
[6] israyel：東洋本は israel に作る。
[7] 我：徐家匯本はこの後に「修」を有する。
[8] 依斯拉耶：徐家匯本は「依斯拉耶耳」に作る。
[9] israyel：東洋本は israel に作る。

24a3   mini irgese be kadalara toose beidesi de buhe erin bi tesei emke de

私の 民衆達 を 治める 権力 裁判官 に 与えた 時 私 彼らの 一人 に

若分付一個審士管我的民   難道給他

24a4   gisureme. ainu nahon[2] moo i boo be minde ilihakūni sehe bio. te mini

言うには なぜ 香柏 木 の 家 を 私に 建てなかったか と言って いるか 今 私の

説   何故不給我建蛇多落木的堂呢   你如今望

24a5   aha taweit i baru gisure. amba coohai ejen i hendurengge. bi simbe

奴僕 ダビデ に向かって 言え 大 軍 の 主 が 言うこと 私 お前を

我奴達味説   大兵住[3]的旨意如此   你正牧赶

24b1   jing honin i feniyen be adun de bošorode gaiha simbe mini irgese

ちょうど 羊 の 群 を 群 に 追い立てる時 取った お前を 私の 民衆達

羊羣時   我把你定為依斯

24b2   israyel[4] i omosi i da obuha. si ya bade geneci. bi sini emgi bifi.

イスラエル の 子孫達 の 頭目 にした お前 どこに 行っても 私 お前と 共に いて

拉耶耳後代我民的首   你到甚麽地方去   我同你在一塊

24b3   sini bata be sini yasai juleri waha. jalan de tukiyecehe wesihun derengge

お前の 敵 を お前の 眼 の 前で 殺した 世 において 称えた 貴く 立派な

我在你眼前殺你的諸仇 賞你得世[5]上人人稱揚的尊

24b4   niyalma i gebu be sinde bahabuha. jai mini irgese. israyel[6] i omosi de

人 という 名声 を お前に 得させた また 私の 民衆達 イスラエル の 子孫達 に

貴體面人的名   又賞了地方給我民   依斯拉耶耳後代

24b5   ba na be šangnaha. ce tebuhe mooi gese ubade tembime. ereci

土 地 を 賜った 彼ら 植えた 木の 様に ここに 住んで これから

他們穩住在這裡   從此徃

25a1   julesi aššaburakū. fukjin i songkoi ehe aburi urse tesebe gidara be[7]

先 動かさない 最初 の 様に 悪く ひどい 人達 彼らを 襲うこと を

後不動   悪人不照先謀害他們

25a2   akū yala bi mini irgese. israyel[8] i juse be kadalara jalin beidesi be

しない 本当に 私 私の 民衆達 イスラエル の 子供達 を 治める ために 裁判官 を

真從我立審士管我民 依斯拉耶耳後代

---

[1] 依斯拉耶耳：徐家匯本は「依斯拉耶耳衆民」に作る。
[2] nahon：東洋本は nahūn に作る。
[3] 住：徐家匯本は「主」に作る。
[4] israyel：東洋本は israel に作る。
[5] 世：徐家匯本はこの一字を欠く。
[6] israyel：東洋本は israel に作る。
[7] be：東洋本は ba に作る。
[8] israyel：東洋本は israel に作る。

25a3 ilibuha fonci. ere fonde isitala ce dabali eitubuhabi[1]. ne sini geren
　　　立てた 時から この 時に 至るまで 彼ら 極めて 困窮した 今 お前の 多くの
　　　　　　那時至到這時　　　　他們困迫至極　　　　但如今我除盡

25a4 bata be geterembuhe. uttu ohode sinde alame bi. abkai ejen sini boo be
　　　 敵 を 絶滅させた こう なって お前に 告げて いる 天の 主 お前の 家 を
　　　你的各樣仇敵　　　如此告訴你　　　　　　天主要立你的家

25a5 teng seme akdulafi. hono mukdembuki sembi sini banjire inenggi jalukade. sini
　　　しっかり と 強固にし また 繁栄させたい と 思う お前の 生きる 日 満ちた時 お前の
　　　　　　還要興盛　　　　　満了你活的日期　　　　會合

25b1 mafari sade acabuha manggi. sini banjiha jusei dorgici emke be wehiyeme. sini
　　　 先祖 達に 会った 後 お前の 生んだ 子供達の 中から 一人 を 助け お前の
　　　了你祖後　　　　　　從你生的子内揀你[2]個坐你的位

25b2 soorin be toktobumbi. i tanggin be minde ilire bi inu terei soorin be
　　　　 位 を 定める 彼 堂 を私に 建てる 私も 彼の 位 を
　　　　　　他與我建堂　　　　我使他的位存到永遠

25b3 akdun i enteheme taksibure. bi inde ama. i minde jui ojoro. sini
　　　　堅 く 永遠に 残させる 私 彼の 父 彼 私の 子供 となる お前の
　　　　　　我為他的父 他為我的子　　我的

25b4 onggolo bihe saūl ci mini jilan be aljabuha songkoi. sini jui ci
　　　 前に いた サウル から 私の 慈愛 を 離れさせた 様に お前の 子供 から
　　　仁慈不離開他　如離開了你前有的王撒烏耳

25b5 aljaburakū. elemangga imbe mini boo. mini gurun de erin akū toktobure.
　　　離れさせない かえって 彼を 私の 家 私の 国 に 常に 据え置く
　　　　　　反定他永在我家 我國内

26a1 ini soorin umesi akdun mohon wajin akūngge inu se. abkai ejen ai
　　　彼の 位 極めて 堅固で 極み 終り ないもの である と言え 天の 主 何の
　　　他的位常是堅固的　　　　　　天主命那丹

26a2 gisun be natan de afabuha. ai baita be inde ulhibuhe. natan taweit de
　　　 話 を ナタン に 命じたか 何の 事 を 彼に 示したか ナタン ダビデ に
　　　甚麼話　　　　論他甚麼事　　　那丹全告訴了

26a3 yooni alahabi. wang taweit enduringge deyen de dosifi abkai ejen i jakade
　　　すべて 告げた 王 ダビデ 聖なる 宮殿 に 入り 天の 主 の そばに
　　　達味　　王達味進了聖殿　　　　坐在天主台前

---

[1] eitubuhabi：東洋本は oitobuhabi に作る。
[2] 你：徐家匯本は「一」に作る。

26a4　tefi hendume. abkai ejen[1]. mini beye ai mini boo geli ai ere gese
　　　　座って 言うには 天の 主よ 私 自身 何 私の 家 また 何 この 様な
　　　　説　　　　　　主陡斯　　我是甚麼人 我的家也是甚麼你要賞

26a5　amba kesi be minde šangnaki sembio. erebe kemuni sini yasai juleri ajigen
　　　　大きい 恩 を 私に 賜いたい と思うか これを さらに 貴方の 眼の 前で 小さい
　　　　我這樣大恩麼　　　　　　　　　你眼前還看是小事

26b1　obume tuttu ofi sini aha i booi amaha baita be doigomšome[2] gisurehe.
　　　　と見なし その ため 貴方の 奴僕 の 家の 将来の 事 を あらかじめ 話した
　　　　　　　故預先説了你奴家裡的後事

26b2　abkai ejen[3] si yala mimbe geren niyalma ci elderengge[4] derengge obuhabi
　　　　天の 主よ 貴方 本当に 私を 多くの 人 より 輝く 立派なもの にしたのだ
　　　　主陡斯你真使我成了比衆尊貴的人

26b3　taweit ere gisun ci tulgiyen ai gisun be nonggime mutembini. si sini
　　　　ダビデ この 話 を 除き 何の 話 を 添えること できるか 貴方 貴方の
　　　　除這話外達味還能加上甚麼話呢　　　　　　　　你這樣

26b4　aha be uttu wesihulehei. ere durun i ejehenggeo. ejen si sini aha be
　　　　奴僕 を この様に 尊んだまま この 様 に 記したものか 主よ 貴方 貴方の 奴僕 を
　　　　貴重你奴麼　　　　　　這樣記着麼　　　　主照你的慈心人[5]賞

26b5　dabali gosime. sini jilangga mujilen i ici enteke amba kesi fulehun be
　　　　非常に 慈しみ 貴方の 慈しみある 心 に 従って この様な 大きい 恩 恵み を
　　　　你奴這巨大恩

27a1　salhabuha bime. geli sini yabure hacin hacin i amba baita be minde
　　　　賜って いて また 貴方の 行う 様 々 な 大きな 事 を 私に
　　　　又要曉諭衆人你行的大事

27a2　getuken ulhibuhe. ejen. sini adalingga fuhali akū. sinci tulgiyen
　　　　はっきり 示した 主よ 貴方と 同じでは 全く ない 貴方を 除き
　　　　主沒有與你相等的　　　　　　除你一外[6]

27a3　gūwa abkai ejen[7] akū. meni šan de donjihala encu demun i enduri
　　　　他に 天の 主 ない 私達の 耳 に 聞いたのは 全て 別の 異端 の 神
　　　　沒有別的陡斯　　　凡我們耳所聽的主陡斯都是異端支派的邪

---

[1] abkai ejen：東洋本は ejen deus に作る。
[2] doigomšome：東洋本は doigomsome に作る。
[3] abkai ejen：東洋本は ejen deus に作る。
[4] elderengge：東洋本は eldengge に作る。
[5] 人：徐家匯本はこの一字を欠く。
[6] 一外：徐家匯本は「以外」に作る。
[7] abkai ejen：東洋本は deus に作る。

27a4 sa gemu abkai ejen[1] waka kai. abkai fejergide ai mukūn. israyel[2] i
達 みな 天の 主 でないぞ 天の 下で 何 族 イスラエル の
天下有甚麼族戸支派 比得上依

27a5 emu mukūn de tehererengge bio. ere emu mukūn yala hūturingga. abkai
一 族 に 匹敵するもの であるか この 一 族 本当に 福がある 天の
斯拉耶耳的族呢 陡斯親降[3]救出他做他的民

27b1 ejen[4] erebe aitubure. beyei irgen obure gūnin enggelenjihe. esido gurun ci
主 これを 救う 自分の 民衆 とする 気持ち 降臨した エジプト 国 から
出了厄日多國

27b2 tucibuhe amala. ini beyei horonggo tuksicuke baita i songko de tutala
救い出した 後 彼 自身の 威力 恐るべき 事 の 予兆 で あれほどの
後 用自己的大力威嚴 當他們面除盡各仇國

27b3 bata i uksura be terei yasa i juleri mukiyehebi. israyel[5] i mukūn be
敵 の 支族 を 彼の 眼 の 前で 絶滅させている イスラエル の 族 を
又定依斯拉耶耳後

27b4 enteheme sini irgen i acin seme toktoho bime ejen kemuni ceni abkai
永遠に 貴方の 民衆 の 集い と 定めて いて 主 さらに 彼らの 天の
代永遠做你的民 主你也做他們的陡斯

27b5 ejen[6] oho. te abkai ejen de bairengge sini aha. terei boo be
主 となった 今 天の 主 に 願うこと 貴方の 奴僕 彼の 家 に
求主你給你奴 連他的家口

28a1 holbobure baita be enteheme erin de isitala šanggarao. sini gisurehe
関係する 事 を 永遠の 時 に 至るまで 完成してくれ 貴方の 話した
許的事成全到永遠不改 就按你的話行

28a2 gisun i songkoi yaburao[7]. sini gebu israyel[8] i acin de enteheme taksibukini
話 の 様に 行ってくれ 貴方の 名前 イスラエル の 集い に 永遠に 残させるがよい
你的聖名常存在依斯拉耶耳會内都光榮他

28a3 eldembukini. amba coohai ejen uthai israyel[9] i acin i abkai ejen[10] inu
輝かせるがよい 大 軍の 主 即ち イスラエル の 集い の 天の 主 である

---

[1] abkai ejen：東洋本は deus に作る。
[2] israyel：東洋本は israel に作る。
[3] 降：徐家匯本は「降來」に作る。
[4] abkai ejen：東洋本は deus に作る。
[5] israyel：東洋本は israel に作る。
[6] abkai ejen：東洋本は deus に作る。
[7] yaburao：東洋本は yabureo に作る。
[8] israyel：東洋本は israel に作る。
[9] israyel：東洋本は israel に作る。
[10] abkai ejen：東洋本は deus に作る。

也都説大兵的主是依斯拉耶耳會的陡斯

28a4　terei aha taweit i boo abkai ejen i jakade taksimbi seme. geren
　　　　彼の 奴僕 ダビデ の 家 天の 主 の そばに 残る　と　多くの

他奴達味的家　　常在他跟前忠信我主陡斯就是你

28a5　niyalma gisurecina. ejen si. sini aha i boo be iliki seme mini šan be[1]
　　　　人　話すがよい　主よ 貴方 貴方の 奴僕 の 家 を 建てたい と 私の 耳 に

告訴你奴要給他立家

28b1　donjibuha ofi. tuttu sini aha sini ere gisun be akdafi sini jakade
　　　　聞かせた ので それで 貴方の 奴僕 貴方の この 話 を 頼って 貴方の そばで

故你奴滿心指望特恳[2]求你

28b2　jalbarime baiki sembi. ejen. si abkai ejen[3] inu. geli colgorome tucike
　　　　祈り 求めたい と思う 主よ 貴方 天の 主 である また 多大な 抜群の

主你是陡斯　　　　你給你奴許了這多

28b3　kesi be sini aha de angga aljaha sini aha i boo de hūturi isibume
　　　　恩 を 貴方の 奴僕 に 約 束した 貴方の 奴僕 の 家 に 福 及ぼし

恩　　　　　　　　既甫始給你奴家降福

28b4　deribuhe be dahame. mini boo enteheme sini baru tondo okini sere jalin
　　　　始めた の だから　私の 家 永遠に 貴方に 向かって 忠義 尽くしたい と思う ので

還求賞他常在你台前忠信

28b5　ele hūturi isibureo. ejen si emgeri tere de hūturi isibuci. erin akū
　　　　一層 福 及ぼしてくれ 主よ 貴方 一度 それ に 福 及ぼしても 常 に

主若你要降福　　　　　可説是

29a1　hūturingga ombikai.
　　　　福をもって いるぞ

永遠有福的

---

[1] be：東洋本は de に作る。
[2] 恳：徐家匯本は「懇」に作る。
[3] abkai ejen：東洋本は deus に作る。

29a2 juwan jakūci fiyelen
　　十　　八　　篇
第十八篇

29a3 ere baita i amala taweit filistim sebe dailame. cembe gidaha
　　この 事 の 後 ダビデ ペリシテ 達を 撃って 彼らを 征服して
　　這事後達味去征伐斐里斯定　　　　　　撃壓他們

29a4 bime. geli žet hoton. harangga babe suwaliyame ejelehe. jai moab
　　いて また ガテ 城 所属する 所を 共に 占領した また モアブ
　　　　又從斐里斯定的手取了熱得城並他管的村庄　　還戰敗了莫哈

29a5 gurun be afarade. mohab i irgese inde dahame alban jafahabi hemat
　　国 を 攻めるので モアブ の 民衆達 彼に 従い 貢物 納めたのだ ハマテ
　　伯國　　　　莫哈伯國的民作了他的属下進貢　　　黒瑪得

29b1 ba i soba i wang adaredzer jing cooha gaifi ini gurun be ūfarade
　　地方 の ゾバ の 王 ハダデゼル ちょうど 兵 集めて 彼の 国 を ユフラテ
　　地方 索巴國的王 亜大肋則耳正領兵要開廣他的國到歐法拉得江

29b2 ula i ebsi badarambuki serede. taweit okdome terei cooha be wahai.
　　川 の 方 に 広げたい と 思う時 ダビデ 迎え撃って 彼の 兵 を 殺したまま
　　　　　　達味截住殺[1]他的兵

29b3 emu minggan sejen be baha. nadan minggan moringga. juwe tumen yafaha
　　一 千 戦車を得た 七 千 騎兵 二 万 歩
　　達味又得了他的一千四百[2]馬的車 搶了七千馬兵 二萬歩兵

29b4 cooha be olji gamaha. sejen ušara morin i bethe i sube be sacifi.
　　兵 を 俘虜 連れて行った 車 引く 馬 の 足 の 筋 を 切って
　　　　　割了拉車馬腿的筋

29b5 damu tanggū sejen de baitalara morin be gulhuken bibure canggi. damasko i
　　ただ 百 戦車 に 用いる 馬 を そのまま 留める だけ ダマスコ の
　　但[3]留了一百四套車的馬自己用　　　　　因為西里亜的

30a1 siriyaingge urse soba i wang adaredzer de aitubuki seme jifi. daweit[4] ceni juwe
　　スリヤの 人達 ゾバ の 王 ハダデゼル に 救いたい と 来て ダビデ 彼らの 二
　　兵從達瑪斯郭來助索巴國的王亜達肋則耳　　　達味戰敗了他們

30a2 tumen juwe minggan niyalma be gisabuha. daweit[5] kemuni siriya be ini harangga
　　万 二 千 人 を 殺した ダビデ さらに スリヤ を 彼の 支配する

---

[1] 殺：徐家匯本は「殺了」に作る。
[2] 百：徐家匯本はこの一字を欠く。
[3] 但：徐家匯本は「単」に作る。
[4] daweit：東洋本は taweit に作る。
[5] daweit：東洋本は taweit に作る。

二萬二千兵　　　　　　　　　　　即時安兵在達瑪斯郭城為使西里亜

30a3　gurun obure albabun jafabure gūnin. anafu cooha be tamasko[1] hoton de tebuhe.
　　　国　とする 貢物 納めさせる 考え 守備　軍　を ダマスコ　城 に　留めた
　　做他的属國進貢

30a4　daweit[2] aibide geneci ai baita be deribuci. abkai ejen inde aisilahabi. daweit[3]
　　　ダビデ どこに 行っても 何の 事 を 始めても 天の 主　彼を 助けたのだ ダビデ
　　達味去甚麼地方　起甚麼事　　　　天主保佑他　　　　　　亜達肋則

30a5　hono adaredzer i ahasi i baitalaha jebele aisin ningge be gaifi. erebe yerusalem de
　　　また ハダデゼル の 奴僕達 が 用いた 矢袋 金 のものを 取り これを エルサレム に
　　耳的奴用的金撒袋達味都拿　　　　　　　　帶到日露撒冷

30b1　benjihe. adaredzer i hoton tebat šun ⓐ de baha teišun jaci labdu. salomon ere
　　　送って来た ハダデゼル の 城 テブハ クン で 得た 銅 とても 多い ソロモン この
　　　　還從亜達肋則耳管的得巴得順二城 還得了好多銅　　撒落孟鎔了

30b2　teišun ci anggara tura jergi teišun i tetun be weilehebi. amat i wang tohū.
　　　 銅 から 水がめ 柱 等の 銅 の 器 を 造ったのだ ハマテ の 王 トイ
　　這銅做大海缸柱等噐　　　　　　　　厄瑪得的王托烏

30b3　soba i wang adaredzer i amba cooha be daweit[4] de gidabuha sere mejige be donjifi.
　　　ソバ の 王 ハダデゼル の 大　軍　が ダビデ に 敗れた と言う 情報 を 聞き
　　聽見達味殺敗了索巴國的王亜達肋則耳的大兵

30b4　beyei jui adoram ⓒ be wang daweit[5] i baru emderei hūwaliyasun doroi
　　　自分の 子供 ハドラム を　王 ダビデ に対し 一方で　　調和の　礼儀で
　　遣親子亜多拉黙　　求王達味與他結盟

30b4　hūwaliyambure.
　　　和合させる

30b5　emderei adaredzer be afame etehe urgun arara jalin takūraha. yala tohū adaredzer i
　　　 一方で ハダデゼル を 攻め 勝った 喜び を 祝う ため 遣わした 本当に トイ ハダデゼル と
　　又賀他戰勝了亜大肋則耳[6]　　　　　　　　托烏本與亜達肋則

31a1　emgi kimulembihe. taweit gamaha aisin. menggun. teišun i tetun. jai
　　　共に 仇となっていた ダビデ 持参した 金　銀　銅　の 器 また
　　耳是仇家　　王達味把亜多拉黙送的金銀銅噐　　　及從衆

31a2　geren ba. edom. mohab. ammon. filistim amalek i uksura ci tabcilaha
　　　多くの 所 エドム モアブ アンモン ペリシテ アマクレ の 支族 から 奪った

---

[1] tamasko：東洋本は damasko に作る。
[2] daweit：東洋本は taweit に作る。
[3] daweit：東洋本は taweit に作る。
[4] daweit：東洋本は taweit に作る。
[5] daweit：東洋本は taweit に作る。
[6] 亜大肋則耳：徐家匯本は「亞達肋則耳」に作る。

地方耶東莫哈伯安孟　　　　斐里斯定亜瑪肋克等國所得的金銀

31a3　menggun. aisin be gemu abkai ejen de alibuha. sarweya i jui abisai
　　　　銀　　金　を　みな　天の　主　に　献げた　ゼルヤ　の　子　アビシャイ

都献給天主　　　　　　論撒耳未亜的子亜必

31a4　oci. edom ba i emu tumen jakūn minggan cooha be dabsun alin
　　　　は　エドム　地方　の　一　万　八　千　兵　を　塩　山

賽　在塩山谷殺了耶東方方[1]的一萬八千兵

31a5　holo de waha. edom gurun. taweit i harangga okini sere turgun anafu cooha
　　　谷　で　殺した　エドム　国　ダビデ　の　部下　となるがよい　と思う　ため　守備　軍

在這裡安兵把守為使耶東國做達味的属下

31b1　ubade bibuhe. taweit ya bade genehengge bici. abkai ejen terebe karmahambi[2].
　　　ここに　留めた　ダビデ　どの　場所に　行ったこと　あっても　天の　主　彼を　保護したのだ

捴[3]説達味[4]到甚麼處　　　　天主保護他

31b2　taweit israyel[5] i geren irgese be salifi kadalaha. ini gurun i niyalma be
　　　ダビデ　イスラエル　の　多くの　民衆達　を　治め　管理した　彼の　国　の　人　を

如此達味依斯拉耶耳衆民[6]　　　　執公判断各人的事

31b3　tondo i ici beidembihe. sarweya i jui yoab amba coohai jiyanggiyūn ombihe.
　　　忠義　に　従って　裁いていた　ゼルヤ　の　子　ヨアブ　大　軍の　将軍　になっていた

撒耳未亜的子約亜伯是他的大将軍

31b4　ahilot[7] i jui yosafat siden baita be cahan de ejembihe. akitob i jui
　　　アヒルデ　の　子　ヨシャパテ　公事　を　文書　に　記していた　アヒトブ　の　子

亜西路得[8]的子約撒法得做史官　　　　亜既托伯的子

31b5　sadok abiyatar i jui akimelek se wecen i da bihe. susa ① bithesi i
　　　ザドク　アビヤタル　の　子　アビメレク　達　祭祀　の　頭目　であった　シャウシャ　書記官　の

撒多克亜必亜大耳的子亜既莫肋克做祭祀首　蘇撒[9]當書吏

32a1　tušan be aliha. yoyadas i jui baniyas[10] šeredo[11] feleto sere hiya be
　　　職責　を　引き受けた　エホヤダ　の　子　ベナヤ　ケレテ　ペレテ　という　侍衛　を

約亜大斯的子巴那亜斯管蛇肋托費肋托侍衛隊

---

[1] 方方：徐家匯本は「地方」に作る。
[2] karmahambi：東洋本は karmahabi に作る。
[3] 捴：徐家匯本は「總」に作る。
[4] 達味：徐家匯本はこの二字を欠く。
[5] israyel：東洋本は israel に作る。
[6] 達味依斯拉耶耳衆民：徐家匯本は「達味管依斯拉耶耳的衆民」に作る。
[7] ahilot：東洋本は ahilūt に作る。
[8] 亜西路得：徐家匯本は「亞希祿得」に作る。
[9] 蘇撒：徐家匯本は「穌撒」に作る。
[10] baniyas：東洋本は banayas に作る。
[11] šeredo：東洋本は šereto に作る。

32a2　kadalaha. taweit i haha juse ujui jergi ambasa i da. wang i hashū
　　　管理した ダビデ の 男の 子供達 一 等 大臣達 の 頭目 王 の 左
　　　　　　達味的諸子率領衆臣　　　　　　　站在王的左右

32a3　ici ergide ilimbihe.
　　　右　側に 立っていた

32a4　sure gisun
　　　解く 言葉
　　　註解

32a5　ⓐ ere juwe hoton de kemuni bede. berot sere gebu bihe. ⓔ adoram
　　　この 二　城 に さらに ベデ ベロデ という 名前 あった ハドラム
　　　　這二城還叫柏得¹柏落得²　　　　　　　　亜多拉莫³

32b1　inu yoram seme gebulembihe. ① susa hono sarayas seme gebulehebi.
　　　また ヨアルム と 呼ばれていた　シャウシャ また サラヤス と 呼ばれていた
　　　還名約拉莫⁴　　　　　　蘇撒⁵的別名⁶叫撒拉亜斯

---

¹ 柏得：徐家匯本は「栢得」に作る。
² 柏落得：徐家匯本は「栢落得」に作る。
³ 亜多拉莫：徐家匯本は「亞多拉默」に作る。
⁴ 約拉莫：徐家匯本は「約拉默」に作る。
⁵ 蘇撒：徐家匯本は「穌撒」に作る。
⁶ 別名：徐家匯本は「別的」に作る。

32b2　juwan uyuci fiyelen
　　　十　　九　　篇
第十九篇

32b3　ammon gurun i wang nahas dubetehede. terei jui ini soorin be aliha.
　　　アンモン　国　の　王　ナハシ　死んだ時　　その　子　彼の　位　を　受けた
安孟國的王那哈斯去世　　　　　　　他子續了他的位

32b4　taweit hendume bi nahas i jui hanon be jilame tuwaki sembi. dade
　　　ダビデ　言うには　私　ナハシ　の　子　ハヌン　を　慈しんで　見守りたい　と思う　先に
達味説　　　　我要憐視光待那哈斯的子哈農

32b5　ini ama baili fulehun be minde isibuha kai. ede taweit hanon i
　　　彼の　父　恩　　　恵　　　を　私に　与えた　のだぞ　そこで　ダビデ　ハヌン　に
他父本與我施過恩　　　　　　　　因此達味遣使到哈農

33a1　baru ama i jobolon i turgun torombure elcisa be unggihe. ce hanon be
　　　対し　父　の　葬式　の　ため　慰める　使者達　を　遣わした　彼ら　ハヌン　を
安慰他父的喪　　　　　　　使者到了安孟國　安慰哈農

33a2　necihiyere jalin ammon bade isinjifi. ammon gurun i ambasa hanon de
　　　　慰める　ため　アンモン　地方に　至ると　アンモン　国　の　大臣達　ハヌン　に
　　　　　　　　　　安孟的衆臣　　　　望哈農説你

33a3　hendume wang ni[1] gūnin ai taweit sini ama be wesihuleme ofi.
　　　言うには　王　の　考え　何　ダビデ　貴方の　父　を　尊敬する　ので
定[2]不得想達味　　　　為尊敬你父

33a4　tuttu simbe torombure niyalma be takūrahangge semeo ini ahasi sini ba
　　　その様に　貴方を　慰める　人　を　遣わしたもの　と思うか　彼の　奴僕達　貴方の　地
故遣使來慰你　　　　　　　　　你不覺他奴為探

33a5　na be narhūn narhūn i cincilame tuwara turgun jihe kai. si erebe
　　　方を　こっ　そり　と　観察し　探る　ために　来た　のだぞ　貴方　これを
哨你的地方

33b1　gūnirakūn sehede. hanon taweit i ahasi i funiyehe. salu i emu dulin be
　　　考えないか　と言ったので　ハヌン　ダビデ　の　奴僕達　の　髪　顎髭　の　一　半　を
　　　故哈農将達味的奴們的髮鬚　各剃一半

33b2　fusifi. ceni golmin etuku be ura ci bethe de isinatala meitebufi. amasi
　　　剃って　彼らの　長い　服　を　尻　から　足　に　到るまで　切らせて　引き
把他[3]的長衣從屁股剪[4]到脚上　　　　　　　　後教

---

[1] ni：東洋本はiに作る。
[2] 定：徐家匯本はこの一字を欠く。
[3] 他：徐家匯本は「他們」に作る。
[4] 剪：徐家匯本は「翦」に作る。

33b3 maribuha. elcisa geneme. taweit de mejige benehe i cembe okdoro niyalma be
返させた 使者達 行くと ダビデ に 便り 送った 彼 彼らを 迎える 人 を
他們回轉 他們回去　給達味送信　　達味遣人迎接他們説

33b4 unggifi hendume. amba girucun be alihaci tetendere. suwe taka yeriko
遣わして 言うには 大きな 恥 を 受けた のだから お前達 しばらく エリコ
　　　你們真受了大辱　　　　但住在耶里郭城　等

33b5 bade bisu. suweni salu mutuha manggi teni jio sehe. ammon gurun i
地方 に 留まれ お前達の 顎髭 伸びた 後 それから 来い と言った アンモン 国 の
髪　　鬍長全了　　　　終可回來　　安孟國的臣

34a1 niyalma taweit be derakūlaha ofi i karu isibumbi seme gūninafi. hanon i[1]
人 ダビデを 辱めた ので 彼 仕返し する と 思い ハヌン の
見大傷了達味的臉　　　　　　　哈農自

34a2 ini beye geren irgen emu minggan dalento menggun ningge be unggihe
彼 自身 多くの 民衆 一 千 タラント 銀の もの を 送った
己並衆民　　湊了一千達楞多銀

34a2 musobotamiya.
メソポタミヤ
為傕莫索

34a3 siriya i mahaša. soba jergi baci sejen. moringga be turiki sembihe. yala
スリヤ の マアカ ソバ 等の 所から 戦車 騎兵 を 雇いたい と思っていた 本当に
玻達米亜[2] 西里亜 瑪哈沙 索巴等地方的車 馬兵　　　傕了

34a4 ilan tumen juwe minggan sejen. jai mahaša i wang terei cooha be
三 万 二 千 戦車 また マアカ の 王 彼の 軍隊 を
三萬二千車　　　及瑪哈沙的王　連他的兵

34a5 kamjime elbihebi. gemu jifi. medaba hoton de bakcilame ing iliha. ammon i
加えて 招いた みな 来て メダバ 城 に 向って 営 設けた アンモン の
都來對[3]莫達巴扎了營　　　　安孟的

34b1 cooha meimeni hoton ci tucime. dain i bade uhei acanduha. taweit erebe
兵 それぞれの 城 から 出て 戦 の 所で 共に 集まった ダビデ これを
兵　也出了本城　　聚在陣前　　達味聽了這

34b2 donjihade. geren baturu sai baksan be yoab i emgi jurambuha ammon i cooha
聞いた時 多くの 勇士 達の 隊 を ヨアブ と共に 出発させた アンモン の 兵
信　打發約亜伯領衆勇士的隊　　安孟的兵出來

---

[1] i：東洋本はこの一語を欠く。
[2] 莫索玻達米亜：徐家匯本は「默索玻達米亜」に作る。
[3] 對：徐家匯本は「對着」に作る。

38

34b3　tucifi. hoton i duka i hanci tu kiru be teksilehe. coohai baksan meyen be
　　　出て　城　の門の近くで 大旗 小旗 を 整えた 兵の　　隊　列　を
　　　在莫達巴城門前排了陣

34b4　banjibuha. aisilame jihe wang fakcashūn i usin de tembihe. yoab bata i
　　　編成した　助けに 来た 王　別々 に 田野 に いた ヨアブ 敵 の
　　　為相幇來的王們　另在別處扎營　　　　　約亜伯覺仇

34b5　gūnin imbe julergi amargi juwe ergide afara gūnin seme ulhifi.
　　　考え 彼を 前　後　両　側で 攻める 考え と 悟って
　　　意　要在前後夾功[1]

35a1　israyel[2] i geren cooha ci umesi etuku[3] be sonjome siriya bata be afame
　　　イスラエル の 多くの 兵 から 極めて 強健な者 を 選び スリヤ 敵 を 攻めて
　　　從依斯拉耶耳衆兵内　挑了精壯的　　　　去戰西里亜的兵

35a2　genehe. funcehele ini deo abisai de afabuha. abisai cembe gaime ammon[4]
　　　行った 残った者 彼の 弟 アビシャイ に 託した アビシャイ 彼らを 連れて アンモン
　　　其餘的兵 交給他的弟亜必賽　　亜必賽領他們望安孟

35a3　cooha i baru ibenehe. yoab beyei deo de hendume. siriya bata mimbe
　　　兵 に 向かい 進んだ ヨアブ 自分の 弟 に 言うには スリヤ　敵　私に
　　　仇戰　　　　　約亜伯給他弟説　　　若西里亜仇兵勝了

35a4　eteci. si minde aisila. ammon i urse simbe gidara oci. bi simbe karmaki
　　　勝てば お前 私を 助けよ アンモン の 人達 お前を 征服する なら 私 お前を 保護しよう
　　　我　你來助我　若安孟仇壓的[5]　　　　我即護你

35a5　baturungga oso. juwe nofi meni irgen meni abkai ejen[6] i hoton i jalin
　　　勇敢　になれ 二　人 私達の 民衆 私達の 天の 主　の 城 の ために
　　　你奮勇　　我們両個為我們的民　　我們陛斯的城血戰

35b1　senggime afakini. abkai ejen adarame ini jakade sain seci yabumbi sehe
　　　血を流し 戦うがよい 天の 主 どの様に 彼の もとで 良い と思っても 行う と言って
　　　天主要怎麼安排　　我們聽命

35b2　bihe. uttu ohode yoab. terei cooha. siriya bata be afame dosifi.
　　　いた この様に して ヨアブ 彼の 兵 スリヤ 敵 を 攻めて　進み
　　　如此約亜伯　　同他的兵去戰西里亜仇

35b3　cembe burlabuha. ammon i irgen siriya i cooha burlara be sabume. ce abisai ci
　　　彼らを 敗走させた アンモン の 民衆 スリヤ の 兵 逃げるの を 見て 彼ら アビシャイ から

---

[1] 功：徐家匯本は「攻」に作る。
[2] israyel：東洋本は israel に作る。
[3] etuku：東洋本は etuhun に作る。
[4] ammon：東洋本はこの後に i を有する。
[5] 的：徐家匯本は「你」に作る。
[6] abkai ejen：東洋本は deus に作る。

破了他們　　　　安孟的人見西里亜的兵都跑　　　　　　　他們從亜

35b4　jailame hoton de dosika. yoab inu yerusalem de bederehe. siriya ba i
　　　避けて　城　に入った　ヨアブも　エルサレム に帰った　スリヤ地方の

亜伯[1]的弟亜必賽面前跑進了城　約亜伯回轉了[2]日露撒冷　西里亜國的

35b5　niyalma israyel[3] gurun i cooha de gidabuha ofi elcisa be takūrafi ūfarede
　　　人　イスラエル　国　の兵　に敗れた　ので使者達を遣わしユフラテ

兵見自己被依斯拉耶耳國的兵殺敗了　　　　遣使者催歐法拉得

36a1　ula i cargi tehe siriyaingge uksura be elbime gaiha adaredzer i coohai
　　　川の方にいた　スリヤの　支族　を招き入れた　ハダデゼルの兵の

江那邊住的　西里亜支派的兵　　　　　　亜大肋則耳的大

36a2　amba jiyanggiyūn sofak ⓐ cembe kadalambihe. baita taweit de alahade.
　　　大　将軍　ショパク　彼らを管理していた　事情ダビデに告げた時

将軍索法克　　　　　領他們來　　　達味得了這信

36a3　israyel[4] gurun i geren cooha be isafi. yordane bira be dooha gardašame
　　　イスラエル国の多くの兵　を集めて　ヨルダン川を渡った　急いで

傳齊依斯拉耶耳國的兵[5]　　　過若耳當河　　　排陣在

36a4　yabume bata i ishun cooha be faidame. ergen waliyafi[6] afahabi. bata udu
　　　行って敵に向かい兵を並べ　命　捨てて攻めたのだ　敵たとえ

他們對面　　　　　　望敵突衝　　　西里亜的兵

36a5　terei hūsun be sujame temšecibe. gaitai israyel[7] coohai juleri burlaha. taweit
　　　彼の　力　を尽して争っても　忽ちイスラエル軍の前から逃げた　ダビデ

躱依斯拉耶耳的兵都跑了　　　達味

36b1　uthai siriya bata ci nadan minggan haha be waha. ere gemu sejen de
　　　そこでスリヤ敵から七　千　男　を殺した　これみな戦車に

從西里亜仇殺了七千坐車的男子

36b2　teme afambihe ereci tulgiyen duin tumen yafaha cooha amba jiyanggiyūn sofak i
　　　乗り攻めていたそれ以外四　万　歩兵　大　将軍　ショパクと

四萬歩兵　　　　　　連大将軍索法克

36b3　emgi gaibuhabi. adaredzer i ahasi. aisilame jihe wang sa ceni cooha
　　　共に命を取られたハダデゼルの奴僕達助けに来た王達彼らの兵

亜大肋則耳的衆奴　及來帮的衆王

---

[1] 亜亜伯：徐家匯本は「約亞伯」に作る。
[2] 了：徐家匯本はこの一字を欠く。
[3] israyel：東洋本は israel に作る。
[4] israyel：東洋本は israel に作る。
[5] 兵：徐家匯本は「衆兵」に作る。
[6] waliyafi：東洋本は waliyatai に作る。
[7] israyel：東洋本は israel に作る。

36b4　anabuha. israyel[1] gurun i cooha ambarame etehe be sabufi taweit be baime
　　　　敗れた　イスラエル 国　の　　兵　　大いに　勝ったの を 見て ダビデ を 訪ねに
　　　　　　　見依斯拉耶耳國的兵大獲全勝　　　　　　　都投降了達味

36b5　genehe inde dahaha. siriya ba i uksurangga tereci gelhun akū ammon
　　　　行った　彼に 従った スリヤ 地方 の 支族の人 それから 敢え て アンモン
　　　　事奉他　　　　　　　自此以後西里亜國的[2]人 不敢助安孟國

37a1　gurun de aisilarakū.
　　　　　国　を　助けない

37a2　sure　gisun
　　　　解く　言葉
　　　　註解

37a3　ⓐ i kemuni sobak seme gebulembihe. wang sai jaici nomun bithei
　　　　　　彼 更に ショバク と　呼ばれていた　王　達の 第二　経典　書の
　　　　　　他還叫索巴克　　　　　　　衆王經第二卷

37a4　juwan[3] fiyelen de gūwa sure gisun bi
　　　　　十　　章　に 他の　註　解　ある
　　　　第十卷[4]上有別的本[5]論

[1] israyel：東洋本は israel に作る。
[2] 的：徐家匯本はこの一字を欠く。
[3] juwan：東洋本は juwanci に作る。
[4] 卷：徐家匯本は「篇」に作る。
[5] 本：徐家匯本はこの一字を欠く。

37b1　orici　fiyelen
　　　二十　　篇
　　　第二十篇

37b2　emu aniya oho manggi wang sa afame genere erin. yoab amba cooha
　　　一　年　経った　後　　王　達　攻めに　行く　時　ヨアブ　大　軍
　　　過了一年　　　　　　就是衆王去打仗的時候　約亜伯點了大兵

37b3　geren baturu sabe isibufi ammon gurun i babe cuwangname tabcilaha bime. geli
　　　多くの　勇士　達を　連れて　アンモン　国　の　土地を　　掠め　　　取って　いて　また
　　　　　　去焚毀安孟國[1]地方　　　　　　　　　　　　也圍

37b4　rapa hoton be kaha. yoab rapa hoton be afarade taweit yerusalem i
　　　ラバ　城　を　囲んだ　ヨアブ　ラバ　城　を　攻める時　ダビデ　エルサルム　の
　　　住拉伯[2]城　　　約亜伯攻拉怕城打崩了一鈌的時候　達味還在

37b5　dolo tembihe. wang amala jifi. hoton efulehebi. taweit wang i mahala be
　　　中に　留まっていた　王　後に　来て　城　滅ぼしたのだ　ダビデ　王　の　冠　を
　　　日露撒冷[3]　達[4]即來破了城　　　　　達味從黙耳宮的頭

38a1　melkom i uju ci gamaha ⓐ ere mahala i fuwen yan emu dalento aisin
　　　メレコム　の　頭　から　取りはずした　この　冠　の　重　量　一　タラント　金の
　　　拿了冕旒　　　　　　這冕旒的[5]分兩　　有一達楞多金重

38a2　ningge ⓒ otolo bihe. tutala booši terebe miyambihe. ere ci ini beyei
　　　もの　　になるほど　であった　あれほどの　宝石　それを　飾っていた　これ　から　彼　自身の
　　　　　　上頭鑲的多寶石　　　　　　把這改作[6]自己的

38a3　baitalara doroi mahala be arame weilehe. hoton de baha jaka ton akū
　　　用いる　礼儀の　冠　を　製作し　作った　城　で　得た　もの　数え　切れない
　　　王帽　　　　　　還在城得的物數不清

38a4　kai. hoton i irgese be tucibume cembe gidara farsilara gūnin. selei
　　　のだ　城　の　民衆達を　　出させ　彼らを　押え　ばらばらにする　考え　鉄の
　　　教城裡民都出來　　　　　　將有

38a5　loho huwesi bisire huncu sejen be ceni beye de dulembuhe ammon gurun i
　　　大刀　小刀　ある　そり　車　を　彼らの　体　に　通らせた　アンモン　国　の
　　　刀的拖床　　　　　　走他們身上過為切他們成塊　望安孟國

38b1　ai ai hoton i urse i baru taweit ere songkoi yabuha teni amba
　　　諸　々の　城　の　人達　に　対し　ダビデ　この　様に　行った　そこで　大

---

[1] 國：徐家匯本はこの一字を欠く。
[2] 拉伯：徐家匯本は「拉怕」に作る。
[3] 日露撒冷：徐家匯本はこの後に「約亞伯奏了王達味」を有する。
[4] 達：徐家匯本は「達味」に作る。
[5] 的：徐家匯本はこの一字を欠く。
[6] 作：徐家匯本はこの後に「了」を有する。

的別城也是這様作　　　　　　　　　後綏領兵回

38b2 cooha be gaifi yerusalem de bederehe. amala gadzer hoton de filistim
　　　軍　を　連れて　エルサルム　に　帰った　　後に　ゲゼル　城　　で　ペリシテ

轉日露撒冷　　　　　　　　　　　還加則耳城同斐里斯定的兵了

38b3 sei emgi afame deribuhe. hūsati ba i niyalma sobokai ere dain de rafaim
　　　達　と　戦い　始めた　ホシャ　地方　の　人　シベカイ　この　戦い　で　ラハイム

仗[1]　　　　　　　　　　　這裡胡撒弟地方的索破開　殺了拉法意黙族出

38b4 mukūn ci tucike safai be wafi tesebe ambula gidahabi. jai emu
　　　族　から　出た　シパイ　を　殺し　その人達を　大いに　撃ったのだ　もう　一

的撒法意　　　　　　　　　　大撃了斐里斯定的兵　又同他們戦

38b5 mudan filistim bata i baru coohalaha ere dain de bedelem hoton de
　　　度　ペリシテ　敵　に　向かい　兵を出した　この　戦い　で　ゲゼル　城　に

這一次　　　　　　　　　　　　伯得冷[2]城撒耳都斯

39a1 tehe saldus i jui adeodato žet golo i goliyat i deo be waha. ere
　　　いた　ヤイル　の　子　エルハナン　ガテ　地方　の　ゴリアテ　の　弟　を　殺した　この

的子亜得阿大托　　　　殺了熱得省的郭里亜得的弟　　這

39a2 haha i gida uthai funiyesun jergi jalan[3] be niyelere niyeleku mooi[4]
　　　男　の　槍　即ち　毛織物　類の　節　を　碾く　臼　木の

男子的鎗　如赶毡的棍一様

39a3 adali ombihe. ilaci mudan žet bade afahabi ubade emu haha beye
　　　様　であった　三　度目　ガテ　地方で　戦った　そこに　一人の　男　体

第三次在熱得地方打仗　　　來了一男　　　身

39a4 umesi den ningge. rafa i mukūn ci banjihangge jihe. gala bethe de
　　　非常に　高い　者　ラハ　の　一族　から　生れた者　来た　手　足　に

體狠高　　　　手足有六指　　　　　　　共二十四

39a5 ninggun simhun bifi uheri orin duin simhun de isinambihe. i
　　　六つ　　指　あり　合わせて　二十　四の　指　に　至っていた　彼

他是拉法足[5]出的　　　　　　　他

39b1 israyel[6] i cooha be firume toorede taweit i ahūn samaha i jui yonatan
　　　イスラエル　の　兵　を　呪い　罵るので　ダビデ　の　兄　シメア　の　子　ヨナタン

咒罵依斯拉耶耳的兵　　　達味的兄　　撒瑪哈的子約那

---

1 還加則耳城同斐里斯定的兵了仗：徐家匯本は「還加則耳城同斐里斯定仇打了仗」に作る。
2 伯得冷：徐家匯本は「栢得冷」に作る。
3 jalan：東洋本は jaka に作る。
4 mooi：東洋本は moo i に分綴する。
5 足：徐家匯本は「族」に作る。
6 israyel：東洋本は israel に作る。

39b2　imbe waha. ere gemu žet de bisire rafa i juse. ce taweit.

　　　　彼を 殺した これ みな ガテ に いる ラハ の 子孫 彼ら ダビデ

　　　　丹殺了他　這都是熱得地方的　拉法的後代 死在達味

39b3　terei cooha i gala de wabuhangge inu.

　　　　彼の 兵 の 手 で 殺されたもの である

　　　　奴們手裡

39b4　sure gisun

　　　　解く 言葉

　　　　註解

39b5　ⓐ melkom sere miosihon enduri de molok sere gebu inu bihe. ⓔ

　　　　メレコム という 邪　　神 に モロク という 名前 も あった

　　　　黙耳宮邪神　　　　　　　　還名黙落克

40a1　emu dalento aisin i fuwen yan uthai jakūnju nadan ginggin inu.

　　　　一 タラント 金 の 重 量 即ち 八十 七 斤 である

　　　　一達楞多金分両有八十七斤[1]

---

[1] 斤：徐家匯本はこの後に「拉法意黙拉法，都是一個人」を有する。

40a2 orin emuci fiyelen

二十 一 篇

第二十一篇

40a3 satan ⓐ israyel[1] i omosi be silhidame taweit be yarkiyafi. geren

　　　サタン　イスラエル　の　孫達を　　嫉み　　　ダビデを　誘って　多くの

　　　沙殫　　　忌妬依斯拉耶耳會的光榮　引誘達味　　　　　取衆

40a4 irgen i ton gaire gūnin be dekdebuhe uttu ohode taweit yoab

　　　民衆　の　数取る　考えを　思い出させた　この様　なので　ダビデ　ヨアブ

　　　民的數目　　　　　　　　　　故達味給約亜伯

40a5 jai hacingga mukūn da sai baru hendume suwe genefi bersabehe ci

　　　更に　様々な　　族　長達に対し　言うには　貴方達　行って　ベエルシバ　から

　　　及各族的頭目説　　　　　　　　　你們去從柏耳撒柏[2]到旦

40b1 dan de isitala tehe israyel[3] i irgesei gebu be bithe de eje bi

　　　　ダンに　至るまで　いた　イスラエル　の　民衆達の　名前を　文書に　記せ　私

　　　　　　　　　　清依斯拉耶耳後代的數入册

40b2 ceni ton sakini sere jalin bithe be mini jakade benju sehe. yoab

　　　彼らの　数知りたい　と思う　ので　文書を　私の　もとに　持って来い　と言った　ヨアブ

　　　　　　　　　後送册給我看　　　　約亜伯[4]

40b3 jabume bairengge abkai ejen ini irgesei ton be ne bisire ton ci

　　　答えて　願うこと　天の　主　彼の　民衆達の　数を　今ある　数より

　　　答應　求天主將他民們的數目　　　　比如今有的多添幾

40b4 tanggū ubui fulu nonggirao[5]. mini ejen wang. ce gemu sini ahasi

　　　百　　倍　余り　増してくれ　私の　主　王よ　彼ら　みな　貴方の　奴僕達

　　　百倍　　　　　　　我主王　　　　你們[6]都不是你的奴才麼

40b5 wakao ere baita israyel[7] i acin be weile i jobolon de tušabure

　　　でないか　この事　イスラエル　の　会を　罪の　苦しみに　遭わせる

　　　我主何故要知這事　定不得你得罪依斯拉耶耳會的人

41a1 baita inu mini ejen erebe yabufi ainambi. wang gisun gairakū. nememe

　　　事である　私の　主よ　これを　行って　どうする　王　話　聞かず　逆に

　　　也受這罪罰　　　　　　王不聽話　　　　反要

---

[1] israyel：東洋本は israel に作る。

[2] 柏耳撒柏：徐家匯本は「栢耳撒栢」に作る。

[3] israyel：東洋本は israel に作る。

[4] 約亜伯：徐家匯本は「給亞伯」に作る。

[5] nonggirao：東洋本は nonggireo に作る。

[6] 你們：徐家匯本は「他們」に作る。

[7] israyel：東洋本は israel に作る。

41a2　hese de acabu sehe. yoab jurafi israyel[1] gurun i ba na be šurdeme
　　　勅旨 に 従え と言った ヨアブ 出発し イスラエル 国 の 地方 を 巡って
　　　　照旨意行　　　　　故約亜糸 [2]起身走過[3]了依斯拉耶耳國

41a3　baicaha manggi. yerusalem de bederenjihe bithe de ejehe niyalma i ton be
　　　調べた 後 エルサレム に 帰って来た 文書 に 記した 人 の 数 を
　　　　　　　終回到日露撒冷　　　　　将冊簿献給達味看

41a4　taweit de alibuha tuwaci israyel[4] gurun i geren irgen i ton emu
　　　ダビデ に 献上した 見ると イスラエル 国 の 多くの 民衆 の 数 一
　　　　　　這記[5]的依斯拉耶耳衆[6]族的男　有一百

41a5　tanggū juwan tumen loho gocire hahasi inu. yudas mukūn i niyalma
　　　百 十 万 刀 抜く 男達 である ユダ 族 の 人
　　　一十萬　　　　都是抜刀的　　　　従如達斯族有四十七

41b1　afame baihanarangge[7] oci dehi nadan tumen de isinambihe. wang i afabuha
　　　戦うこと できる者 は 四十 七 万 に 及んでいた 王 が 命じた
　　　萬會戰的　　　　　　　　　因王交付的事

41b2　baita yoab i gūnin de acanarakū ofi. tuttu i lewei beniyamin juwe
　　　事 ヨアブ の 考え に 合わない ので それで 彼 レビ ベニヤミン 二
　　　不合約亜伯的意　　　　未数肋未柏尼亜明的男子[8]

41b3　mukūn i anggala i gebu be bithe de dosimbuha ba akū abkai ejen[9]
　　　族 の 人々 の 名前 を 文書 に 記した 所 なかった 天の 主
　　　　　　　　　　　　陡斯不悦達

41b4　ere taweit i hese be eimeme israyel[10] i[11] gurun i irgese be isebuhe
　　　この ダビデ の 勅旨 を 嫌い イスラエル の 国 の 民衆達 を 罰した
　　　味的意思　　　　故降禍給依斯拉耶耳衆民

41b5　taweit abkai ejen[12] de jalbarime hendume. bi ere durun i yaburede.
　　　ダビデ 天の 主 に 祈って 言うには 私 この 様に 行う時
　　　達味望陡斯説　　　　　　　　我作這様事

---

[1] israyel : 東洋本は israel に作る。
[2] 約亜糸 : 徐家匯本は「約亞伯」に作る。
[3] 過 : 徐家匯本は「遍」に作る。
[4] israyel : 東洋本は israel に作る。
[5] 記 : 徐家匯本は「紀」に作る。
[6] 衆 : 徐家匯本はこの一字を欠く。
[7] baihanarangge : 東洋本は bahanarangge に作る。
[8] 未数肋未柏尼亜明的男子 : 徐家匯本は「栢尼亞明的男子」に作る。
[9] abkai ejen : 東洋本は deus に作る。
[10] israyel : 東洋本は israel に作る。
[11] i : 東洋本はこの一語を欠く。
[12] abkai ejen : 東洋本は deus に作る。

42a1　yaci amba weile baha. bairengge sini aha i waka babe oncodome gamarao.
何より 大きい 罪 得た　願うこと 貴方の 奴僕 の 非の 所を 寛大に 処置してくれ
大得了罪　　　　　懇求主寛恕你奴的錯

42a2　yala hūlhidame yabuha sehe. abkai ejen taweit i baitalara saisa jidere
本当に 愚昧に 行った と言った 天の 主 ダビデ が 任用する 賢者 起こら
真糊塗了故這樣行了　　　天主望達味常用的先知者

42a3　undengge be ulhire gat i baru hese wasimbufi hendume si daweit[1] be
ないこと を 悟る ガデ に 対し 勅旨 発して 言うには お前 ダビデ に
加得説　　　　　　　你去告訴達味

42a4　acana inde hendu abkai ejen i hese entekengge. ere ilan hacin ci
会いに行け 彼に 言え 天の 主 の 勅旨 この様なもの この 三つの 事 から
天主的旨意[2]這樣　　　三件凴你挑一件

42a5　emu hacin be cihai sonjo. bi sini sonjoho hacin i ici simbe
一つの 事 を 自由に 選べ 私 お前の 選んだ 事 に よって お前を
我就照你挑的行

42b1　isebure dabala. gat taweit i jakade isinjifi hendume abkai ejen i hese
罰する だけだ ガデ ダビデ の もとに 来て 言うには 天の 主 の 勅旨
加得來到達味跟前説　　　這是天主的旨意

42b2　sini cihai emu hacin be sonjo eici ilan aniya i omin ☺ eici sini
お前の 自由に 一つの 事 を 選べ 或いは 三 年 の 饑饉 或いは お前
你隨便簡一様　　　或三年的饑饉　　　或你三個

42b3　beye ilan biyai[3] sidende. udu sini bata i juleri ukacibe. tesei loho ci
自身 三 月の 間に たとえ お前の 敵 の 前を 避けても 彼らの 刀 から
月　　　在你仇跟前逃跑[4]　　不能免他的

42b4　uksalame muterakū eici ilan inenggi hūsime abkai ejen i loho. geri
逃れること できない 或いは 三 日 経って 天の 主 の 刀 疫
刀　　　或三天　　　遭天主的刀　就是

42b5　nimeku sini gurun de bisire abkai ejen i enduri israyel[5] i[6] ba i geren
病 お前の 国 にある 天の 主 の 神 イスラエル の 地方 の 多くの
瘟疫在你地方　　　又有天神在依斯拉耶耳衆界内

43a1　jecen i dorgi niyalma be wara. te lashala. mimbe takūraha abkai ejen de
領域 の 中の 人 を 殺す 今 決めよ 私を 遣わした 天の 主 に

---

[1] daweit：東洋本は taweit に作る。
[2] 意：徐家匯本はこの後に「是」を有する。
[3] biyai：東洋本は biya i に分綴する。
[4] 跑：徐家匯本は「跳」に作る。
[5] israyel：東洋本は israel に作る。
[6] i：東洋本はこの一語を欠く。

殺你的民　　　　　　　　　　你如今絶[1]断　要我怎麽答應

43a2　adarame jabubuki sembio. taweit gat de hendume. mujilen i dolo absi
　　　どの様に　答えられたい　と思うか　ダビデ　ガデ　に　言うには　心　の　中　本当に

　　　　　　　　　　　　　　遣我的達味與加得説　舉目四下都作難

43a3　manggašambi. naranggi niyalma i gala de tuhere anggala abkai ejen i gala de
　　　困っている　　結局　　人　の　手　に　陥るより　むしろ　天の　主　の　手に

　　　　　　　　但與其落在人手裡　　　　　　　　　不如落在天主手

43a4　tuherede isirakū. abkai ejen i jilan funiyahan onco amba kai sefi.
　　　陥るに　及ばない　天の　主　の　慈しみ　深さ　広く　大きい　ぞ　と言って

　　　裡　　　　　　　　因他仁慈是無限量的

43a5　abkai ejen yala israyel[2] gurun be geri sukdun de tušabuha israyel[3] i
　　　天の　主　そこで　イスラエル　国　を　疫　病　　に　遭わせた　イスラエル　の

　　　因此天主[4]依斯拉耶耳國内起了瘟疫　　　　　　　　従依斯拉耶耳

43b1　omosi i dorgici nadan tumen niyalma bucehebi. abkai ejen kemuni yerusalem i
　　　子孫達　の　中から　七　万　　人　死んだ　天の　主　更に　エルサルム　の

　　　後代死了七萬　　　　　　　　　　天主還遣天神去殺日露撒

43b2　niyalma be suntere jalin emu enduri be ungginehe jing hoton i irgese
　　　人　　を　滅ぼす　ために　一人の　神　を　遣わした　ちょうど　城　の　民衆達

　　　冷的民　　　　　　　　　　　正殺他們時

43b3　bucerede abkai ejen yasa forome ① enteke[5] jobolon de terei jilangga
　　　死ぬ時　天の　主　眼　巡らし　　この様な　災い　で　彼の　慈しみある

　　　　　　　天主轉眼一看　　　　　那様大災動了慈心

43b4　mujilen aššabufi. wara enduri de fafulame isika sini gala be bargiyaha[6]
　　　心　　動かされ　殺す　神　に　命じて　充分だ　お前の　手　を　収めよ

　　　　　　　命殺人的神説彀了　　　　　縮你手罷

43b5　sehe. abkai ejen i enduri oci. yabuseo[7] mukūn ci tucike ornan ◎ i
　　　と言った　天の　主　の　神　　は　エブス　　族　から　出た　オルナン　の

　　　　　　天主的神　　　　　站在耶布則阿族出的阿耳南的打粮

44a1　je falan i hanci ilimbihe. taweit gaitai uju be tukiyeme abkai ejen i
　　　打ち　場　の　近くに　立っていた　ダビデ　忽ち　頭　を　上げて　天の　主　の

　　　食場　　　　　　　　達味抬頭　　　　　　見天主的神

---

[1] 絶：徐家匯本は「決」に作る。
[2] israyel：東洋本は israel に作る。
[3] israyel：東洋本は israel に作る。
[4] 主：徐家匯本はこの後に「在」を有する。
[5] enteke：東洋本はこの後に amba を有する。
[6] bargiyaha：東洋本は bargiya に作る。
[7] yabuseo：東洋本は yebuseo に作る。

44a2 enduri abka na i sidende bisire gala de gocika[1] loho jafafi yerusalem i
　　　　神　　天　地 の 間に 立ち　手 に 抜いた　　刀　 持ち エルサルム に
在空中援刀 拿在手裡　　　　　　　　　　　　　面朝日露撒冷

44a3 baru foroburengge be sabuha. i uthai geren sakda sai emgi gosihon etuku etufi
　　　向かい 向きを変えるの を 見た 彼 そこで 多くの 長老 達と 一緒に 荒 布　着て
　　　　　　　　　　　　他自己長老們穿了苦衣

44a4 na de hujuhebi. taweit geli abkai ejen[2] de hendume irgesei ton be
　　　地 に 伏した ダビデ また 天の 主　 に 言うには 民衆達の 数 を
即伏在地　　　達味[3]求陡斯説　　　　　　　這樣話[4]不是我下

44a5 gaire hese wasimbuhangge mini beye wakao. bi weile necihe. bi ehe be
　　　取る 勅旨　下した者　　　私 自身 でないか 私 罪 犯した 私 悪 を
命取這國人的数目麼　　不是我錯了事　犯了這樣罪麼　這些民有甚

44b1 yabuha. ere honin i feniyen de ai dalji. mini abkai ejen[5] bairengge sini
　　　行った この 羊 の　群　に 何の 関わり 私の 天の 主よ 願うこと 貴方の
麼不是呢　　　　　　　　我主陡斯　　　　　你的

44b2 gala be forgošome. mini beye be mini ama i boo be isebureo. ume
　　　手 を 借りて　私　自身 を 私の 父 の 家 を 罰してくれ 決して
手罰我罰我　　　　　父的家饒你的民

44b3 sini irgese be isebure sehede. abkai ejen i enduri gat de fafulame. si
　　　貴方の 民衆達 を 罰するな と言ったので 天の 主 の 神 ガデ に 命じて お前
　　　　　　　　天主的神命加得　　　　　　你

44b4 taweit be aca yebuseo uksurangga ornan i je falan de emu terkin be
　　　ダビデ と 会え エブス　支族　　オルナン の 打ち 場 に 一つの 祭壇 を
見達味説　你在耶布則阿 阿耳南的打粮食塲裡　給主陡斯

44b5 abkai ejen[6] de ilibu se gat abkai ejen i hese be alaha manggi.
　　　天の 主 のために 建てよ と言え ガデ 天の 主 の 勅旨 を 伝えた 後
立一燊台　　　　加得把天主的旨意　告訴了達味

45a1 taweit gisun be dahame genehe. tede ornan terei duin jusei emgi je
　　　ダビデ 言葉 に　従い　行った そこで オルナン 彼の 四人の 子供達と 一緒に 打ち
達味去了　　　　　那時阿耳南在塲裡打粮食

45a2 falan de maise be tūre nergin. untuhun i baru yasalame. ere emu
　　　場 で 麦 を 打つ 時　　虚空 に 向かい ちらりと 見ると この 一人の

---

[1] gocika：東洋本は gociha に作る。
[2] abkai ejen：東洋本は deus に作る。
[3] 達味：徐家匯本は「陡斯」に作る。
[4] 這樣話：徐家匯本はこの三字を欠く。
[5] abkai ejen：東洋本は ejen deus に作る。
[6] abkai ejen：東洋本は ejen deus に作る。

抬頭看見天神[1]

45a3　enduri be sabufi. gemu gelehe golohoi beye somiha bihe. damu taweit ornan be
　　　神　を　見て　みな　恐れ　驚いたまま　身　隠して　いた　ただ　ダビデ　オルナン　を
　　　　　　都跑藏了　　　　　　　　　　　　達味望阿耳南

45a4　baime genere de[2] ornan imbe tuwaha. je falan ci okdonjifi[3]. na de
　　　訪ねに　行く　時　オルナン　彼を　見た　打ち　場　から　迎えに来て　地　に
　　　來　　　　　阿耳南一見了[4]　　離塲迎接王　　　　伏地叩

45a5　micume hengkilehe. taweit hendume si sini je falan i babe minde bu. abkai
　　　伏して　拝した　ダビデ　言うには　お前　お前の　打ち　場　の　所を　私に　与えよ　天の
　　　頭　　　　　　達味説　　你把你打粮食的塲給我　　　我要

45b1　ejen be eldembure terkin ubade iliki sembi. salire menggun be gaisu ainci
　　　主　を　輝かせる　祭壇　ここに　建てたい　と思う　相当する　銀　を　取れ　恐らく
　　　在這裡砌光榮天主的祭台　　　　　　　　　　　　　為止

45b2　uttu geren irgen i jobolon nakambidere. ornan taweit de jabume. cingkai
　　　こうして　多くの　民衆　の　災厄　止まるだろう　オルナン　ダビデ　に　答えて　思うまま
　　　衆民的災　但我給相對的價値　　　阿耳南答應達味

45b3　gamaki. mini ejen wang ainame yabuki seci yabukini bi hono ihan. sejen
　　　持って行け　私の　主である　王よ　何か　行いたい　と思えば　行うがよい　私　更に　牛
　　　　　我主王只管収我的場要怎麼行就怎麼[5]行　我[6]還給牛　做全祭

45b4　huncu. maise be yongkiyan wecen i ulha. moo dobocun obume. ere jaka be
　　　打穀機・麦　を　燔　祭の　家畜　木　供え物　として　この　物を
　　　祀車當劈柴麥子　　　　　　為供物　　　　　都願献這

45b5　gemu cihanggai alibumbi sehe. taweit hendume ojorakū. salire hūda be buki
　　　みな　喜んで　献げる　と言った　ダビデ　言うには　だめだ　相当する　値　を　払いたい
　　　些物　　　　　　　王達味説不可這様　　我要出相對的銀

46a1　sembi. sini jaka be bai gamafi. yongkiyan wecen be abkai ejen de alibure
　　　と思う　お前の　物　を　ただで　取り　燔　祭　を　天の　主　に　献げる
　　　白拿你物　　　　給天主献全祭使得麼

46a2　doro bio. uttu ohode. taweit babe udame. umesi tondo toose be baitalafi
　　　礼儀　あるか　この様に　して　ダビデ　土地を　買い　非常に　公平な　重り　を　用いて
　　　如此達味買了地方[7]　　　用至公戥

---

[1] 神：徐家匯本はこの後に「他的四子同他在一塊」を有する。
[2] genere de：東洋本は generede に合綴する。
[3] okdonjifi：東洋本は oktonjifi に作る。
[4] 了：徐家匯本は「他」に作る。
[5] 怎麼：徐家匯本はこの二字を欠く。
[6] 我：徐家匯本はこの一字を欠く。
[7] 方：徐家匯本はこの後に「用」を有する。

46a3 ninggun tanggū sikilo aisin ningge be ornan de buhe. ubade emu
六　　　百　シケル　金の　もの　を　オルナン　に　払った　ここで　一つの
給阿耳男[1]六百西其落金　　　　　　　　　　在這裡與天

46a4 terkin be abkai ejen de sahaha bime geli yongkiyan wecen elhe wecen be
祭壇　を　天の　主　のために　築いて　いて　また　燔　　祭　酬恩　祭　を
主砌了粢台　　　　　　　　殺了全安二粢的牲口

46a5 weceme abkai ejen de jalbarime baiha. abkai ejen tuwa be untuhun ci
献げて　天の　主　に　祈って　求めた　天の　主　火　を　虚空　から
呼天主　　　　　　　天主從空降火到全粢的台上

46b1 yongkiyan wecen i terkin de wasibufi. taweit i baire gisun de acabuha. abkai
燔　　　祭　の　祭壇　に　下し　ダビデ　が　求める　言葉　に　従った　天の
　　　　　　　　　　　　　　　　　　　　　天主

46b2 ejen emgeri fafulara de[2] abkai enduri ini loho be homhon de sisiha.
主　一度　命ずる　時　天の　神　彼の　刀　を　鞘　に　収めた
命天神把刀入了鞘

46b3 abkai ejen taweit i jalbarire gisun be jilame donjiha ofi. tuttu i
天の　主　ダビデ　の　祈る　言葉　を　慈しんで　聞いた　ので　そこで　彼
達味見天主在耶布則阿阿耳南的場內　合了他的祈求謝恩　又献了

46b4 ebuhu sabuhū yebuseo ornan i je falan de wecen i ulha be wame alibuha
大　慌てで　エブス　オルナン　の　打ち　場　で　祭祀の　家畜　を　殺して　献げた
別的粢

46b5 gobi i dolo moises i arame weilehe. abkai ejen i deyen. yongkiyan wecen i
荒野　の　中で　モーセ　が　製作し　作った　天の　主　の　宮殿　燔　　祭　の
野外毎瑟造的天主殿　　　　　　　　　　及全粢的台

47a1 terkin. gemu tere fonde gabahon hoton i den bade bihe. taweit abkai
壇　みな　その　時に　ギベオン　城　の　高い　所に　あった　ダビデ　天の
那時都在加巴翁的高地方　　　　　　達味看見天

47a2 ejen i enduri i loho be sabufi ambula gūwacihiyalaha bihe. ere terkin i
主　の　神の　刀　を　見て　大いに　　驚いて　　いた　この　壇　の
主的神　　拿着腰刀嚇了一跳　渾身軟了　無力去加巴翁　在那粢台

47a3 juleri genere tubade abkai ejen[3] i gebu be hūlame baire hūsun akū kai.
前へ　行って　そこで　天の　主　の　名前　を　呼んで　求める　力　ない　のだ
前　　　　呼陡斯的聖名

---

[1] 阿耳男：徐家匯本は「阿耳南」に作る。
[2] fafulara de：東洋本は fafularade に合綴する。
[3] abkai ejen：東洋本は deus に作る。

47a4　sure gisun

解く　言葉

註解

47a5　ⓐ satan serengge ehe hutu inu. ⓔ dade abkai ejen nadan yuyun

　　　　サタン　というもの　悪い　魔物　である　最初　天の　主　七つの　不作の

　　　沙殫是魔鬼　　　　　　　天主本定了七凶年

47b1　aniya be toktoho bihe. damu taweit i unenggi gūnin i aliyara jabcara be

　　　　年　　を　定めて　いた　しかし　ダビデ　が　誠実な　心　で　悔いて　残念に思うの　を

　　　　　　但看達味的真心痛悔

47b2　tuwafi. duin aniya be ekiyeniyehe. ⓘ abkai ejen de yali beye akū. gulu

　　　　　見て　　四　年　を　　減らした　　　天の　主　に　肉　体　ない　純粋な

　　　　減退了四年　　　　　　　説的轉眼是比語[1]　　天主本無

47b3　enduri beye bi. yasa be forgošome gisurehengge duibuleme gisurerengge inu. ⓞ

　　　　神の　　身　ある　眼　を　巡らせて　　話したこと　　喩えて　　言うもの　　である

　　　　形身　　　体[2]是純神

47b4　ornan de kemuni areūna sere gebu bihe.

　　　　オルナン　に　更に　アレウナ　という　名前　あった

　　　　阿耳南還教[3]亜肋烏那

---

[1] 語：徐家匯本は「喩」に作る。
[2] 体：徐家匯本は「體」に作る。
[3] 教：徐家匯本は「叫」に作る。

48a1 orin juweci fiyelen
二十 二 篇
第二十二篇

48a2 taweit hendume. ere uthai abkai ejen[1] i tanggin. ere geli israyel[2] i
ダビデ 言うには これ 即ち 天の 主 の 堂 これ また イスラエル の
達味説 這是陡斯的堂 這也是依斯拉耶

48a3 omosi i yongkiyan wecen i terkin inu ⓐ israyel[3] gurun i ba bici enduringge
子孫達の 燔 祭 の 壇 である イスラエル 国 の 所 いれば 聖
耳後代要献祭[4]的祭台 随即命依斯拉耶耳國新進聖

48a4 tacihiyan de ice dosika urse be isabu seme fafulaha isabufi. abkai
教 に 新しく 参加した 人達 を 集めよ と 命じた 集めて 天の
教的人 都聚一處 在他們

48a5 ejen[5] i tanggin be sahara turgun. tesei dolo ememu wehe be alin ci
主 の 堂 を 築く ため 彼らの 中で 或いは 石 を 山 から
内定 或従山挖石 或鏨磨預脩建陡斯的堂

48b1 gaire ememu wehe be sacime nilara faksi be toktobuha. geren duka i
取り 或いは 石 を 切って 磨く 石工 を 定めた 多くの 門 の
為做門的釘

48b2 hadaha arara undehen. wehe ishunde acaburede. taweit i belhehe sele
釘 作り 板 石 互いに 合わせるのに ダビデ の 準備した 鉄
合業[6] 還為聯板片的鉄絆 達味按[7]排的鉄狠多

48b3 umesi labdu. teišun inu ton akū. sidon tiro juwe ba i niyalma i
極めて 多い 銅 も 数え きれない シドン ツロ 二つの 地 の 人 が
銅的分両無数 西東 弟落両處人給達味送的

48b4 taweit de benjihe šedoro moo ⓔ jaci fulu bodoci ojorakūngge. taweit
ダビデ に 送った シェドロ 木 とても 多く 計ること できないもの ダビデ
蛇多落材料 多不可計 達味又

48b5 jai hendume mini jui salomon ajige jui bime geli uhuken bi naranggi enteke
また 言うには 私の 子 ソロモン 小さい 子 であり また 軟弱 私 ついに この様な
説 我子撒落孟是小孩 也軟弱 我要給天主立

---

[1] abkai ejen：東洋本は deus に作る。
[2] israyel：東洋本は israel に作る。
[3] israyel：東洋本は israel に作る。
[4] 祭：徐家匯本は「全祭」に作る。
[5] abkai ejen：東洋本は deus に作る。
[6] 業：徐家匯本は「葉」に作る。
[7] 按：徐家匯本は「安」に作る。

49a1　tanggin be abkai ejen de iliki sembi. ai ai gurun i niyalma terebe
　　　　堂　を　天の主　に　建てよう　と思う　諸々の国の人　それを
　　　　的堂　　　　　　　　　　　　　該要這樣要各國人人稱揚

49a2　ferguweme gisurerakūngge akū uttu ofi baibulere[1] jaka be na belhere dabala
　　　　珍しいと　言わないこと　ない　このため　必要な　もの　を　今　準備する　だけだ
　　　　　　　　　　　　　故我如今給他預俻要緊的物

49a3　yala i urire onggolo fayaci baitalaci ojoro menggun hacin be yooni ne jen
　　　　本当に彼死ぬ前に消費し用いることできる　銀　種類　を　すべて　今　すぐ
　　　　本他未崩之先　　　該費用的都留下現成的

49a4　ningge bibuhabi. beyei jui salomon be[2] hūlame gajifi israyel[3] i abkai ejen[4] i
　　　　のもの　留めたのだ　自身の子ソロモンを　呼び　召して　イスラエル　の　天の主　の
　　　　　　　　　　叫他子撒落孟來　　　　　命他給依斯拉耶耳主

49a5　tanggin be ilire hese inde afabuha. daweit[5] salomon i baru hendume. mini
　　　　堂　を　建てる　勅旨　彼に伝えた　ダビデ　ソロモン　に向かって　言うには　私の
　　　　陡斯立堂望他説　　　　　　　　　　　　　　　　　　　　　我

49b1　jui bi mini abkai ejen[6] i gebu be eldembure jalin emu tanggin iliki sembihe.
　　　　子　私　私の　天の　主　の名前を輝かせる　ため　一つの　堂　建てたい　と思っていた
　　　　児我先有意　給我主陡斯的聖名修大堂

49b2　damu abkai ejen hese wasibume minde henduhe. sini eyebuhe senggi labdu
　　　　しかし　天の　主　勅旨　下して　私に　言った　お前の流した　血　多い
　　　　天主降旨望我説　　　　　　　　　　　　你多流人血

49b3　sini coohalara baita absi fulu kai. ere tutala niyalma i senggi mini
　　　　お前の兵を出す事　実に多い　ぞ　これほど　人　の　血　私の
　　　　你打仗太多既我台前　　　　流那多人血

49b4　jakade eyehe ofi. tuttu si tanggin be mini gebu de ilime muterakū
　　　　前で流れた　ので　そこで　お前　堂　を　私の名前のため　立て　られない
　　　　　　　　　　你不能立光榮我名的堂

49b5　sini emu jui banjirengge bi banin umesi nesuken nemeyen. bi inu kesi
　　　　お前の　一人の子　生まれること　ある　性　極めて　優しく　柔和　私　また　恩
　　　　將來你生一子　　　本性良善　　　　　　我施恩使周

50a1　isibufi šurdeme tehe ini geren bata gelhun akū imbe necirakū. erei
　　　　与えて　周りに　いた彼の多くの敵　敢えて　彼を　侵害しない　この

---

[1] baibulere：東洋本は baiburele に作る。
[2] be：東洋本は ba に作る。
[3] israyel：東洋本は israel に作る。
[4] abkai ejen：東洋本は ejen deus に作る。
[5] daweit：東洋本は taweit に作る。
[6] abkai ejen：東洋本は ejen deus に作る。

圍無仇侵犯他　　　　　　　　　　　　　　　　故稱

50a2　jalin gemu terebe elhe taifin ningge seme gebulembi bi geli ini emu
　　　ため　みな　彼を　安泰　平和　のもの　と　名づける　私 また　彼の　一

他是太平的　　　　　　　　　　　　　　　　他一生我也賞依斯

50a3　jalan de israyel[1] i irgese be elehun sulfa obumbi. i tanggin be mini
　　　生　で イスラエル の 民衆達 を 心 安らか にする 彼　堂　を 私の

拉耶耳會安寧閒假[2]　　　　　　　　　　　　就是他給我[3]立堂

50a4　gebu de ilire dabala. i minde jui ojoro. bi inde ama ojorongge. israyel[4] i[5]
　　　名前 のため 立てる だけだ 彼 私に 子 となり 私 彼に 父 となること イスラエル の

他為我子　　　　　　我為他父　　　　　　我又依

50a5　gurun be salifi bi ini soorin be akdulame enteheme taksibuki sehe. te mini
　　　国　を 治めて 私 彼の 位 を 保障し　永遠に 残したい と言った 今 私の

斯拉耶耳國内　堅定他的王位到永遠　　　　　因此求

50b1　jui. abkai ejen sini emgi bisireo sinde hūturi isibureo. sini abkai ejen[6] de
　　　子 天の 主 お前と 一緒に いるよう お前に 福 及ぼすよう お前の 天の 主 のため

天主同我児在一塊　　　　也降福你　　　　你給你主陛斯

50b2　tanggin be ili. si yala ere tanggin be ilici acarangge. abkai ejen
　　　堂　を 立てよ お前 本当に この 堂 を 建てる べきこと 天の 主

建堂　　　　他本説立堂就是你　　　　　　還求主陛

50b3　gisurehe bihe. si israyel[7] i irgesebe kadalame. sini abkai ejen[8] i fafun be
　　　話して いた お前 イスラエル の 民衆達を 治め お前の 天の 主 の 法令を

斯　　　　　　賦[9]你智謀 也能管依斯拉耶耳的民 也守你主陛斯的法

50b4　tuwakiyame mutekini sere gūnin bairengge abkai ejen mergen bodohon be sinde
　　　見張ること できればよい という 考え 求めること 天の 主　智慧　計略 を お前に

若你順天主的命

50b5　šangnarao. aika si abkai ejen i targacun. beiden i kooli be tuwakiyaci. teni
　　　与えるよう もしも お前 天の 主 の 訓戒　審問 の 規則 を　守れば そこで

審例

51a1　hūturingga ome mutembi. abkai ejen cohome moises de fafulame. ere
　　　福　になること できる 天の 主　特に　モーセ に 命じて　この

---

[1] israyel：東洋本は israel に作る。
[2] 假：徐家匯本は「暇」に作る。
[3] 我：徐家匯本はこの後に「名」を有する。
[4] israyel：東洋本は israel に作る。
[5] i：東洋本はこの一語を欠く。
[6] abkai ejen：東洋本は ejen deus に作る。
[7] israyel：東洋本は israel に作る。
[8] abkai ejen：東洋本は ejen deus に作る。
[9] 賦：徐家匯本はこの後に「給」を有する。

每瑟傳給依斯拉耶耳後代的　那時你縂能興

51a2　targacun kooli be israyel¹ i omosi de selgiyen² sehebikai. teng seme
　　　　律　　法　を イスラエル の 子孫達 に　命令　　したのだ しっかり と

旺　　　　　　　　　　　　　　　　你堅你心

51a3　yabu. baturungga oso. ume gelere. ume goloro. yadahūn niyalma bi ①
　　　行え　勇気ある人 になれ 決して 恐れるな 決して 怖がるな 軟弱な 人 私

奮勇　　　　壯你胆　勿怕　　我雛窮

51a4　abkai ejen i tanggin i weilen de fayara menggun be belheme aisin i
　　　天の　主の 堂 の 仕事 に 費やす　銀　を 準備し 金 で

為立堂的工程該費用的銀子³預俻了十萬達楞多金

51a5　juwan tumen dalento menggun i tanggū tumen dalento bibuhebi. teišun sele i
　　　　十　　万　タレント 銀　で 百　　万　タレント 備えた　銅　鉄 の

百萬達楞多銀　　　　　　銅鉄分両的

51b1　fuwen yan oci dabali fulu bodoci ojorakū. baitalan de acabure moo
　　　重　量　は あまりに 多く 量ること できない 用途 に 合わせる 木

數目数不清　　　　　　　按用處木石料

51b2　wehe gemu beleningge. wehe be tucibure sacire. fu sahara. moo foloro.
　　　石 みな 既成のもの 石 を 出して 切る 壁 築く 木 刻む

都有現成的　　你有砍石砌墻　　雕刻木

51b3　ai ai hacin i weilen weilere mangga faksisa sinde bi aisin menggun
　　　様々な 種類 の 仕事 する 上手な 職人達 お前に いる 金　銀

善⁴做各樣製造的諸匠　　會做金銀銅鉄噐皿

51b4　teišun sele i tetun arame bahanarangge ton inu akū si kiceme fašša
　　　　銅　鉄 の 器 作ること できるもの　数え切れない お前 励み 努力せよ

那金銀銅鉄都有多餘的 你動手起這

51b5　abkai ejen sini emgi bisire dabala. taweit hono israyel⁵ i ujulaha da
　　　天の　主 お前と共に いる だけだ ダビデ さらに イスラエル の 頭になった 頭目

工程 天主同你在一塊　　達味還命依斯拉耶耳衆頭目

52a1　sade⁶ fafulame mini jui salomon de aisila sefi jai hendume tuwaci
　　　達に　命じて 私の子 ソロモン を 助けよ と言い また 言うには 見れば

帮他子撒落孟就説

---

¹ israyel：東洋本は israel に作る。
² selgiyen：東洋本は salgiyen に作る。
³ 銀子：徐家匯本は「銀」に作る。
⁴ 善：徐家匯本はこの後に「會」を有する。
⁵ israyel：東洋本は israel に作る。
⁶ sade：東洋本は sa de に分綴する。

52a2 suweni ejen deus suweni dolo bi. i duin hošo de elhe taifin be
お前達の 主 ゼウス お前達の 中に いる 彼 四 方 に 安泰 平和 を
你們明見你們主陡斯同你們在一塊 國的周圍賞了太平

52a3 yendebuhe. suweni geren bata be suweni gala de sindaha. ba na
起した お前達の 多くの 敵 を お前達の 手 に 置いた 地 方
也把你們的仇 都放了你們手裡 地方的民

52a4 abkai ejen i kesi de yooni terei irgese de dahambi ne yongkiyan
天の 主 の 恩 で すべて 彼の 民衆達 に 従う 今 すべての
都順天主聖意 彼此也相合[1] 如今預備你

52a5 mujilen yongkiyan gūnin i suweni abkai ejen[2] be baisu. uhei hūsun i
心 すべての 考え で お前達の 天の 主 を 求めよ 共に 力 で
們的心 你們的靈魂為找你們的主陡斯[3] 同力給主陡斯

52b1 enduringge deyen be abkai ejen[4] de ili. abkai ejen i hūwaliyasun doroi
聖なる 宮殿 を 天の 主 のため 建てよ 天の 主 の 調和 礼儀の
建聖堂 為的是[5]才[6]得送天主的和睦

52b2 guise. abkai ejen de alibuhala tetun bireme abkai ejen i gebu de
櫃 天の 主 に 与えた 器 まとめて 天の 主 の 名前 のため
結約的[7]櫃 連樣樣供的器皿 供在為光榮天主的名

52b3 ilire tanggin i dorgi faidakini sere turgun inu sehe.
建てる 堂 の 中に 並べるがよい と思う ため である と言った
修的堂内

52b4 sure gisun
解く 言葉
註解

52b5 ⓐ abkai ejen taweit i ulhisu be neime. ornan i je falan i bade
天の 主 ダビデ の 悟り を 開いて オルナン の 打ち 場 の 所に
因為天主黙示達味 就是阿耳南這場内

53a1 amba tanggin wecen i terkin ilibuci acarangge be iletu tuwabuha ofi.
大きい 堂 祭祀 の 壇 建てる べきこと を はっきり 見させた ので
該建天主大堂 也立祭祀的祭台

---

[1] 合：徐家匯本は「和」に作る。
[2] abkai ejen：東洋本は ejen deus に作る。
[3] 為找你們的主陡斯：徐家匯本は「為覔你們主陡斯」に作る。
[4] abkai ejen：東洋本は ejen deus に作る。
[5] 是：徐家匯本は「事」に作る。
[6] 才：徐家匯本は「緣」に作る。
[7] 的：徐家匯本はこの一字を欠く。

53a2   tuttu daweit[1] ere gisun be gisurehebi. ⓔ šedoro moo nahūn mooi hacin
そのため ダビデ この 話 を 話していた 　　シェドロ 木 香柏 木の 種類
故達味説了這樣話 　　　　　　　　蛇多落木是楠木類

53a3   inu. ⓘ ere gisun gocishūn niyalma i gisun ojoro teile.
である この 言葉 謙虚な 人 の 言葉 である だけだ
這不過是謙言

---

[1] daweit：東洋本は taweit に作る。

53a4 orin ilaci fiyelen
二十 三 篇

第二十三篇

53a5 daweit[1] sakdafi se inenggi jalu ohode. beyei jui salomon be israyel[2] gurun i
ダビデ 老いて 年齢 日 満ちた 時 自身の 子 サロモン を イスラエル 国 の
達味老了歳数已滿 　　　　　立親子撒落孟為依斯拉耶耳國的

53b1 wang ilibuha. jai israyel[3] gurun i ambasa wecen i da leweidasa be
王 立てた また イスラエル 国 の 大臣達 祭祀 の 頭目 レビの頭目達 を
王 　　　　又聚依斯拉耶耳會的衆頭目衆祭首 　及肋未子孫

53b2 uhei acaha. gūsin se ci fulu leweida sai gebu be gaifi. ceni ton
すべて 集めた 三十 歳 から 優れた レビの頭目 達の 名前 を 取り 彼らの 数
　　　数了肋未後代 從三十歳以上 　　　　就得了三

53b3 ilan tumen jakūn minggan de isiname ofi. tuttu tesei dorgici juwe
三 万 八 千 に 及ぶ ので そこで 彼らの 中から 二
萬八千 　　　　　　　　　從這些挑了二萬四千

53b4 tumen duin minggan niyalma be sonjohobi[4]. abkai ejen i tanggin i hacingga
万 四 千 人 を 選んだ 天の 主 の 堂 の 様々な
　　　　　　　　給他們分開天主堂的職

53b5 baita be cende afabuha. kadalara da sa. beidesi oci. ninggun minggan
事 を 彼らに 命じた 治める 頭目 達 裁判官 は 六 千
　　　作首領 　　作審事[5] 　有六千

54a1 ombihe. duka be tuwakiyarangge duin minggan taweit i arame weilehe
であった 門 を 見張る者 四 千 ダビデ の 製作し 作った
　　　看門的四千 　　　　合着達味製造的樂噐

54a2 kumun i agūra tetun de acabufi uculere abkai ejen be saišarangge
楽 器 に 合わせ 歌い 天の 主 を 讃える者
　　　　謌唱讃美天主的

54a3 duin minggan inu sehe[6]. taweit geli lewei i ilan boo i[7] žerson.
四 千 である と言った ダビデ また レビ の 三 家 の ゲルショム
也有四千 　　　達味將這本分給[8]肋未族的三家熱耳宋

---

[1] daweit：東洋本は taweit に作る。
[2] israyel：東洋本は israel に作る。
[3] israyel：東洋本は israel に作る。
[4] sonjohobi：東洋本は sonjoho に作る。
[5] 事：徐家匯本は「士」に作る。
[6] sehe：東洋本は bihe に作る。
[7] i：東洋本はこの一語を欠く。
[8] 給：徐家匯本は「交給」に作る。

54a4　gat[1] merari i ilhi aname cembe faksalaha amala. meimeni idu be
　　　　ガデ メラリ の 順番 通りに 彼らを 分けた　後　　各々の　当番 を
　　　　加得 黙拉里後代　　　　　　　　　　　　　　　　輪流換班

54a5　toktobuha. žerson i juse lehedan. semei inu ⓐ lehedan i juse. aji
　　　　定めた　ゲルショム の 子達 ラダン シメイ である ラダン の 子達 第一の
　　　　　　　熱耳宋 加得[2] 是肋黒丹及塞毎　肋黒丹的子　長子

54b1　jui yahiyel. jai dzedan. yohel uheri ilan ningge. semei i juse salomit.
　　　　子 エヒエル また ゼタン ヨエル 合計 三　人　シメイ の 子達 シロミテ
　　　　是亜西耳[3]　則丹　　約黒耳三個　　　　　塞毎的子是撒落米得

54b2　hosiyel. aran se ilan inu. ere uthai lehedan i hacingga booi[4] da
　　　　ハジエル ハラン 達 三 である これ 即ち ラダン の 様々な 家の 頭目
　　　　豁西耳亜藍三個　　　　這就是肋黒丹的諸家的首

54b3　oho. žerson i jaici jui semei i juse oci lehet. dzidza. yaus[5].
　　　　となった ゲルショム の 第二の 子 シメイ の 子達 は ヤハテ ジザ エウシ
　　　　　　　　塞毎的子肋黒得　　　漆匝　亜烏斯

54b4　bariya ere gemu semei i juse duin ningge. aji jui lehet. jaici
　　　　ベリア これ みな シメイ の 子達 四 人　第一の 子 ヤハテ 第二の
　　　　巴里亜 這四個都是塞毎的子　　　　肋黒得是長子　漆匝

54b5　jui dzidza yaus[6]. bariya sede[7] juse komso ofi. tuttu emu mukūn.
　　　　子 ジザ エウシ ベリア 達に 子達 少ない ので そのため 一　族
　　　　是次子 亜烏斯 巴里亜不多生子　　　故二人的後代

55a1　emu boo be banjinara teile. gat[8] i juse amram. isahar. heberon. odziyel
　　　　一　家 を なした だけだ ガデ の 子達 アムラム イジハル ヘブロン ウジエル
　　　　只算了一支派　　　　　加得的子是亜莫郎[9] 依撒哈耳 黒柏隆[10] 阿漆耳

55a2　se duin ningge. amram i juse. aron. moises. abkai ejen aron be
　　　　達 四　人　アムラム の 子達 アロン モーセ 天の 主 アロン を
　　　　四個　　　　亜莫郎[11]的子 是亜隆 毎瑟 天主提開亜隆

1　gat：東洋本は kat に作る。
2　加得：徐家匯本は「的子」に作る。
3　亜西耳：徐家匯本は「亜希耳」に作る。
4　booi：東洋本は boo i に分綴する。
5　yaus：東洋本は yaūs に作る。
6　yaus：東洋本は yaūs に作る。
7　sehe：東洋本は se de に分綴する。
8　gat：東洋本は kat に作る。
9　亜莫郎：徐家匯本は「亞黙郎」に作る。
10　黒柏隆：徐家匯本は「黒栢隆」に作る。
11　亜莫郎：徐家匯本は「亞黙郎」に作る。

55a3 faksalame. ini beye ini juse ten i enduringge ba i baita be enteheme
　　　分けて　彼 自身 彼の 子達 最高の 聖なる 所 の 事 を 永遠に
　　　　　　　要他及他諸子永遠辦至聖所的事

55a4 icihiyakini toktobuha kooli i songkoi šugiri hiyan be abkai ejen i juleri
　　　管理するがよい 定めた 規則 に 従って 乳 香 を 天の 主 の 前で
　　　　　　　按定例在天主台前焚乳香　　　　　　還光榮主陞斯的聖名[1]

55a5 deijikini terei gebu be jorime erin akū hūturi isibukini sere gūnin
　　　焼くがよい 彼の 名前 を 示し 常 に 福 施すがよい と思う 心

55b1 sonjohobi. abkai ejen[2] i niyalma moises i juse. gemu lewei i mukūn de
　　　選び取ったのだ 天の 主 の 人 モーセ の 子達 みな レビ の 一族 に
　　　　　　　陞斯的人　　　　　　每瑟的子們 都包含在肋未族内

55b2 baktambuhabi. moises i juse. žersom eliyedzer se. žersom i juse. aji
　　　含まれていた モーセ の 子達 ゲルショム エリエゼル 達 ゲルショム の 子達 第一の
　　　　　　　每瑟的子們[3] 是熱耳宋及耶里耶則耳 熱耳宋的子 長子[4]

55b3 jui subuhel. eliyedzer rohobiya be banjiha. i emu mukūn i da oho.
　　　子 シブエル エリエゼル レハビヤ を 生んだ 彼 一 族 の 頭目 になった
　　　　　　　蘇布耳[5]　　耶里耶則耳的長子落火必亞

55b4 eliyedzer de gūwa juse akū bicibe. rohobiya i juse jaci labdu bihe.
　　　エリエゼル に 他の 子達 ない けれども レハビヤ の 子達 甚だ 多く あった
　　　　　　　耶里耶則耳没有別的子　　　落火必亞的子極多

55b5 isahar i juse. aji jui salomit. heberon i juse aji jui yerihao[6]. jaici
　　　イヅハル の 子達 第一の 子 シロミテ ヘブロン の 子達 第一 の 子 エリヤ 第二の
　　　　　　　依撒哈耳的子 長子撒落米得 黒柏隆[7]的子 長子耶里亞烏 次子

56a1 jui amariyas. ilaci jui yahadziyel. duici jui yakmaham se inu. odziyel i juse aji jui
　　　子 アマリア 第三の 子 ヤハジエル 第四の 子 エカメアム 達 ウジエル の 子達 第一 の 子
　　　　　　　亞瑪里亞斯 三子亞哈漆耳　　四子耶克忙　　　　阿漆耳的子　長子

56a2 mika. jaici jui yesiya se. merari i juse moholi. musi. moholi i juse elehadzer.
　　　ミカ 第二の 子 イシア 達 である メラリ の 子達 マヘリ ムシ マヘリ の 子達 エレアザル
　　　　　　　米加 次子耶西亞　　　黙拉里的子莫豁里及母西 莫豁里的子耶肋亞匝肋[8]

---

[1] 徐家匯本はこの箇所に注を付し、「就是指陞斯的聖名，降福衆人」とする。
[2] abkai ejen：東洋本は deus に作る。
[3] 們：徐家匯本はこの一字を欠く。
[4] 子：徐家匯本は「名」に作る。
[5] 蘇布耳：徐家匯本は「穌布耳」に作る。
[6] yerihao：東洋本は yerihau に作る。
[7] 黒柏隆：徐家匯本は「黒栢隆」に作る。
[8] 耶肋亞匝肋：徐家匯本は「耶則亞匝肋」に作る。

56a3 šis inu. elehadzer bucefi. haha juse inde akū. sargan juse bisire canggi. šis i
キシ である エレアザル 死んで 息子 達 彼に ない 娘 達 いる だけ キシ の
及詩斯 耶肋亜匝肋未生子死了　　　　　　単有女孩　　　　　　詩斯

56a4 haha juse tesei deote cembe sargan gaiha ⊙ musi i juse ilan. moholi. eder
息子 達 彼らの 弟達 彼らの 娘 娶った ムシ の 子達 三 マヘリ エデル
的諸子 娶了他們作妻　　　　　　　　母西的子 莫豁里 厄得耳

56a5 yarimot se inu. ere gemu lewei i juse omosi. meimeni booi[1] ejete. ere
エレモテ 達 である これ みな レビ の 子 孫 各々の 家の 主人達 これら
耶里莫得三個 這是肋未的子孫　　　　各支派各家的頭目　按他

56b1 geli abkai ejen i tanggin de idurame yabure leweida sai baksan i da ombihe.
また 天の 主 の 堂 に 順番に 行って レビの長 達の 隊 の 頭目 になっていた
們的班人的数目　　　　　　　從二十歳以上進天主堂

56b2 leweida sa tere funde. orin se ci tušan i baita be icihiyame deribumbihe. daweit[2]
レビの頭目 達 その 代わり 二十 歳 から 職務 の 仕事 を 処理し 着手していた ダビデ
辦本分的事　　　　　　　　　　　　　達味

56b3 hendume. israyel[3] i abkai ejen[4] da irgese be yerusalem de tebufi. ubade
言うには イスラエル の 天の 主 頭目 民衆 を エルサレム に 留めて ここで
説　　　依斯拉耶耳的主陡斯給他民賞了太平也定日露撒冷城 是他們

56b4 enteheme ergembuki sembi. ereci julesi leweida sa enduringge deyen.
永遠に 暮らさせたい と思う これから 先 レビの頭目 達 聖なる 宮殿
永遠住的地方　　　　　如此從今以後肋未的子孫不抬殿

56b4 deyen i hacingga tetun be
宮殿 の 様々な 器 を
並殿内用的器皿

56b5 guriburebe baiburakū. sehe. daweit[5] urime hamika. hono lewei i omosi i gebu orin se
移すのを 要しない と言った ダビデ 崩れて 死んだ また レビ の 子孫達 の 名前 二十 歳
照達味臨崩的話 因人不糓徃後肋未的子孫雖只有二十歳

56b5 ci amala.
以　上

57a1 gaici acambi seme fafulaha ce gemu aron i juse de kadalabufi. abkai
取る べきだ と 伝えた 彼ら みな アロン の 子達 に 治められ 天の
也可入堂辦事　　　　　　　　　　凡関係

---

[1] booi：東洋本は boo i に分綴する。
[2] daweit：東洋本は taweit に作る。
[3] israyel：東洋本は israel に作る。
[4] abkai ejen：東洋本は ejen deus に作る。
[5] daweit：東洋本は taweit に作る。

57a2 ejen i tanggin be alifi holbobure baita de kicekini. ememu nanggin ememu
　　　主 の 堂　　を 支え 関係する 仕事 に 務めるがよい 或いは 廊下　 或いは
　　　天主[1]的事　他們都在亜隆的諸子手下領本分　 或遊廊　　　 或偏房

57a3 giyalan. ememu bolgomire ba ememu enduringge ba eiterecibe abkai ejen i deyen de
　　　部屋　 或いは 清める 所 或いは 聖なる 所　 総じて 天の 主 の 宮殿 で
　　　　 或齋戒的地方　　 或聖地内　　　　 共揔[2]用他們辦堂内的事

57a4 ai ai hacin i takūra[3] cende afabuci. teisu be dahakini. inenggidari alibuci
　　　あら ゆる 種類 の 使者 彼らに 命ずれば 職分 に 安んずるがよい 毎日 供える
　　　査看聖櫃前供的饅頭　　　　　配祭的細麺　　 未發的燒餅

57a5 acara efen. narhūn ufa i dobocun. huhu akū šoobin. caruha šoloho jaka
　　　べき パン　細い 麺 の 供えもの 酒麴 ない 揚げパン 揚げた 焼いた 物
　　　　　　 鉄鍋或油扎　　　 或燒的物

57b1 toose miyalin. ere jergi hacin be baicame tuwara kadalara tušan wecen i da
　　　　重　 量　 この 類 の 事 を 調べて 見て 管理する 職務 祭祀 の 頭目
　　　並等秤[4]升斗公平與否 這本分是諸祭首的 肋未子孫的本分

57b2 sai tušan inu. leweida sa[5] kemuni erde yamji dosifi abkai ejen be
　　　達の 職務 である レビの頭目 達 さらに 早朝 夕方に 入って 天の 主 を
　　　　　　就是在天主台前早晩謂誦

57b3 uculeme saišambi. yongkiyan wecen abkai ejen de alibure dari. sapato tome
　　　歌って 讃える　 燔　　 祭 天の 主 に 献げる 度に サバト ごとに
　　　　　　每献全祭　　　　　　 每撒罷多

57b4 biyai ice. amba dorolon inenggide ere songkoi yabumbi. baksan i niyalma i ton
　　　月の 初め 大きな 礼儀　 日に この 様に　 行う　 隊 の 人 の 数
　　　每初一　大瞻礼等日[6]　　　　　　　　 他們按本班人的数

57b5 meimeni dorolon i kooli be aname erin akū abkai ejen i yasai juleri
　　　各々の　 儀式 の 規則 を 順番通り 常に 天の 主 の 眼の 前で
　　　目　也按各祭的禮節更換　　　　 常在天主台前為恭敬和睦結

58a1 gingguleme bikini. hūwaliyasun doroi deyen. enduringge babe[7] unenggileme
　　　謹んで いるがよい 調和　 礼儀の 宮殿 聖なる 所を　 誠を尽くして
　　　約殿　　　　　　　　　　 聖地方定下的法度 他們都該守

---

[1] 主：徐家匯本はこの後に「堂」を有する。
[2] 揔：徐家匯本は「總」に作る。
[3] takūra：東洋本は takūran に作る。
[4] 秤：徐家匯本は「稱」に作る。
[5] leweida sa：東洋本は leweidasa に合綴する。
[6] 每初一大瞻礼等日：徐家匯本は「每初一及大瞻禮等日」に作る。
[7] babe：東洋本は ba be に分綴する。

58a1   kundulere

        敬う

58a2   jalin toktobuha fafun be tuwakiyakini. jai teisu teisu abkai ejen[1]

        ため 定めた 法令 を 守るがよい また それ ぞれ 天の 主

                          還各自各自自在天主堂内辦事

58a3   tanggin i dolo baita yaburede. aron i juse ceni ahūta i hese be

        堂 の 中で 事 行う時に アロン の 子達 彼らの 兄達 の 敕旨 に

                要[2]他們的長兄亜隆的諸子的命

58a4   dahakini sehe bihe.

        従うがよい と言って いた

58b1   sure gisun

    解く言葉

    註解

58b2   ⓐ lehedan de kemuni lobni sere gebu bihe. eiterecibe aika emu niyalma

        ラダン に さらに リブニ という 名前 あった 総じて もしも 一人の 人

        肋黒丹還名落伯尼   共捴若這裡有人名[3]

58b3   ubade uttu gebulehe. tubade tuttu gebulehengge be ucaraci. ume kenehunjere[4]

        ここで この様に 呼んだ そこで その様に 名付けたこと に 出逢えば 決して 疑うな

                  勿疑錯了

58b4   tašaraha ba fuhali akū. yargiyan i ere emu niyalma de juwe ilan gebu

        誤った 所 全く ない 実 は この 一人の 人 に 二つ 三つの 名前

        那[5]人本有二名

58b5   ombihe. ⓒ tara deote inu.

        あった 従 兄弟達 である

        是表弟兄[6]

---

[1] ejen：東洋本はこの後に i を有する。
[2] 要：徐家匯本はこの後に「遵」を有する。
[3] 共捴若這裡有人名：徐家匯本は「共總若這裡有人名與諸王經上人名不對」に作る。
[4] kenehunjere：東洋本は genehunjere に作る。
[5] 那：徐家匯本はこの前に「聖經不能有錯」を有する。
[6] 是表弟兄：徐家匯本は「詩斯的諸子是那衆女的表弟兄」に作る。

59a1 orin duici fiyelen

　　二十　四　　篇

　　第二十四篇

59a2 aron i jusei idu faidan ere inu. dade aron i juse nadab

　　アロン の 子達の 順番 の 組 これ である 最初 アロン の 子達 ナダブ

　　亜隆的諸子的班 是這樣分開安排的 亜隆的男子 本是那[1]

59a3 abiu. elehadzar. itamar duin ningge bihe. nadab abiu se ceni

　　アビウ エレアザル イタマル 四 人 であった ナダブ アビウ 達 彼らの

　　亜必由 耶肋亜匝肋 依達瑪耳　　　　那大伯 亜必由 二人死

59a4 ama i onggolo bucefi. juse akū ofi. elehadzar itamar juwe

　　　父　の 前に 死んで 子達 いない ので エレアザル イタマル 二

　　在他們父前　　　也無子　　耶肋亜匝肋及依達瑪耳二人

59a5 nofi wecen i da i tušan be alihabi daweit[2] cembe faksalame

　　　人 祭祀 の 頭目 の 職務 を 担当していた ダビデ 彼らを 分けて

　　承受了捴[3]祭首的責任　　　　達味将耶落亜匝肋[4]的孫

59b1 elehadzar i omolo sadok i geren boo itamar i omolo ahimelek i

　　エレアザル の 孫 ザドク の 多くの 家 イタマル の 孫 アヒメレク の

　　　　　　　　　撒多克[5]的家　　與依達瑪耳的孫亜西黙肋克[6]的

59b2 geren boo halanjame yabure be toktobuha damu elehadzar[7] mukūn de boo i

　　多くの 家　交替で　行うの を 定めた　ただ エレアザル 族　で 家の

　　家分開兩班為輪流進堂盡職　　　　　但耶肋亜匝肋族的家主們

59b3 ejete itamar mukūn i boo i ejete ci labdu ohode elehadzar i omosi be

　　主人達 イタマル 族 の 家の 主人達 より 多い ので エレアザル の 孫達を

　　　　比依達瑪耳族的家主們多　　　　　　從耶肋亜匝肋的

59b4 gaime juwan ninggun boo baibuha itamar i omosi be jakūn boo de

　　持って 十　六　 家 求めさせた イタマル の 孫達を 八 家 に

　　孫子排定了十六班　　　　　從依達瑪耳的孫只排了八班

59b5 dosimbure teile geli juwe mukūn i booi[8] hacingga tušan be sibiya tatafi

　　入らせた だけだ また 二　族 の 家の　様々な　職務 を 籤 引いて

　　從[9]又抽籤派定各班的本分

---

[1] 那：徐家匯本は「那大伯」に作る。

[2] daweit：東洋本は taweit に作る。

[3] 捴：徐家匯本は「總」に作る。

[4] 耶落亜匝肋：徐家匯本は「耶肋亞匝肋」に作る。

[5] 撒多克：徐家匯本は「撒克多」に作る。

[6] 亜西黙肋克：徐家匯本は「亞希黙肋克」に作る。

[7] elehadzar：東洋本は elekadzar に作る。

[8] booi：東洋本は boo i に分綴する。

[9] 從：徐家匯本は「後」に作る。

60a1　faksalame dendehe. elehadzar itamar sei omosi gemu ten i enduringge
　　　　分けて　分配した　エレアザル　イタマル 達の 孫達 みな 最高 の 聖なる

耶肋亜匝肋 依達瑪耳二人的諸孫 都可進至聖所

60a2　bade dosici ojoro. abkai ejen[1] i ujulaha ambasa sere turgun inu
　　　　所に 入ること できる 天の 主 の 頭目になった 大臣達 である ため である

算是陡斯的大臣[2]

60a3　ⓐ lewei i mukūn i nadanahel[3] i jui semeyas bithesi. wang ambasa i jakade
　　　　レビ の 族 のネタネル の 子 シマヤ 書記 王 大臣達 の 前で

肋未族的那大那耳的[4] 　　　塞黙亜斯把這定的班人名都記[5]册上分

60a4　dalaha wecen i da sadok. abiyadar[6] i jui ahimelek geren wecen i da
　　　　頭となった 祭祀 の 頭目 サドク アビヤタル の 子 アヒメレク 多くの 祭祀の 頭目
二家

60a5　leweidasa i boo i ejete i yasai juleri cahan de arahabi. arahangge uttu
　　　　レビの頭目達 の 家 の 主人達の 眼の 前で 文書 に 書いていた 書いたもの この様

60b1　emderei elehadzar i boo mukūn i geren booi fulehe da ojorongge. emderei
　　　　一方で エレアザル の 家 族 の 多くの 家の 根 の 頭目 になること 一方で

耶肋亜匝肋的一家是多支派的根　　　　　　　　　　　依達瑪

60b2　itamar boo mukūn i gūwa boo be salifi kadalarangge inu. ⓒ tucike
　　　　イタマル 家 族 の 別の 家 を 治めて 監督すること である 出た

耳的一家也是多支派的根　　　　　　　　　　抽出來

60b3　ujuci sibiya yoyarib i sibiya inu. jaici sibiya. yedei i sibiya. ilaci
　　　　第一の 籤 ヨアリブ の 籤 である 第二の 籤 エダヤ の 籤 第三の

的頭一籤是約亜里柏[7]的籤　　　第二是耶得意的籤　　　第三

60b4　sibiya. harim i sibiya. duici sibiya. sehorim i sibiya. sunjaci sibiya
　　　　籤 ハリム の 籤 第四の 籤 セオリム の 籤 第五の 籤

是哈里黙[8]的籤　　　第四是塞火里黙的籤　　　第五是黙

60b5　melkiya i sibiya. ningguci sibiya maiman i sibiya. nadaci sibiya akos i
　　　　マルキヤ の 籤 第六の 籤 ミヤミン の 籤 第七の 籤 ハッコヅ の

耳既亜的籤　　第六是邁慢的籤　　　　　　　第七是亜可斯的

1　abkai ejen：東洋本は deus に作る。
2　算是陡斯的大臣：徐家匯本はこの後に「當着王、衆大臣、二總祭首撒多克、亞必亞大耳的子亞希黙肋克、衆次祭首、肋未的子孫各家的首都在一處」を有する。
3　nadanahel：東洋本は natanahel に作る。
4　的：徐家匯本はこの後に「子」を有する。
5　記：徐家匯本は「紀」に作る。
6　abiyadar：東洋本は abiyatar に作る。
7　約亜里柏：徐家匯本は「約亞里伯」に作る。
8　哈里黙：徐家匯本は「哈里」に作る。

61a1 sibiya jakūci sibiya. abiya i sibiya. uyuci sibiya. yeswa i sibiya.
籤　第八の　籤　アビヤ の 籤　第九の 籤　　エシュア の 籤
籤　　第八是亜必亜的籤　　　　第九是耶蘇娃[1]的籤

61a2 juwanci sibiya sašaniya[2] i sibiya. juwan emuci sibiya eliyasib i sibiya.
第十の　籤　シカニヤ の 籤　　第十 一の　籤　エリアシブ の 籤
第十是塞蛇尼亜的籤　　　　第十一是厄里亜西柏[3]的籤

61a3 juwan juweci sibiya. yašim[4] sibiya. juwan ilaci sibiya. hofa i sibiya.
第十 二の　籤　ヤキム　籤　第十 三の　籤　ホッパ の 籤
第十二是亜詩黙的籤　　　　第十三是火伯法的籤

61a4 juwan duici sibiya. isbahab i sibiya tofohoci sibiya. balga[5] i sibiya.
第十 四の　籤　エシバブ の 籤　第十五の 籤　ビルガ の 籤
第十四是依斯巴哈[6]的的[7]籤　　第十五是伯耳加的籤

61a5 juwan ningguci sibiya. emmer i sibiya. juwan nadaci sibiya. hedzir i sibiya.
第十 六の　籤　インメル の 籤　第十 七の　籤　ヘジル の 籤
第十六是厄黙耳的籤　　　　第十七是黒漆肋的籤

61b1 juwan jakūci sibiya. afeses i sibiya. juwan uyuci sibiya feteya i sibiya.
第十 八の　籤　ハピセツ の 籤　第十 九の　籤　ペタヒヤ の 籤
第十八是亜費塞斯的籤　　　　第十九是費得亜的籤

61b2 orici sibiya hedzekiyel i sibiya. orin emuci sibiya. yakin i sibiya orin
第二十の 籤　エゼキエル の 籤　第二十 一の 籤　ヤキン の 籤　第二十
第二十是黒則既耳的籤　　　第二十一是亜近的籤　　　　第二

61b3 juweci sibiya. gamur i sibiya. orin ilaci sibiya dalayeo[8] i sibiya. orin
二の　籤　　ガムル の 籤　第二十 三の 籤　デラヤ の　籤　　第二十
十二是加黙耳[9]的籤　　　第二十三是達瑪亜烏[10]的籤　　　第二

61b4 duici sibiya mahadziyeo[11] i sibiya inu. ere uthai meimeni tušan be aname
四の　籤　　マアジヤ　　の 籤　である　これ 即ち　各々の　職務 に 従って
十四是瑪哈漆亜烏的籤　　　　這是他們的班　按各自的本分

---

[1] 耶蘇娃：徐家匯本は「耶穌娃」に作る。

[2] sašaniya：東洋本は sešeniya に作る。

[3] 厄里亜西柏：徐家匯本は「厄里亜西伯」に作る。

[4] yašim：東洋本はこの後に i を有する。

[5] balga：東洋本は belga に作る。

[6] 依斯巴哈：徐家匯本は「依斯巴哈伯」に作る。

[7] 的：徐家匯本はこの一字を欠く。

[8] dalayeo：東洋本は dalayau に作る。

[9] 加黙耳：徐家匯本は「加木耳」に作る。

[10] 達瑪亜烏：徐家匯本は「達拉亞烏」に作る。

[11] mahadziyeo：東洋本は mahadziyau に作る。

61b5　abkai ejen i tanggin de dosire idu. ce gemu ceni ama aron i
　　　　天の　主　の　　堂　　に　入る 順番 彼ら　みな 彼らの　父 アロン　の
　　　　進天主堂　　　　　　　　　　　在他們的祖父亜隆的手下

62a1　① galai fejile bifi. teisu i dorgi baita be icihiyaci acambihe. israyel[1] i
　　　　　手の　下に　いて 指定 の 中の 仕事 を 処理すべき であった イスラエル の
　　　　　辧承領的事　　　　　　　　　　　　　　　　　　　依斯拉耶耳

62a2　abkai ejen[2] yala uttu fafulaha bihe. lewei i gūwa juse oci amran i
　　　　天の　　主 本当に この様に 命じて いた レビ の 他の 子達 は アムラム の
　　　　的主陡斯　本這様分付過　　　論肋未別的後代 亜黙郎

62a3　omolo subahel. subahel i omolo yehedeya inu rohobiya i jusei dorgici
　　　　孫 シュバエル シュバエル の 孫 エデヤ である レハビヤ の 子達の 中から
　　　　生的子是蘇巴黒[3] 蘇巴黒[4]的子是耶黒得亜　從落火必亜的子内

62a4　dalahangge yesiyas ◎ isahari i jui salemot. salemot i jui yahat. erei
　　　　頭となった者 イシア　　イヅハリ の 子 シロミテ シロミテ の 子 ヤハテ この者の
　　　　為首的是耶斯亜斯[5]　撒肋莫得是依撒哈肋的子　亜哈得是撒肋莫得的子

62a5　aji jui yaliyeo[6]. jaici jui amariyas. ilaci jui yahadziyel. duici jui
　　　　第一の 子 エリヤ 第二の 子 アマリヤ 第三の 子 ヤハジエル 第四の 子
　　　　亜哈得的長子是耶里亜烏 次子是亜瑪里亜斯 三子是亜哈漆耳 四子是耶克瑪

62b1　yekmam odziyel[7] jui mika. mika i jui samir mika i deo yesiya. yesiya i
　　　　エカメアム ウジエル の 子 ミカ ミカ の 子 シャミル ミカ の 弟 イシア イシア の
　　　　　行阿漆耳的子是米加的子[8] 米加的子是撒米耳　米加的弟是耶西亜　耶西亜的

62b2　jui dzakariyas ombihe. merari i juse moholi. musi. osiyeo[9] i jui
　　　　子 ゼカリヤ であった メラリ の 子達 マヘリ ムシ ヤジア の 子
　　　　子是西加里亜斯[10]　　莫豁里及母西是莫拉里[11]的子 阿西亜烏[12]生了一子名

62b3　bengno. merari odziyeo[13] be banjiha amala. sohom. dzakūr hebiri sebe
　　　　　ベノ　　メラリ ヤジア　　を　生んだ　後 ショハム ザックル イブリ 達を
　　　　叫本諾 莫拉里的子 阿漆亜烏後[1]　　　又生了索哈黙 匝枯肋 黒必里

---

[1] israyel：東洋本は israel に作る。
[2] abkai ejen：東洋本は ejen deus に作る。
[3] 蘇巴黒：徐家匯本は「穌巴黒耳」に作る。
[4] 蘇巴黒：徐家匯本は「穌巴黒耳」に作る。
[5] 耶斯亜斯：徐家匯本は「耶西亞斯」に作る。
[6] yaliyeo：東洋本は yaliyau に作る。
[7] odziyel：東洋本はこの後に i を有する。
[8] 的子：徐家匯本はこの二字を欠く。
[9] osiyeo：東洋本は odziyau に作る。
[10] 西加里亜斯：徐家匯本は「匝加里亞斯」に作る。
[11] 莫拉里：徐家匯本は「默拉里」に作る。
[12] 阿西亜烏：徐家匯本は「阿漆亞烏」に作る。
[13] odziyeo：東洋本は odziyau に作る。

62b4 banjiha moholi i jui elehadzar de haha juse akū. šis i jui
　　　　生んだ　マヘリ　の　子　エレアザル　に　息子達　いない　キシ　の　子

　　　　　　莫豁里有一子名耶肋亜匝肋　此人未生子　耶肋莫黒耳[2]是

62b5 yermehel. mosi i jui[3] moholi eder. yerimot se ere gemu lewei i juse
　　　　エラメル　ムシ　の　子　　マヘリ　エデル　エリモテ　達　これ　みな　レビ　の　子達

　　　　詩斯的子　母西的子莫黒里　厄得肋　耶里莫得　這都是肋未的子[4]

63a1 meimeni hūncihin i boo i ilhi aname ejehengge. ere inu amba ocibe
　　　　各々の　　　同族　の　家　の　順番　通りに　記したもの　これ　も　年長者　であっても

　　　　按[5]着各支各家的次序記在冊上的[6]

63a2 ajigen ocibe. ceni ahūta. aron i jusei songkoi. wang taweit sadok
　　　　年少者　であっても　彼らの　兄達　アロン　の　子達の　様に　王　ダビデ　ザドク

　　　　　　　　同他們的兄　亜隆的子一様　　　　　在王達味撒多克

63a3 ahimelek. geren wecen i da. leweida sai boo i ejete i jakade sibiya be
　　　　アヒメレク　多くの　祭祀　の　頭目　レビの頭目　達　の　家　の　主人達　の　前で　籤　を

　　　　亜西莫肋克[7]　衆次祭首　　　並肋未諸家衆主跟前當他們的面抽

63a4 tataha. sibiya neigen i tušan be geren de toktohobi.
　　　　引いた　　籤　　平均　の　職務　を　みな　に　　定めた

　　　　籤[8]　　籤都給衆人均匀定了本分

63b1 sure gisun
　　　　解く　言葉

　　　　註解

63b2 ⓐ juwe nofi wecen i dalaha da. ten i enduringge bade dosimbihe ofi.
　　　　　　二　　人　祭祀　の　頭となった　頭目　最高　の　聖なる　所に　入っていた　ので

　　　　因為二捴[9]祭首　　　　　　　能進至聖所

63b3 tuttu abkai ejen i ujui jergi ambasa seme tukiyecembihe. ceni aji
　　　　その様に　天の　主　の　一　等　大臣達　と　　称揚していた　彼らの　第一の

　　　　故稱他們是天主的大臣　　　　　　　　　他們的長

63b4 jui jalan jalan i ere wesihun tušan be alimbihe. ⓒ halanjame elehadzar
　　　　子　代　々　に　この　貴い　職務　を　担当していた　　交替で　エレアザル

　　　　子代代續這貴職　　　　　　　　　　換着抽籤比方

---

1 莫拉里的子阿漆亜烏後：徐家匯本は「黙拉里生了阿漆亞烏後」に作る。
2 耶肋莫黒耳：徐家匯本は「耶肋黙黒耳」に作る。
3 jui：東洋本は juse に作る。
4 子：徐家匯本はこの後に「孫」を有する。
5 按：徐家匯本は「挨」に作る。
6 的：徐家匯本はこの後に「這些肋未的子孫」を有する。
7 亜西莫肋克：徐家匯本は「亞希黙肋克」に作る。
8 籤：徐家匯本はこの後に「如此無論老少」を有する。
9 捴：徐家匯本は「總」に作る。

63b5　mukūn i emu boo i sibiya be tatafi jai itamar mukūn i emu booi
　　　　　族　の 一つの 家 が 籤 を 引いて また イタマル 族 の 一つの 家が
　　　耶肋亜匝肋[1]的一家若抽了籤　　依達瑪耳族的一家繇抽他的籤

64a1　sibiya be tatambihe. elehadzar ahūn ohode. terei mukūn ci deribuhe baita
　　　　　籤　 を 引いていた エレアザル 兄 なので その 族　 から 始めた 事
　　　　　　　　因耶肋亜匝肋是兄　　先從他抽起

64a2　ere durun i icihiyafi ishunde silhidara ba akū. ①　wecen i da sa
　　　この 様 に 処理して 互いに　 嫉む　所 ない　　　祭祀 の 頭目 達
　　　這様辦無妬忌[2]　　　　　　　　　　　　次祭首該聽捴[3]祭首

64a3　gemu aron[4]　toose bisire ujulaha da i tacihiyara gisun be donjici terei
　　　みな アロン　 権力 ある 首領になった 頭目 が 教える 話 を 聞けば 彼の
　　　的命　　　照他行因他本有亜隆的權

64a4　hese be dahaci acambihe. ◎　ere leweida se moises i omosi bihe.
　　　敕旨 に 従う べきであった　 この レビの頭目 達 モーセ の 子孫達 だった
　　　　　　　　這肋未的子孫 都是毎瑟的後代

---

[1] 耶肋亜匝肋：徐家匯本は「耶匝亞匝肋」に作る。
[2] 妬忌：徐家匯本は「忌妬」に作る。
[3] 捴：徐家匯本は「總」に作る。
[4] aron：東洋本はこの後に i を有する。

64b1 orin sunjaci fiyelen

二十　　五　　篇

第二十五篇

64b2 ede taweit coohai hafasa i emgi asafe. heman. iditon[1] i juse be

そこで ダビデ 軍 の 長達 と 共に アサフ ヘマン エドトン の 子供達 を

達味還同兵的諸首 選了亜塞費[2] 黒慢　　依底同[3]三人的諸子

64b3 sonjofi. fifan. kin. še. tunggen[4] jergi kumun[5] agūra de acabume. meimeni

選び 琵琶 琴 瑟 鼓 等の 楽 器 に 合わせて それぞれの

派他們輪流[6] 按本隊本数目 在堂謌經 聲對合琵琶 琴瑟 鼓

64b4 baksan i niyalmai ton. idu be aname uculere tušan be cende afabuha.

隊 の 人の 数 当番の 通りに 歌う 職務 を 彼らに 命じた

等樂噐

64b5 asafe i juse. dzakūr yosefe nataniyal[7] asarela bihe. wang ai irgebun i

アサフ の 子供達 ザックル ヨセフ ネタニヤ アサレラ であった 王 何の 詩 の

從亜撒費的子 有匝庫耳 若瑟甫 那大尼亜 亜撒肋拉 都是亜撒費的子 他們的

65a1 ucun uculekini seci. ama asafe uculeme beye[8] juse be yarumbihe.

歌 歌ってもよい と思っても 父 アサフ 歌って 自身 子供達 を 導いていた

父随王的意　領他們唱

65a2 iditon[9] oci. ididon[10] i juse godoliyas. sori yeseyas semeyas hasabiyas

エドトン は エドトン の 子供達 ゲダリヤ ゼリ エサヤ シマヤ ハシャビヤ

依底同[11]的子是郭多里亜斯 索里 耶塞亜斯 塞黙亜斯 哈塞必亜斯[12]

65a3 matatiyas se ninggun ningge. ce jing ama iditon[13] fifan i jilgan i

マッタテヤ 達 六 人 彼ら 常々 父 エドトン 琵琶 の 音 に

瑪大弟亜斯六人　　　　他們的父依底同[14]　對合琵琶唱經

65a4 ici uculerede. imbe dahame. abkai ejen be maktame saišame uculembihe.

応じて 歌う時 彼に 従って 天の 主 を 褒め 讃えて 歌っていた

---

[1] iditon：東洋本は iditun に作る。
[2] 亜塞費：徐家匯本は「亞撒費」に作る。
[3] 依底同：徐家匯本は「依氏同」に作る。
[4] tunggen：東洋本は tungken に作る。
[5] kumun：東洋本はこの後に i を有する。
[6] 輪流：徐家匯本は「輪班」に作る。
[7] nataniyal：東洋本は nataniya に作る。
[8] beye：東洋本は beyei に作る。
[9] iditon：東洋本は iditun に作る。
[10] ididon：東洋本は iditun に作る。
[11] 依底同：徐家匯本は「依氏同」に作る。
[12] 哈塞必亜斯：徐家匯本は「哈撒必亞斯」に作る。
[13] iditon：東洋本は iditun に作る。
[14] 依底同：徐家匯本は「依氏同」に作る。

他們都随着讃美天主唱經

65a5 heman oci. heman i juse. bošiyeo[1]. mataniyeo[2] odziyel subuhel. yerimot
　　　ヘマン は　ヘマン の 子供達 ブッキヤ マッタニヤ ウジエル シブエル エレモテ
　　　黒慢的子　　　　　　是玻詩亜烏 瑪大尼亜烏 阿漆耳 蘇布耳[3] 耶里莫得

65b1 hananiyas. hanani. eliyata. žetelti. romemtiyeser[4]. yesbakassa. melloti. otir.
　　　ハナニヤ ハナニ エリアタ ギダルテ ロマムテエゼル ヨシベカシャ マロテ ホテル
　　　哈那尼亜斯 哈那尼 厄尼亜他[5] 熱特耳弟 落孟鉄則耳 耶蘇巴加撒[6] 莫耳亜弟[7]
　　　阿弟肋

65b2 mahadziyot se bihe. ere gemu heman i juse daweit[8] abka i ejen[9] be
　　　マハジオテ 達 であった これ みな ヘマン の 子供達 ダビデ 天 の 主 を
　　　瑪哈漆約得　　　這都是黒慢的子　黒慢本是王的樂師 達味要

65b3 saišara. ini yongkiyan muten iletulebure jalin. cohome heman be baitalambihe.
　　　讃え 彼の 完全な　才能 明らかにする ために 特に ヘマン を 任用していた
　　　讃美主陡斯 彰他的全能　　　　　　陡斯賞黒慢

65b4 abkai ejen[10] geli juwan duin haha juse. ilan sargan juse be
　　　天の 主　また 十 四人の 息子 達 三人の 娘 達 を
　　　　十四子三女

65b5 heman de šangnahabi. asefe iditun. heman i geren juse meimeni ama be
　　　ヘマン に 賜っていた アサフ エドトン ヘマン の 多くの 子供達 それぞれの 父 に
　　　　亜撒費 依底同[11] 黒慢三人的諸子 跟随各人的

66a1 dahalame abkai ejen i deyen i dorgi baksan baksan i faksalabuha. tungken
　　　従って　天の 主 の 宮殿 の 中で 一隊 ずつ に 分けられた 鼓
　　　父　在天主殿内一隊一隊排開　　　　　　　對合鼓

66a2 kin. še. fifan i jilgan de acabume uculembihe. geli wang ni[12]
　　　琴 瑟 琵琶 の 音 に 合わせて 歌っていた また 王 の
　　　琵琶 琴瑟的音唱　　　　又照王的吉

66a3 hese i songkoi abkai ejen i tanggin de gūwa baita be icihiyambihe.
　　　敕旨 に 従い 天の 主 の 堂 で 別の 事 を 処理していた

---

[1] bošiyeo：東洋本は bošiyau に作る。
[2] mataniyeo：東洋本は mataniyau に作る。
[3] 蘇布耳：徐家匯本は「鮇布耳」に作る。
[4] romemtiyeser：東洋本は romemtiyedzer に作る。
[5] 厄尼亜他：徐家匯本は「厄里亞他」に作る。
[6] 耶蘇巴加撒：徐家匯本は「耶鮇巴加撒」に作る。
[7] 莫耳亜弟：徐家匯本は「莫耳落弟」に作る。
[8] daweit：東洋本は taweit に作る。
[9] abka i ejen：東洋本は deus に作る。
[10] abkai ejen：東洋本は deus に作る。
[11] 依底同：徐家匯本は「依氏同」に作る。
[12] ni：東洋本は i に作る。

亜撒費 依底同[1] 黒慢在堂内辦別的事

66a4 ce ceni deote i emgi uheri juwe tanggū jakūnju jakūn niyalma ombihe.

彼ら 彼らの 弟達 と 合わせて 二 百 八十 八 人 であった

他們同他們的兄有有二百八十八人[2]

66a5 gemu kumun be ureme bahanaha ofi. gūwa leweida sabe abkai ejen i

みな 音楽 に 精通 できた ので 別の レビの頭目 達に 天の 主 の

自己都演會 又教肋未別的子孫謂天主的經

66b1 ucun uculeme tacibumbihe. ce kemuni amba ajige. eshun ureshun sere

歌を 歌い 習わせていた 彼ら なお 大きい 小さい 不慣れ 熟練 という

這些都均匀 或大或小[3] 或生熟

66b2 ilgabun be tara[4] ba akū meimeni idu be neigen i toktorode sibiya tataha.

区別 に 関わる 所 なく それぞれの 当番 を 公平 に 定めるため 籤 引いた

抽籤排出班來

66b3 ujude tucike sibiya. uthai asafe booingge yosefe i sibiya inu. jaici

第一に 出た 籤 即ち アサフ 家の人 ヨセフ の 籤 である 第二の

第一是亜撒費家裡的若瑟甫的籤 第二是

66b4 sibiya godoliyas ini beyei ini juse ini deote juwan juwe niyalma i

籤 ゲダリヤ 彼 自身の 彼の 子供達 彼の 弟達 十二 人 の

郭多里亜斯 他自己 他的子 他的弟兄 共十二人的籤 這都是依底同[5]

66b5 sibiya ilaci sibiya dzakūr. ini juse ini deote juwan juwe niyalma i

籤 第三の 籤 ザックル 彼の 子供達 彼の 弟達 十二 人 の

家的人 第三是匝庫耳 他子 他弟兄[6] 共十二人的籤

67a1 sibiya duici sibiya. isari. ini juse ini deote juwan juwe niyalma i

籤 第四の 籤 イヅリ 彼の 子供達 彼の 弟達 十二 人 の

第四是依撒里的[7] 他子 他弟兄[8] 共十二人的籤

67a2 sibiya. sunjaci sibiya. nataniya. ini juse ini deote juwan juwe

籤 第五の 籤 ネタニヤ 彼の 子供達 彼の 弟達 十二

第五是那他尼亜 他子 他弟兄[9] 共[10]十二人的籤

---

1 依底同：徐家匯本は「依氏同」に作る。
2 他們同他們的兄有有二百八十八人：徐家匯本は「他們同他們的弟兄有二百八十八人」に作る。
3 或大或小：徐家匯本は「或大小」に作る。
4 tara：東洋本は dara に作る。
5 依底同：徐家匯本は「依氏同」に作る。
6 他子、他弟兄：徐家匯本は「他、他子、他弟兄」に作る。
7 的：徐家匯本はこの一字を欠く。
8 他子、他弟兄：徐家匯本は「他、他子、他弟兄」に作る。
9 他子、他弟兄：徐家匯本は「他、他子、他弟兄」に作る。
10 共：徐家匯本はこの一字を欠く。

67a3　niyalma i sibiya. ningguci sibiya. bošiyeo[1] ini juse deote juwan juwe
　　　　人　の　籤　第六の　籤　ブッキヤ　彼の　子供達　弟達　十　二
　　　　　　　　　　第六是黒慢家的玻詩亜烏　他子　他弟兄[2]　共十二人的

67a4　niyalma i sibiya. nadaci sibiya. isrehela ⓐ ini juse deote juwan juwe
　　　　人　の　籤　第七の　籤　アサレラ　彼の　子供達　弟達　十　二
　　　籤　　　第七是依斯肋拉　　他子　他弟兄[3]　共十二人

67a5　niyalma i sibiya. jakūci sibiya. yeseyas. ini juse deote juwan juwe
　　　　人　の　籤　第八の　籤　エサヤ　彼の　子供達　弟達　十　二
　　　的籤　　　第八是耶撒亜　他子　　　他弟兄[4]　共十

67b1　niyalma i sibiya. uyuci sibiya. mataniyas ini juse deote juwan juwe
　　　　人　の　籤　第九の　籤　マッタニヤ　彼の　子供達　弟達　十　二
　　　二人的籤　　第九是瑪他尼亜斯　他子　他弟兄[5]　　共十二人的

67b2　niyalma i sibiya. juwanci sibiya. semeyas ini juse deote juwan juwe
　　　　人　の　籤　第十の　籤　シメイ　彼の　子供達　弟達　十　　二
　　　籤　　　第十是塞黙亜　他子　　　　他弟兄[6]　共十二人的

67b3　niyalma i sibiya. juwan emuci sibiya. adzarahel[7] ⓒ ini juse deote
　　　　人　の　籤　第十　一の　籤　アザリエル　彼の　子供達　弟達
　　　籤　　　第十一是亜匝肋黒耳　　　　他子　他弟兄[8]

67b4　juwan juwe niyalma i sibiya. juwan juweci sibiya. hasabiyas. ini juse
　　　　十　二　人　の　籤　第十　二の　籤　ハシャビヤ　彼の　子供達
　　　共十二人的籤　　　　第十二是哈墨必亜斯[9]　他子　他弟兄[10]

67b5　deote juwan juwe niyalma i sibiya. juwan ilaci sibiya. subahel. ini
　　　弟達　十　二　人　の　籤　第十　三の　籤　シュバエル　彼の

68a1　juse deote juwan juwe niyalma i sibiya. juwan duici sibiya. matatiyas.
　　　子供達　弟達　十　二　人　の　籤　第十　四の　籤　マッタテヤ
　　　　共十二人的籤　　　　第十四是瑪他弟亜斯　他子[11]

68a2　ini juse deote juwan juwe niyalma i sibiya. tofohoci sibiya. yerimot.
　　　彼の　子供達　弟達　十　二　人　の　籤　第十五の　籤　エレモテ

1　bošiyeo：東洋本は bošiyau に作る。
2　他子、他弟兄：徐家匯本は「他、他子、他弟兄」に作る。
3　他子、他弟兄：徐家匯本は「他、他子、他弟兄」に作る。
4　他子、他弟兄：徐家匯本は「他、他子、他弟兄」に作る。
5　他子、他弟兄：徐家匯本は「他、他子、他弟兄」に作る。
6　他子、他弟兄：徐家匯本は「他、他子、他弟兄」に作る。
7　adzarahel：東洋本は adzarehel に作る。
8　他子、他弟兄：徐家匯本は「他、他子、他弟兄」に作る。
9　哈墨必亜斯：徐家匯本は「哈撒必亞斯」に作る。
10　他子、他弟兄：徐家匯本は「他、他子、他弟兄」に作る。またこの後に「共十二人的籤，第十三是鰍巴耳，他、他子、他弟兄」を有する。
11　他子：徐家匯本は「他、他子」に作る。

他弟兄　　　共十二人的籤　　　　　　第十五是耶里莫得

68a3　ini juse deote juwan juwe niyalma i sibiya. juwan ningguci sibiya

彼の　子供達　弟達　十　二　　人　の　籤　第十　六の　　籤

他子　他弟兄[1]　共十二人的籤　　　　　第十六是哈那尼亜

68a4　gananiyas[2]. ini juse deote juwan juwe niyalma i sibiya. juwan nadaci

ハナニヤ　　彼の　子供達　弟達　十　二　　人　の　籤　第十　七の

斯　　　他子　他弟兄[3]　共十二人的籤　　　　第十七是

68a5　sibiya. yesbakassa. ini juse deote juwan juwe niyalma i sibiya. juwan

籤　ヨシベカシャ　彼の　子供達　弟達　十　二　　人　の　籤　第十

耶蘇巴加撒[4]　他子　他弟兄[5]　共十二人的籤

68b1　jakūci sibiya. hanani ini juse. deote juwan juwe niyalma i sibiya.

八の　籤　ハナニ　彼の　子供達　弟達　十　二　　人　の　籤

第八籤[6]是哈那尼　他子　他弟兄[7]　共十二人的籤

68b2　juwan uyuci sibiya. melloti. ini juse deote juwan juwe niyalma i

第十　九の　籤　マロテ　彼の　子供達　弟達　十　二　　人　の

第十九是莫耳落弟　他子　他弟兄[8]　　共十二人的籤

68b3　sibiya. orici sibiya. eliyata. ini juse deote juwan juwe niyalma i

籤　第二十の　籤　エリアタ　彼の　子供達　弟達　十　二　　人　の

第二十是厄里亜他　他子　他弟兄[9]　共十二人的籤

68b4　sibiya. orin emuci sibiya. otir. ini juse deote juwan juwe niyalmai

籤　第二十　一の　籤　ホテル　彼の　子供達　弟達　十　二　　人の

第二十一是[10]阿弟肋　他子　他弟兄[11]　共十二人的籤

68b5　sibiya. orin juweci sibiya. žetelti ini juse deote juwan juwe niyalma i

籤　第二十　二の　籤　ギダルテ　彼の　子供達　弟達　十　二　　人　の

第二十二是熱得耳弟　他子　他弟兄[12]　共十二人的籤

69a1　sibiya. orin ilaci sibiya. mahadziyot. ini juse. deote juwan juwe

籤　第二十　三の　籤　マハジオテ　彼の　子供達　弟達　十　二

第二十三籤[1]　　是瑪哈漆約得　他子　他弟兄[2]　共十二人的

---

[1] 他子、他弟兄：徐家匯本は「他、他子、他弟兄」に作る。
[2] gananiyas：東洋本は hananiyas に作る。
[3] 他子、他弟兄：徐家匯本は「他、他子、他弟兄」に作る。
[4] 耶蘇巴加撒：徐家匯本は「耶穌巴加撒」に作る。
[5] 他子、他弟兄：徐家匯本は「他、他子、他弟兄」に作る。
[6] 第八籤：徐家匯本は「第十八」に作る。
[7] 他子、他弟兄：徐家匯本は「他、他子、他弟兄」に作る。
[8] 他子、他弟兄：徐家匯本は「他、他子、他弟兄」に作る。
[9] 他子、他弟兄：徐家匯本は「他、他子、他弟兄」に作る。
[10] 是：徐家匯本はこの後に「是」を有する。
[11] 他子、他弟兄：徐家匯本は「他、他子、他弟兄」に作る。
[12] 他子、他弟兄：徐家匯本は「他、他子、他弟兄」に作る。

69a2　niyalma i sibiya. orin duici sibiya. romemtiyedzer ini juse. deote
　　　　人　　の　籤　　第二十 四の　籤　ロマムテエゼル　彼の　子供達　弟達

　　籤　　　　　　　　第二十四　　　　　是落孟弟耶則耳　他子　他弟兄[3]

69a3　juwan juwe niyalma i sibiya inu.
　　　　十　　 二　　 人　　 の　　籤　　である

　　共十二人的籤

69a4　sure gisun
　　　　解く　言葉

　　註解

69a5　ⓐ isrehel uthai asarehel[4] inu. ⓔ osiyel[5] de kemuni adzarehel sere
　　　　　アサレラ　即ち　アサレヘル　である　ウジエル　に　さらに　アザリエル　という

　　依斯肋黒[6]就是先説的亜撒肋黒耳[7] 亜匝肋黒耳還名阿漆耳

69b1　gebu bihe.
　　　　名前　あった

―――――――――――――――――――――――――――――――――――――――
[1] 籤：徐家匯本はこの一字を欠く。
[2] 他子、他弟兄：徐家匯本は「他、他子、他弟兄」に作る。
[3] 他子、他弟兄：徐家匯本は「他、他子、他弟兄」に作る。
[4] asarehel：東洋本は asarela に作る。
[5] osiyel：東洋本は odziyel に作る。
[6] 依斯肋黒：徐家匯本は「依斯肋拉」に作る。
[7] 亜撒肋黒耳：徐家匯本は「亞撒肋拉」に作る。

69b2 orin ningguci fiyelen
二十　六　　篇
第二十六篇

69b3 duka be tuwakiyara leweida sa faksalahangge uttu. kore i mukūn ci
　　門　を　　守る　レビの頭目 達 分かれたこと この様だ コラ の 族 から
看守堂門是這樣分開的　　　　　　　　　　従郭肋族選了

69b4 maselemiya[1] be sonjoho i kore i omolo. asafe ⓐ i jui ombihe.
　　メシレミヤ　を 選んだ 彼 コラ の 孫　アサフ　の 子 であった
黙塞肋米亜　　　　　他本是郭肋的孫 亜撒費的子

69b5 maselemiya[2] i juse aji jui dzakariyas jaici jui yatihel ilaci jui
　　メシレミヤ　の 子供達 第一の 子 ゼカリヤ 第二の 子 エデアエル 第三の 子
黙塞肋米亜的諸子 長子是匝加里亜斯[3] 次子是亜底黒耳[4] 三子是

70a1 sabtiyas[5]. duici jui yatanahel. sunjaci jui elam ningguci jui yohanan
　　ゼバデヤ　第四の 子 ヤテニエル 第五の 子 エラム 第六の 子 ヨハナン
匝巴弟亜斯 四子是亜他那黒耳 五子是厄拉莫[6] 六子約哈南[7]

70a2 nadaci jui eliohenai. obededom i juse oci. ⓒ aji jui semeyas jaici
　　第七の 子 エリヨエナイ オベデエドム の 子供達 は 第一の 子 シマヤ 第二の
七子厄畧黒奈　　　阿柏得多黙[8]的子　　　長子塞黙亜斯 次子

70a3 jui yodzabat. ilaci jui yohaha duici jui sakar sunjaci jui nadanahel.
　　子 ヨザバデ 第三の 子 ヨアア 第四の 子 サカル 第五の子 ネタネル
約匝巴得　三子約哈哈　四子撒加肋　五子那他那耳

70a4 ningguci jui ammiyel nadaci jui issakar. jakūci jui follati. abkai ejen
　　第六の 子 アンミエル 第七の 子 イッサカル 第八の 子 ピウレタイ 天の 主
六子安米耳　　　七子依撒加耳　　八子弗耳拉弟　本天主降

70a5 inde hūturi isibuha ofi kai ⓘ terei jui semei ⓞ inu juse banjiha
　　彼に 福 を 及ぼした から だ　彼の 子 シマヤ　も 子供達 生まれた
福他　　　　　　　　他子塞毎　　　也生了子

70b1 ce gemu meimeni booi gebungge da umesi etuhun niyalma oho. ede
　　彼ら みな それぞれ 家の 名前がある 頭目 非常に 丈夫な 人 であった そのため
他們都是本家有名的頭目　　　至強壮的人　　　　　　塞毎

---

1 maselemiya：東洋本は meselemiya に作る。
2 maselemiya：東洋本は meselemiya に作る。
3 匝加里亜斯：徐家匯本は「匝里亞斯」に作る。
4 亜底黒耳：徐家匯本は「亞氏黑耳」に作る。
5 sabtiyas：東洋本は dzabadiyas に作る。
6 厄拉莫：徐家匯本は「厄拉黙」に作る。
7 約哈南：徐家匯本は「給哈南」に作る。
8 阿柏得多黙：徐家匯本は「阿栢得多黙」に作る。

70b2　semei i juse otni. rafahel. obet eldzabat se jai ini deote
　　　　シマヤ の 子供達 オテニ レパエル オベデ エルザバデ 達 また 彼の 弟達
　　　　的諸子 是阿弟尼[1] 拉法耳 阿柏得[2] 厄耳匝巴得 他的弟兄

70b3　baturu hahasi kemuni eljiu[3] samakiyas se de hūsun mangga bihe. ere
　　　　勇ましい 男達 さらに エリウ セマキヤ 達 に 力 強く あった これ
　　　　也是大力人 還有厄留 撒瑪既亜斯 這都

70b4　gemu obededom booingge ce ceni juse deote tušan be akūmburede absi
　　　　みな オベデエドム 家の者 彼ら 彼らの 子供達 弟達 職責 を 尽くす時 本当に
　　　　是阿柏得多黙[4]家出的 他父子們[5] 弟兄們盡職時 都有

70b5　kiyangkiyan horonggo obededom i boo ci ninju juwe niyalma inu. maselemiya[6] i
　　　　　強健で 威力があった オベデエドム の 家 から 六十 二 人 である メシレミヤ の
　　　　力量威武 從阿柏得多莫[7]家 共有六十二人 黙塞肋米

71a1　juse. ceni deote oci. beye umesi akdun beki. juwan jakūn ningge.
　　　　子供達 彼らの 弟達 は 自身 非常に 強く 丈夫で 十 八 人
　　　　亜的子 弟兄有十八人 也是強壯的

71a2　merari i mukūn ci tucike hosa i juse dalahangge semri inu. hosa de
　　　　メラリ の 族 から 出た ホサ の 子供達 頭目となった者 シムリ である ホサ に
　　　　從黙拉里族出的 豁撒的子 頭目是塞黙里 因豁撒無

71a3　aji jui akū ofi. tuttu ama semri be geren jusei da obuha
　　　　第一の 子 ない ので それで 父 シムリ を 多くの 子供達の 頭目 として
　　　　長子 故父教塞莫里[8]做衆子的頭目

71a4　bihe ⓦ jaici jui helšiyas. ilaci jui tabeliyas. duici jui sakariyas[9]
　　　　いた 第二の 子 ヒルキヤ 第三の 子 テバリヤ 第四の 子 ゼカリヤ
　　　　次子黒耳詩亜斯 三子他柏里亜斯[10] 四子匝加里亜斯

71a5　ere hosa i juse. terei deote de acabufi. uheri juwan ilan niyalma
　　　　この ホサ の 子供達 彼の 弟達 を 合わせて 合計 十 三 人
　　　　豁撒的諸子 弟兄 共十三人

71b1　ombihe duka tuwakiyara tušan be cende afabuha. ere gemu duka i
　　　　であった 門 守る 責任 を 彼らに 命じた これ みな 門 の

---

[1] 阿弟尼：徐家匯本は「厄弟尼」に作る。
[2] 阿柏得：徐家匯本は「阿栢得」に作る。
[3] eljiu：東洋本は eliu に作る。
[4] 阿柏得多黙：徐家匯本は「阿栢得多黙」に作る。
[5] 父子們：徐家匯本は「父子」に作る。
[6] maselemiya：東洋本は meselemiya に作る。
[7] 阿柏得多莫：徐家匯本は「阿栢得多黙」に作る。
[8] 塞莫里：徐家匯本は「塞黙里」に作る。
[9] sakariyas：東洋本は dzakariyas に作る。
[10] 他柏里亜斯：徐家匯本は「他栢里亞斯」に作る。

交給這些人看守門的責任　　　　這都是看門的首

71b2 tuwakiyara[1] aliha dasa[2] ceni ahūta i adali ⓝ abkai ejen i tanggin i dolo
　　　守備　引き受けた　頭目達 彼らの 兄達 の 様に　天 の 主 の 堂　の 中で

如他們的長兄一樣　該時刻在堂内盡本分

71b3 erin akū alban de yabuci acambihe. teisu teisu ai duka de sindaci
　　　常　 に 公務 に 赴く べきだった それ ぞれ 何 の 門 に 任じること

按各家　或大小均匀

71b4 ojoro babe faksalakini sere jalin. meimeni boo i ilhi aname niyalma amba
　　　できる かを 分散すればよい と思う ため それぞれの 家 の 順番 通りに 人 大きく

抽衆人的籤　　　　為分開派定

71b5 ocibe ajige ocibe. geren i sibiya neigenjeme tatahabi. dergi ergi i
　　　ても 小さく ても　皆 の 籤　均等にして 引いたのだ 東 方 の

某人在某門上　　　　塞肋米亜斯

72a1 duka i sibiya selemiyas ⓝ de tuheke amargi ergi i duka i sibiya
　　　門 の 籤 シレミヤ　に 落ちた 北 方 の 門 の 籤

得了東門[3]的籤　　　　他子 大有才徳的匝加里亜斯

72a2 terei jui dzakariyas de tuheke i umesi mergen saisa bihe. obededom
　　　彼の 子 ゼカリヤ に 落ちた 彼 非常に 賢い　賢者 であった オベデエドム

得了北門的籤　　　　阿柏得多黙[4]

72a3 ini juse oci. julergi ergi i duka be baha ubade sengge sakdasa i
　　　彼の 子供達 は 南 方 の 門 を 得た ここに 年長者 長老達 の

連他諸子　得了南門的籤　　　這裡原立的有衆長

72a4 isan i deyen i[5] iliha bihe. sefim hosa juwe nofi wargi ergi i duka be
　　　集会場 の 宮殿 が 立って いた シュパム ホサ 二 人 西 方 の 門 を

老商量的廳　　　塞豁黙[6] 豁撒　　　排在西邊 傍

72a5 baha ere duka wang ni[7] gurung ci tanggin de wesire jugūn i duka de
　　　得た この 門 王 の 宮殿 から 堂 に 上る 道 の 門 に

有從王宮進堂路的門

72b1 adambihe duka tuwakiyara ere emu baksan duka tuwakiyara gūwa emu baksan de
　　　隣合っていた 門　守る この 一 隊 門　守る 別の 一 隊 に

這一班看門的　　　　對那一班看門的

---

[1] tuwakiyara：東洋本は tuwakiyan に作る。
[2] dasa：東洋本は da sa に分綴する。
[3] 門：徐家匯本はこの後に「上」を有する。
[4] 阿柏得多黙：徐家匯本は「阿栢得多黙」に作る。
[5] i：東洋本はこの一語を欠く。
[6] 塞豁黙：徐家匯本は「塞費黙」に作る。
[7] ni：東洋本は i に作る。

72b2 bakcilambihe. dergi ergi i duka de ninggun leweida sa[1] amargi ergi i duka de
向い合っていた　東　方　の　門　に　六人　レビの頭目達　北　方　の　門　に
肋未族的六個子孫看守東門　　　　　又有四個看守北

72b3 duin ningge. gemu inenggidari halanjame yabumbihe julergi ergi i duka de kemuni
四　人　みな　毎日　　交代して　行っていた　南　方　の　門　に　さらに
門的[2]　　一日一換　　　　　　　　南門[3]還有四個看守長老

72b4 inenggi tome duin ningge sakdasai isan i bade damu emu juru emu juru
日　ごとに　四　人　長老達の　集会場　の　所で　ただ　一　対　一　対
商量廳的　　　　　　　　　　　　也是一雙一雙[4]輪班

72b5 ishunde halanjambihe wargi ergide tanggin de wesire jugūn i unduri. duka
互いに　交換していた　西　方で　堂　に　上る　道　に　沿って　門
西邊從王宮進堂路傍　　　　　　　　　有看

73a1 tuwakiyara leweidasai ajige boo i dolo duin ningge. ere emu boode[5] juwe
守る　レビの頭目達の　小さい　家　の　中に　四　人　この　一つの　家に　二人
門人住的小房　排四個肋未子孫在這裡　　　毎房有二人

73a2 tere emu boode juwe inu. duka tuwakiyara leweidasai tušan uttu
その　一つの　家に　二人　である　門　を　守る　レビの頭目達の　責任を　この様に
這様分排了郭肋黙拉里諸孫　看門的本

73a3 toktobuha. ce kore. merari sei omosi bihe. akiyas oci abkai ejen[6] i
定めた　彼ら　コラ　メラリ　達の　子孫達　であった　アヒヤ　は　天の　主　の
分　　　　　　　　論亜既亜斯　看守主陛

73a4 tanggin i hacingga namun. enduringge deyen de baitalara tetun be tuwakiyambihe.
堂　の　様々な　倉　聖なる　宮殿　で　用いる　器　を　守っていた
斯堂的各庫　　　　並堂内用的器皿

73a5 ledan i juse žersongni ⑩ i omosi ere bikai. ledan ci tucike boo i
ラダン　の　子供達　ゲルションビ　の　子孫達　これ　なのだ　ラダン　から　出た　家　の
肋丹的子　熱耳宋尼的諸孫是這　　　　從肋丹出的家主們是肋丹

73b1 ejete. ledan žersongni. yahiyeli inu. yahiyeli i juse dzatam. ini deo
主人達　ラダン　ゲルションビ　エヒエリ　である　エヒエリ　の　子供達　ゼタム　彼の　弟
熱耳宋尼[7]　耶希耶里的子　　　　是匝當　及約黑耳

---

[1] leweida sa：東洋本は leweidasa に合綴する。
[2] 的：徐家匯本はこの一字を欠く。
[3] 南門：徐家匯本はこの後に「天天」を有する。
[4] 雙：徐家匯本はこの後に「的」を有する。
[5] boode：東洋本は boo de に分綴する。
[6] ejen：東洋本はこの後に deus を有する。
[7] 熱耳宋尼：徐家匯本はこの後に「耶希耶里」を有する。

73b2 yohel. ce amram isahar. heberon odzihel sere booi leweidasa i emgi abkai
ヨエル 彼ら アムラム イヅハリ ヘブロン ウジエル という 家の レビの頭目達 と 共に 天の
他們同亜黙郎 依撒哈耳 黒柏隆[1] 阿漆黒耳[2] 四人的後代看守天主堂的銀

73b3 ejen[3] tanggin i namun be inu tuwakiyambihe. moises i jui žersom i omolo
主 堂 の 倉 をも 守っていた モーセ の子 ゲルショム の孫
庫 毎瑟的子 熱耳宋的孫

73b4 sobahel namun tuwakiyara leweidasa be kadalambihe. ini deo eliyedzer rahabiya be
シブエル 倉 守る レビの頭目達 を 監督していた 彼の 弟 エリエゼル レハビヤ を
蘇巴黒耳[4]是管銀庫的首 他的弟厄里耶則耳生了

73b5 banjiha rahabiya isaiyas be banjiha isaiyas yoram be banjiha. yoram
生んだ レハビヤ エサヤ を 生んだ エサヤ ヨラム を 生んだ ヨラム
拉哈必亜 拉哈必亜[5]生了依賽亜斯 依賽亜斯生了約拉黙 約拉莫[6]

74a1 dzekiri be banjiha. dzekiri selemit be banjiha wang taweit ai boobai
ジクリ を 生んだ ジクリ シロミテ を 生んだ 王 ダビデ 全ての 宝物の
生了則既里 則既里又生了塞肋米得 王達未[7]各支派[8]的首

74a2 hacin be enduringge obuha. geren boo i ejete. ememu minggan ememu tanggū
種類 を 聖なるもの とした 多くの 家 の 主人達 幾 千 幾 百
千兵百兵的頭目

74a3 coohai da. amba jiyanggiyūn sa ai jaka be abkai ejen de
軍の頭目 大 将軍 達 全ての 物 を 天の 主 に
衆大將軍打仗得的金銀成聖物放庫内 好用盖天主堂

74a4 alibuhangge bici. ere selemit beyei deote i emgi alifi tuwakiyambihe. yala
捧げた者 いれば これ シロミテ 自分の 弟達 と 共に もらい受けて 守っていた 本当に
也作器皿 塞肋米得同衆弟兄 看守這聖物

74a5 taweit bata be dailame afahai ton akū tabcin i jaka be abkai
ダビデ 敵 を 撃って 攻めたまま 数え 切れない 略奪 の 物 を 天の

74b1 ejen i tanggin ilibure. hacin hacin i tetun weilere turgun iktambuha
主 の 堂 建てる 様 々な器 造る ために 貯めさせて

74b2 bihe. ereci tulgiyen baita be doigomšome sara samuwel. šis i jui
いた これ 以外 事 を あらかじめ 知っている サムエル キシ の子

---

1 黒柏隆：徐家匯本は「黒栢隆」に作る。
2 阿漆黒耳：徐家匯本は「阿漆哈耳」に作る。
3 ejen：東洋本はこの後にiを有する。
4 蘇巴黒耳：徐家匯本は「穌巴黒耳」に作る。
5 拉哈必亜：徐家匯本はこの四字を欠く。
6 約拉莫：徐家匯本は「約拉黙」に作る。
7 達未：徐家匯本は「達味」に作る。
8 各支派：徐家匯本は「各派」に作る。

多[1]有先知者撒木耳　　　　　　詩斯的子

74b3　saūl. ner i jui abner sarweya i jui yoab se tutala jaka be
サウル ネル の 子 アブネル ゼルヤ の 子 ヨアブ 達 これだけの 物 を

撒烏耳 奈耳的子 亜伯奈耳 撒耳未亜的子 約亜伯 這些人先前献過

74b4　neneme enduringge tanggin i baitalara de bibuhe eiterecibe ai niyalma
まず　聖なる　堂　で 使うのに 留めた　凡そ 全ての 人

給天主的　　　　　　　　　　　　凡有要献甚麼物

74b5　jaka be tanggin de alibuci terebe selemit ini deote de afabumbihe.
物 を　堂　に 捧げれば それを シロミテ 彼の 弟達 に 託していた

交與塞肋米得　並他弟兄

75a1　koneniyas ini beye. ini juse isahar i booi leweidasa be kadalambihe
ケナニヤ 彼 自身 彼の 子供達 イヅハル の 家の レビの 頭目達 を 管理していた

郭奈尼亜斯　　　　並他諸子 管的依撒哈耳的後代

75a2　ere leweidasa israyel[2] gurun i babade tefi. irgese be tacihiyambihe. beidembihe
この レビの 頭目達 イスラエル 国 の 各所に いて 民衆達 を 教え導いていた 裁いていた

辦堂外的事　就是教訓依斯拉耶耳的後代[3]　　　　　　審断他們

75a3　heberon i boo ci tucike hasabiyas jai ini deote. gemu umesi hūsungge
ヘブロン の 家 から 出た ハシャビヤ また 彼の 弟達 みな 非常に 有力な人

從黒柏隆[4]家出的哈撒必亜斯　同他衆弟兄　都是大有力的

75a4　emu minggan nadan tanggū niyalma. yordane bira i cargi wargi ergide bisire
一 千 七 百 人 ヨルダン 川 の 方で 西 方に いる

一千七百人　　　　　　　在若耳當河那邊

75a5　israyel[5] i omosi de tacibume. ememu abkai ejen be kundulere ememu
イスラエル の 子孫達 を 教えて 或いは 天の 主 を 敬うこと 或いは

引導朝西住的依斯拉耶耳民 教訓他們 或恭敬天主　　　或盡

75b1　wang be tondo i[6] uilere de yarhūdambihe. heberon i mukūn tutala
王　に 忠義 で 仕えるのに 導いていた ヘブロン の 族 これだけの

忠國王　　　　　　　　　他[7]按他的子[8]勞役 黒柏隆[9]的諸

---

[1] 多：徐家匯本はこの前に「這物内」を有する。
[2] israyel：東洋本は israel に作る。
[3] 後代：徐家匯本は「民」に作る。
[4] 黒柏隆：徐家匯本は「黒栢隆」に作る。
[5] israyel：東洋本は israel に作る。
[6] tondo i：東洋本は tondoi に合綴する。
[7] 他：徐家匯本は「也」に作る。
[8] 子：徐家匯本は「旨」に作る。
[9] 黒柏隆：徐家匯本は「黒栢隆」に作る。

75b2　boo de faksalahade. yeriya kemuni emu booi[1] ejen bihe wang taweit i
　　　家 に 分散した時 エリヤ さらに 一 家の 主 であった 王 ダビデ の
　　　家頭目内　　　　　耶里亜同他弟兄管東邊依斯拉耶耳民 王達未[2]第

75b3　soorin i dehici aniya. yeriya i boo falga i anggala i gebu be ton i
　　　位 の 第四十 年 エリヤの 家 同族 の 人 の 名前 を 数 の
　　　四十年　　　　　取了他們的数目

75b4　bithe de ejefi. galat golo i yadzer hoton de bisire absi etuhun
　　　文書 に 記し ギレアデ 地方 の ヤゼル 城 に いる 本当に 丈夫な
　　　　　　加拉得的亜則耳内　　　　　得了二千七

75b5　hahasi. ciksin se i hūncihin sa be kamcime juwe minggan. nadan
　　　男達 壮年 達の 同族 達を 加えて 二 千 七
　　　百家主 都是豪傑

76a1　tanggū booi ejete de isinambihe. ce abkai ejen[3] i tacihiyan i kooli
　　　百の 家の 主人達 に 及んでいた 彼ら 天の 主 の 教え の 法

76a2　wang ni[4] alban i baita be giyangnakini sere jalin. taweit cembe
　　　王 の 公務 の 事 を 講じたらよい と思った ため ダビデ 彼らを
　　　　　　　　　　　　　　　　達味[5]派他們教

76a3　dergi ergide tehe ruben gat manasse i hontoho mukūn i ursei sefu
　　　東 方に いた ルベン ガデ マナセ の 半分の 族 の 人達の 先生
　　　訓引導路崩 加得 瑪那斯 二族半的人[6]

76a4　sa obuhabi.
　　　達 にしたのだ

76b1　sure gisun
　　　解く 言葉
　　　註解

76b2　ⓐ ere asafe encu booi[7] niyalma ombihe. inu abiyasafe seme gebulembihe.
　　　　　この アサフ 別の 家の 人 であった また アビヤサフ と 呼ばれていた
　　　　　這又是別的一亜撒費　　　　　還叫亜必亜撒費

76b3　ⓔ sirame jondoho niyalma. gemu duka tuwakiyara da sabe toktobuha. ①
　　　　　続いて 挙げた 人 みな 門 守る 頭目 達を 定めた
　　　　　接着[1]提的人　　　　　都定了做看門的首

---

[1] booi：東洋本は boo i に分綴する。
[2] 達未：徐家匯本は「達味」に作る。
[3] abkai ejen：東洋本は deus に作る。
[4] ni：東洋本は i に作る。
[5] 達味：徐家匯本はこの前に「王」を有する。
[6] 二族半的人：徐家匯本はこの後に「誠心欽崇陡斯，事奉國王」を有する。
[7] booi：東洋本は boo i に分綴する。

76b4　obededom ginggun gungnecuke mujilen i abkai ejen i enduringge guise be
　　　オベデエドム 敬い　　恭しい　　　心　で　天の 主 の 聖なる　　櫃　を

阿柏得多黙[2]敬心看守聖櫃

76b5　tuwakiyaha bihe ofi. tuttu abkai ejen karulame inu booi[3] anggala be
　　　守って　いた ので そのため 天の 主 報いて また 家の　　人　を

故天主報他　滿加他的後代

77a1　nonggire dade. geli nonggiha. ⓞ i uthai semeyas inu. ⓤ hosa i
　　　添える 上に さらに 添えた　　彼 即ち シマヤ である　ホサ の

這毎瑟[4]就是塞黙亜斯　豁撒的

77a2　aji jui aifini bucehe bihe. ⓝⓐ abkai ejen be saišara turgun ucun
　　　第一の 子 早くに 死んで いた 天の 主 を 讃える ため 歌

長子　早已死了　　　　　如讃美天主謌唱的肋味[5]的子孫首一

77a3　uculere leweida sai da sefu i adali inu. ⓝⓔ selemiyas inu meselemiya
　　　歌う レビの頭目 達の 首領 先生 の 様 である シレミヤ また メシレミヤ

様　　　　　　　　　塞肋米亜斯也叫黙塞

77a4　seme gebulembihe. ⓝⓘ žersongni kemuni žerson sembihe. i lewei i jui
　　　と 呼ばれていた　　ゲルションビ さらに ゲルショム と言っていた 彼 レビ の 子

肋米亜　　　　熱耳宋尼還叫熱耳宋　　　　他本是肋未的子

77a5　bihe.
　　　であった

84

77b1 orin nadaci fiyelen

二十 七 篇

第二十七篇

77b2 israyel[1] i omosi i dorgici aniyadari wang ni[2] alban de emu biya i

イスラエル の 子孫達の 中から 年ごとに 王の 公務に 一 月 の

依斯拉耶耳後代内 　　 伺候王一年每月按定例該班

77b3 idui halanjame yabure hiya coohai ton mudan tome juwe tumen duin minggan

当番の 交替して 行う 侍衛 兵の 数 一度 ごとに 二 万 四 千

每次有二萬四千人

77b4 niyalma de isinambihe. booi ejete. ememu minggan ememu tanggū coohai

人 に 及んでいた 家の 主人達 幾 千 幾 百 軍の

每班有家主 千百兵首

77b5 da sa meimeni gargan baksan be kadalambihe aniya biya i idu de

頭目 達 それぞれの 部 隊 を 監督していた 正 月 の 当番に

捴[3]管 　　　　　 正月該班的捴[4]管

78a1 dosika uyuci[5] gargan i kadalara da dzabdiyel i jui yesbuham inu. ⓐ

参加した 第一の 部隊 の 治める 頭目 ザブデエル の 子 ヤショベアム である

是匝巴弟耳的子耶蘇柏哈默[6]

78a2 terei harangga juwe tumen duin minggan niyalma. i fares i omolo

彼の 部下 二 万 四 千 人 彼 ペレヅ の 孫

手下有二萬四千人 　　　　　　　　　 他是法肋斯的孫

78a3 bihe. geli aniya biya de geren jiyanggiyūn. coohai da ombihe. ahohi

であった また 正 月に 多くの 将軍 兵の 頭目 であった アホア

也是頭一大臣 又是正月的班首 　　　　　 亜豁西

78a4 ba i dudiya ⓒ juweci biyai cooha be kadalambihe. damu galai da emke

地方の ドダイ 二 月の 兵 を 管理していた ただ 副 総官 一人

地方的都弟亜 是管二月班的人 　　　　　 但他有副將

78a5 gebu mašellot inde bifi. juwe tumen duin minggan niyalma i emu ubu

名前 ミクロト 彼に いて 二 万 四 千 人 の 一部

名瑪蛇耳落得 　 這二萬四千人 　　　　　　　　 一分是

---

[1] israyel：東洋本は israel に作る。

[2] ni：東洋本は i に作る。

[3] 捴：徐家匯本は「總」に作る。

[4] 捴：徐家匯本は「總」に作る。

[5] uyuci：東洋本は ujuci に作る。

[6] 耶蘇柏哈默：徐家匯本は「耶穌玻哈默」に作る。

78b1 dudiya i harangga. emu ubu ašellot¹ i harangga oho. ilaci biya de
ドダイ の 部下 一 部 ミクロト の 部下 になった 三 月 に
都弟亜管 一分是瑪蛇耳落得管 三月的班首

78b2 yoyadas i jui baniyas² wecen i da coohai geren gargan be kadalambihe. juwe
エホヤダ の 子 ベナヤ 祭祀 の 頭目 兵の 多くの 部隊 を 管理していた 二
是約亜達斯的子巴那亜斯 祭祀首管兵的衆隊 二萬四

78b3 tumen duin minggan gemu ini beyei harangga inu. gūsin baturu sai
万 四 千 みな 彼 自身の 部下 である 三十 勇士 達の
千人 都是他自己管 三十豪傑内

78b4 dolo cenci etuhun ningge baniyas³ kai. ini jui amidzabat. ama i
中で 彼らより 丈夫な 人 ベナヤ なのだ 彼の 子 アミザバト 父 の
比他們強的是巴那亜斯 他子亜米匝巴得 也管父班

78b5 hese be cooha de selgiyembihe. duin⁴ biya de duici kadalara da
勅旨を 兵 に 伝えていた 四 月 に 第四の 管理する 頭目
的人 四月的班首是約亜伯的弟

79a1 yoab i deo asahel inu. terei jui dzabadiyas terebe sirahabi ①
ヨアブ の 弟 アサヘル である 彼の 子 ゼバデヤ 彼を 継いだのだ
亜匝黒耳 他子匝巴弟亜斯 在他手下

79a2 ini harangga juwe tumen duin minggan niyalma ombihe. sunjaci biyade⁵
彼の 部下 二 万 四 千 人 であった 五 月 に
這班人也是二萬四千 五月的班首

79a3 sunjaci kadalara da. yeser⁶ ba i samahot inu. ini harangga juwe
第五の 管理する 頭目 イズラ 地方 の シャムフト である 彼の 部下 二
是耶則耳地方的撒瑪阿得 他也管二萬四千人

79a4 tumen duin minggan cooha bihe ningguci biya de ningguci kadalara da
万 四 千 兵 であった 六 月 に 第六の 管理する 頭目
六月的班首

79a5 tekuwa hoton i akses i jui hira ini harangga niyalma kemuni juwe
テコア 城 の イッケシ の 子 イラ 彼の 部下 人 やはり 二
是特庫娃城的亜克蛇斯的子喜拉 他也管二萬四千人

---

¹ ašellot：東洋本は mašellot に作る。
² baniyas：東洋本は banayas に作る。
³ baniyas：東洋本は banayas に作る。
⁴ duin：東洋本は duici に作る。
⁵ biyade：東洋本は biya de に分綴する。
⁶ yeser：東洋本は yedzer に作る。

79b1 tumen duin minggan oho. nadaci biyade[1] nadaci kadalara da falloni

万　　四　　千　であった　七　月に　第七の　管理する　頭目　ペロニ

七月的班首是法耳落尼地方的黑耳肋斯

79b2 ba i helles. i efaraim i omolo bihe. ini harangga juwe tumen

地方　の　ヘレツ　彼　エフライム　の　孫　であった　彼の　部下　二　万

耶法拉意黙族出的　　他也管二萬四千人

79b3 duin minggan niyalma ombihe. jakūci biyade[2] hūsati ba i sobokai. dzarahi i

四　千　　人　であった　八　月に　ホシャ　地方　の　シベカイ　ゼラ　の

八月的班首是胡撒弟地方的索破開 匝

79b4 boo ci tucikengge ini harangga juwe tumen duin minggan niyalma inu.

家　から　出たもの　彼の　部下　二　万　四　千　人　である

拉希的孫　　他也管二萬四千人

79b5 uyuci biya de uyuci kadalara da anatot ba i abiyedzar. i yemini i

九　月　に　第九の　管理する　頭目　アナトト　地方　の　アビエゼル　彼　ベニヤミン　の

九月的班首是亜那托得地方的亜必耶則耳　　　　耶米尼族的

80a1 omolo bihe. ini harangga juwe tumen duin minggan niyalma inu.

孫　であった　彼の　部下　二　万　四　千　人　である

人　　他也管二萬四千人

80a2 juwan biyade[3] juwanci kadalara da netofat ba i marai. dzarai i booi

十　月に　第十の　管理する　頭目　ネトファ　地方　の　マフライ　ゼラ　の　家の

十月的班首是奈托法得地方的瑪頼　　　　匝頼族的人

80a3 niyalma. ini harangga juwe tumen. duin minggan cooha ombihe.

人　彼の　部下　二　万　四　千　兵　であった

他也管二萬四千人

80a4 omšon biya i kadalara juwan emuci da faraton ba i baniyas[4]. i

十一　月　の　管理する　第十　一の　頭目　ピルアトン　地方　の　ベナヤ　彼

十一月的班首是法拉東地方的巴那亜斯　　　　　他是

80a5 efaraim i omolo bihe. ini harangga juwe tumen duin minggan niyalma

エフライム　の　孫　であった　彼の　部下　二　万　四　千　人

耶法拉意黙族的人　他也管二萬四千人

80b1 inu. jorgon biya i kadalara juwan juweci da netofat ba i holtai ◎

である　十二　月　の　管理する　第十　二の　頭目　ネトファ　地方　の　ヘルダイ

十二月的班首是奈托法得地方的火耳太[1]

---

[1] biyade：東洋本は biya de に分綴する。
[2] biyade：東洋本は biya de に分綴する。
[3] biyade：東洋本は biya de に分綴する。
[4] baniyas：東洋本は banayas に作る。

80b2 i godoniyel i omolo bihe. ini harangga juwe tumen duin minggan
　　　彼 オトニエル の 孫 であった 彼の 部下 二　　万　　四　　千
　　　他是郭多尼耳的孫　　　他也管二萬四千人

80b3 niyalma inu. israyel[2] i geren mukūn i dasa[3] oci. ruben mukūn i
　　　　人　　である イスラエル の 多くの 族 の 頭目達 は ルベン 族 の
　　　　　達味那時査依斯拉耶耳十二族人的数目 路崩族的長

80b4 da. sekiri i jui eliyedzer. simehon mukūn i da mahaša i jui
　　　頭目 ジクリ の 子 エリエゼル シメオン 族 の 頭目 マアカ の 子
　　　　　是則既里的子厄里耶則耳[4] 西黙翁族的長　是瑪哈沙的子

80b5 safatiyas. lewei mukūn i da kamuwen[5] i jui hasabiyas. aron i boo i da
　　　シェファトヤ レビ 族 の 頭目 ケムエル の 子 ハシャビヤ アロン の 家 の 頭目
　　　撒法的亜斯[6] 肋未族的長 是加木耳的子 哈撒必亜斯 亜隆支派内的長

81a1 sadok. yudas mukūn i da. daweit[7] i ahūn eliu. issakar mukūn i
　　　ザドク ユダ 　族 の 頭目 ダビデ の 兄 エリウ イッサカル 族 の
　　　是撒多克 如達斯族的長 是達味的兄厄留　依撒加耳族的長

81a2 da. mikahel i jui amri. dzabulon mukūn i da. ebdiyas i jui yesmayas.
　　　頭目 ミカエル の 子 オムリ ゼブルン 族 の 頭目 オバデヤ の 子 イシマヤ
　　　是米加黒耳的子亜米里 匝布隆族的長　是亜伯弟亜斯的子耶蘇

81a3 nefetali mukūn i da odziriyel i jui yerimot. efaraim mukūn i da
　　　ナフタリ 族 の 頭目 アズリエル の 子 エレモテ エフライム 族 の 頭目
　　　瑪亜斯[8] 査費大里的族長[9]是阿漆里耳的子耶里莫得 耶法拉意黙族的長

81a4 odzasiu i jui osehe. manasse i hontoho mukūn i da faldaya i jui
　　　アザジヤ の 子 ホセア マナセ の 半　　族 の 頭目 ペダヤ の 子
　　　是阿匝秋的子 阿塞黒 瑪那斯半族的長　　　是法達亜的子

81a5 yohel. galat bade bisire manasse i hontoho mukūn i da dzahariyas[10] i
　　　ヨエル ギレアデ 地方に いる マナセ の 半　　族 の 頭目 ゼカリヤ の
　　　約黒耳 在加拉得地方 瑪[11]那斯半族的長　　　　是匝加里亜斯的

---

1 火耳太：徐家匯本は「火耳泰」に作る。
2 israyel：東洋本は israel に作る。
3 dasa：東洋本は da sa に分綴する。
4 厄里耶則耳：徐家匯本は「厄里耶匝耳」に作る。
5 kamuwen：東洋本は kamuwel に作る。
6 撒法的亜斯：徐家匯本は「撒法弟亞斯」に作る。
7 daweit：東洋本は taweit に作る。
8 耶蘇瑪亜斯：徐家匯本は「耶穌瑪亞斯」に作る。
9 査費大里的族長：徐家匯本は「奈費大里族的長」に作る。
10 dzahariyas：東洋本は dzakariyas に作る。
11 瑪：徐家匯本はこの前に「那」を有する。

81b1　jui yato. beniyamin mukūn i da. abaner i jui yasiyel. dan mukūn i
　　　子 イド ベニヤミン 族 の 頭目 アブネル の 子 ヤシエル ダン 族 の
　　　子 亜托 柏尼亜明[1]族的長　　是亜伯奈耳的子亜西耶耳 旦族的長

81b2　da. yeruham[2] i jui edzirihel. ere uthai israyel[3] i omosi i dasa[4] inu.
　　　頭目 エロハム の 子 アザリエル これ 即ち イスラエル の 子孫達 の 頭目達 である
　　　是耶落哈黙的子厄漆里黒耳 這都是依斯耶耶耳[5]後代的長

81b3　daweit[6] orin seci[7] fusihūn irgese i gebu be ton i bithe de dosimbuki
　　　ダビデ 二十 歳 以下の 民衆達 の 名前 を 数 の 文書 に 入れよう
　　　二十歳以下的 達味不肯入在冊内

81b4　serakū. abkai ejen cembe abkai usiha i gese nonggiki seme angga
　　　と思わなかった 天の 主 彼らを 天の 星 の 様に 添えたい と思い 約束
　　　故[8]天主口許過　要増添依斯拉耶耳後代多如星

81b5　aliha[9] ofi kai. sarweya i jui yoab geren i gebu be gaime deribuhe
　　　した から なのだ ゼルヤ の 子 ヨアブ 多く の 名前 を 取り上げ 始めて
　　　撒耳未亜的子約亜伯 剛起査民数

82a1　bihe. damu ere baita i turgun abkai ejen i jurgangga jili jobolon be
　　　いた しかし この 事 の ために 天の 主 の 道理のある 怒りが 災害 を
　　　但為這事　　　　　天主義怒 依斯拉耶耳國内降罰

82a2　wasibuhade. wacihiyame jabdurakū. uttu ofi orin se fusihūn niyalma i
　　　下したので 完全に 終わらなかった この ため 二十 歳 以下の 人 の
　　　未會完結　　　　故清的那些名字未入達味的史書内

82a3　gaiha ton wang taweit i suduri cagan de ejehe ba akū. wang ni[10]
　　　取り上げた 数 王 ダビデ の 歴史 の 文書 に 記した 所 ない 王 の
　　　　　　　　　　　　管王的[11]財

82a4　ulin i namun be kadalara da adiyel i jui adzamot[12]. hoton gašan.
　　　財産 の 倉 を 管理する 頭目 アデエル の 子 アズマウテ 城 村
　　　庫的首　　　　　是亜底耶耳[13]的子亜則莫得城 郷村

---

1 柏尼亜明：徐家匯本は「栢尼亞明」に作る。
2 yeruham：東洋本は yeroham に作る。
3 israyel：東洋本は israel に作る。
4 dasa：東洋本は da sa に分綴する。
5 依斯耶耶耳：徐家匯本は「依斯拉耶耳」に作る。
6 daweit：東洋本は taweit に作る。
7 seci：東洋本は se ci に分綴する。
8 故：徐家匯本は「因」に作る。
9 aliha：東洋本は aljaha に作る。
10 ni：東洋本は i に作る。
11 的：徐家匯本はこの一字を欠く。
12 adzamot：東洋本は adzemot に作る。
13 亜底耶耳：徐家匯本は「亞氏耶耳」に作る。

82a5 tokso de bisire jergi namun i uheri da odziyas i jui yonatan usin i

　　　町　　にある 各種の　倉　の 全体の 頭目 ウジヤ の 子 ヨナタン 田 の

高塔所有的庫的捴[1]管　　　　　　 是阿漆亜斯的子約那丹 克

82b1 weilen. boigon[2] ubašara tarire hahasi i da. kelub i jui edziri.

　　　仕事　　土地　　耕し　播く　男達 の 頭目 ケルブ の 子 エズリ

禄伯的子厄漆里　　　管種地的農

82b2 mucu be tebure. yangsara ursei da romati ba i semeyas. nure be

　　　葡萄　を　植え 雑草を刈る 人達 の 頭目 ラマテ 地方 の シメイ 酒 を

落瑪弟地方的[3]塞黙亜斯管蒔葡萄人　　　　　　 酒窖的首

82b3 asarara ukdun booi[4] da afoni ba i dzabdiyas. hoton i tule bisire

　　　貯える　酒　倉の　頭目 シプミ 地方 の ザブデ 城 の 外に ある

　　　　　　　　　　 是亜佛尼地方的匝柏弟亜斯[5] 城外有的阿里瓦

82b4 oliwa. ilhato[6] moo i da. žeder ba i balanan. nimenggi i haša i da

　　　オリーブ 無花果 木 の 頭目 ゲデル 地方 の バアルハナン 油 の 倉 の 頭目

　　　　　 無花菓園的首　　 是熱得耳地方的巴拉南 藏油庫的首

82b5 yohas. saron alin de jeme suwangkiyara ulha i feniyen be alifi

　　　ヨアシ シャロン 山 で 食べ 草を食む 家畜 の 群 を 引き受けて

是約哈斯 撒隆地方的塞他頼 管撒隆山上牧吃草牲口的童

83a1 kadalara da. saron ba i sedari. alin holo de ujihe ihan be

　　　管理する 頭目 シャロン 地方 の シテライ 山 谷 で 養った 牛 を

　　　　　　　 管山谷有的牛羣

83a2 kadalara hafan atlai i jui safat. temen be kadalara hafan. ismehel ba i

　　　管理する　長　アデライ の 子 シャパテ 駱駝 を 管理する 長 イシマエル 地方 の

　　　　　　 是亜弟里的子撒法得 管駱駝[7]的　　　 是[8]

83a3 ubil. eihen be kadalara hafan. maronat[9] ba i yadiyas. honin be kadalara

　　　オビル 驢馬 を 管理する　長　メロノテ　地方 の エデヤ 羊 を 管理する

出的烏必肋 管驢羣的　　 是黙落那得地方的亜弟亜斯 管羊羣的

83a4 hafan. agar ba i yedzis[10]. ere gemu wang taweit i boihon hethe be

　　　長　ハガル 地方 の ヤジズ これ みな 王 ダビデ の 土地 財産 を

---

[1] 捴：徐家匯本は「總」に作る。
[2] boigon：東洋本は boihon に作る。
[3] 的：徐家匯本はこの一字を欠く。
[4] booi：東洋本は boo i に分綴する。
[5] 匝柏弟亜斯：徐家匯本は「匝栢弟亞斯」に作る。
[6] ilhato：東洋本は ilhatu に作る。
[7] 駱駝：徐家匯本はこの後に「羣」を有する。
[8] 是：徐家匯本はこの後に「依斯瑪耶耳族」を有する。
[9] maronat：東洋本は meronat に作る。
[10] yedzis：東洋本は yadzis に作る。

是亜加耳的孫亜漆則 這都是管王達味産業的手[1]

83a5 kadalara da ombihe. taweit i ecike yoktan[2] hebei amban inu. i

管理する 頭目 であった ダビデ の 叔父 ヨナタン 議政 大臣 である 彼

達味的叔約那丹是議政大臣　　又是

83b1 mergen bime geli ferkingge niyalma oho. ere kemuni hašamon i jui

聡明 であり また 知識ある 人 であった 彼 さらに ハクモニ の 子

德行百學[3]人　　　　他同哈加莫尼的子

83b2 yahiyel i emgi wang ni[4] juse be tacibumbihe wang i hebei amban akitofel

エヒエル と 共に 王の 子供達 に 教えていた 王 の 議政 大臣 アヒトペル

亜希耶耳　教誨王的諸子 亜既托費耳是王的宰相

83b3 inu araki ba i kusai oci wang ni[5] gucu bihe. akitofel i amala

である アルキ 地方 の ホシャイ は 王 の 友 であった アヒトペル の 後

亜拉既地方的庫塞[6]是王的好友　　亜既托費耳後

83b4 hebei boo de terengge baniyas[7] i jui yoyada. abiyatar juwe ambasa inu

議政の 庁 に いるもの ベナヤ の 子 エホヤダ アビヤタル 二人の 大臣達 である

有巴那亜斯的子約亜達 及亜必亜大耳

83b5 wang ni[8] coohai amba jiyanggiyūn yohab ombihe.

王 の 兵の 大 将軍 ヨアブ であった

大將軍是約亜伯

84a1 sure gisun

解く 言葉

註解

84a2 ⓐ yesbuham[9] kemuni yesbaham. dzabdiyel inu ašamoni seme gebulembihe.

ヤショベアム さらに ヤショバアム ザブデエル また アサモニ と 呼ばれていた

耶蘇玻哈莫[10]還叫耶蘇巴哈莫[11] 匝柏弟耳[12]又叫亜加莫尼

---

1 手：徐家匯本は「首」に作る。
2 yoktan：東洋本は yonatan に作る。
3 百學：徐家匯本は「博學」に作る。
4 ni：東洋本は i に作る。
5 ni：東洋本は i に作る。
6 庫塞：徐家匯本は「庫賽」に作る。
7 baniyas：東洋本は baniyas に作る。
8 ni：東洋本は i に作る。
9 yesbuham：東洋本は yesboham に作る。
10 耶蘇玻哈莫：徐家匯本は「耶穌玻哈黙」に作る。
11 耶蘇巴哈莫：徐家匯本は「耶穌巴哈黙」に作る。
12 匝柏弟耳：徐家匯本は「匝栢弟耳」に作る。

84a3　　　ⓒ dudiya dodi emu niyalma i[1] juwe gebu inu.　ⓘ hasahel[2] abner de

　　　　　ドダイ ドデ　一　　人　の　二つの 名前 である アサヘル　アブネル に

　　　　　都弟亜 多弟是一人的二名　　　　　　哈匝黒耳是被那柏奈耳[3]

84a4　　　wabuha bihe.　ⓞ holtai inu helet. kotoniyel geli otoniyel sembihe.

　　　　　殺されて いた　　ヘルダイ また ヘルテ オトニエル また オトニエ と言っていた

　　　　　戮殺的　　　　火耳泰也叫黒肋得　郭托尼耳也叫阿托尼耳

---

[1] niyalma i：東洋本は niyalmai に合綴する。
[2] hasahel：東洋本は hadzahel に作る。
[3] 那柏奈耳：徐家匯本は「亞伯奈耳」に作る。

84b1 orin jakūci fiyelen

二十　八　篇

第二十八篇

84b2 baita uttu icihiyahade. daweit[1] israyel[2] gurun i geren ambasa. juwan juwe

　　　事 この様に 処理した時 ダビデ イスラエル 国 の 多くの 大臣達　十　二

　　　達昧這樣安排了國事 召依斯拉耶耳國的大臣各族的長

84b3 mukūn i ejete. wang ni[3] beye be dalire karmara hiya. coohai da

　　　族　の 主人達 王 の　身体 を 守り 保護する 侍衛　兵の 頭目

　　　　　　　伺候[4]的侍衛首　　　　　　千百兵的首

84b4 ememu minggan ememu tanggū coohai janggisa. jai wang ni[5] boihon[6] hethe be

　　　何　　千　何　百　兵の 武官達 また 王　の　土地　財産 を

　　　　　　　　　　　管王業官的首

84b5 kadalara hafasa. beyei juse. gurung ni[7] dolo eršere da coohai[8] dorgici

　　　管理する 長達　自身の 子供達 宮殿 の 中で 仕える 頭目 兵の　中から

　　　　　　王的諸子　同他們的師　　　兵内有的衆

85a1 ele etuhun ele baturu sabe[9] kamcime. yerusalem de isibuha wang

　　　全ての 丈夫な者 全ての 勇士 達を 加え エルサレム に 連れて来た 王

　　　勇男等人們　　　　　　全在日露撒冷會齊　王起來

85a2 ilifi. tesei baru hendume mini deote. mini irgese. mini gisun be

　　　立ち 彼らに 向かって 言うには 私の 弟達 私の 民衆達 私の 言葉 を

　　　　　望他們説　　我的弟兄　我的民　聽我的話

85a3 donji. bi abkai ejen i hūwaliyasun doroi guise. muse abkai ejen[10] i

　　　聞け 私 天の 主 の　調和　礼儀の 櫃 我々の 天の 主　の

　　　　我為供天主[11]和睦結約櫃　　　　我們主陛斯的寶座

85a4 soorin be doboro jalin emu amba tanggin be iliki sembihe. tanggin i

　　　王座 を 供える ため 一つの 大きい 堂　を 建てたい と 思っていた 堂 の

　　　　定意要立一大堂　　　　　我本已

---

[1] daweit：東洋本は taweit に作る。

[2] israyel：東洋本は israel に作る。

[3] ni：東洋本は i に作る。

[4] 候：徐家匯本はこの後に「王」を有する。

[5] ni：東洋本は i に作る。

[6] boihon：東洋本は boigon に作る。

[7] ni：東洋本は i に作る。

[8] coohai：東洋本はこの後に i を有する。

[9] sabe：東洋本は sa be に分綴する。

[10] abkai ejen：東洋本は deus に作る。

[11] 主：徐家匯本はこの後に「的」を有する。

85a5　weilen de baibure hacin i jaka be gemu belhehebi. damu abkai ejen[1]
　　　　仕事 に 必要な 種類 の 物 を 全部 準備したのだ しかし 天の 主
　　　預俻了為堂工程 緊要用的物　　　　　　　　但陡斯望我説

85b1　minde hendume. si afara mangga niyalma. senggi be eyebuhe ofi tuttu
　　　　私に 言うには お前 戦うこと 上手な 人 血 を 流した ので そのため
　　　　　　　　因為你戦太多　　　　也流人血　　　　　不可立

85b2　mini gebu eldembure tanggin be ilici ojorakū sehe naranggi israyel[2] i
　　　　私の 名前 輝かせる 堂 を 建てること できない と言った 結局 イスラエル の
　　　光榮我名的堂　　　　　　　　到底依斯拉耶耳

85b3　abkai ejen[3] mimbe mini ama i booi geren niyalma ci sonjoho israyel[4] i[5]
　　　　天の 主 私を 私の 父 の 家の 多くの 人 から 選んだ イスラエル の
　　　主陡斯從我父全家簡了我　　　　　　　永遠做

85b4　gurun wang ni[6] toose enteheme taksiburengge be mini beye de afabuha
　　　　 国 王 の 権力 永遠に 残されること を 私 自身 に 伝えた
　　　依斯拉耶耳國的王

85b5　i tuktan suwembe kadalara dasa[7] be yudas mukūn ci gaime toktofi.
　　　　彼 最初 お前達を 治める 頭目達を ユダ 族 から 取り 定め
　　　因他定了管你們的王　　　　都是從如達斯族出的人

86a1　yudas mukūn de. mini ama i boo be wesihulehe. mini ama i juse i
　　　　ユダ 族 で 私の 父 の 家を 尊んだ 私の 父 の 子供達 の
　　　如達斯族内　簡了我父的家　　　　我父諸子内憐視

86a2　dorgici mimbe gosime. israyel[8] geren irgen wang ilibuha tutala
　　　　中から 私を 慈しみ イスラエル 多くの 民衆 王 立たせた これ程の
　　　我　　　　　　立我[9]做依斯拉耶耳衆民的王　主雖賞

86a3　juse be minde šangnaha bicibe. damu mini emu jui salomon be
　　　　子供達 を 私に 賜った けれども ただ 私の 一人の 子供 ソロモン を
　　　了我多子　　　　但定了我一子撒落孟

86a4　abkai ejen i gurun ⓐ i wesihun soorin de tebuki. israyel[10] i omosi be
　　　　天の 主 の 国 の 貴い 王座 に 座らせたい イスラエル の 子孫達 を

---

[1] abkai ejen：東洋本は deus に作る。
[2] israyel：東洋本は israel に作る。
[3] abkai ejen：東洋本は ejen deus に作る。
[4] israyel：東洋本は israel に作る。
[5] i：東洋本はこの一語を欠く。
[6] ni：東洋本は i に作る。
[7] dasa：東洋本は da sa に分綴する。
[8] israyel：東洋本は israel に作る。
[9] 我：徐家匯本はこの一字を欠く。
[10] israyel：東洋本は israel に作る。

坐天主國的位　　　　　　　　　　　　　管依斯拉耶耳後

86a5　salifi kadalara tušan be inde buki seme toktohobi. jai minde hendume
治めて 管理する 職責 を 彼に 与えたい と 定めたのだ また 私に 言うには

代　　　　　　　　　　　　　　　　　　又話[1]望我説

86b1　sini jui salomon mini tanggin mini hūwa be ilire dabala bi erebe
お前の 子供 ソロモン 私の 堂 私の 庭 を 建てる だけだ 私 彼を

你子撒落孟　修我的堂　兼堂的諸院　　　　我選他

86b2　mini jui okini seme sonjoho bi geli ini ama kai. aika i inenggi[2]
私の 子供 となるがよい と 選んだ 私 また 彼の 父 だぞ もしも 彼 今日

做我的子　　　　　　我也是他的父　　若他照今日行

86b3　yabure songkoi gūnin marirakū mini targacun beiden i kooli be tuwakiyaci.
行い に従い 考え 巡らさず 私の 訓戒 審問 の 規則 を 守れば

　　　　　　　　　　　　　當[3]遵我命令審例

86b4　bi ini soorin be enteheme erin de isitala akdulaki sehe. uttu
私 彼の 王座 を 永遠の 時 に 至るまで 保証したい と思った この様に

我至到永遠堅固他的王位　　　　　　　故此我

86b5　ohode acaha israyel[4] i geren ambasai juleri. jing muse abkai ejen[5]
なったので 集まった イスラエル の 多くの 大臣達の 前で ちょうど 我々の 天の 主

今日在依斯拉耶耳全會當面　　　　　正我們主陡斯聽我的話

87a1　mini gisun be donjirede. suwembe huwekiyeme bi. muse abkai ejen[6] i fafun be
私の 話 を 聞く時に お前達を 奮起させている 我々の 天の 主 の 法令を

　　　　　　　　　　我勸你們　　　　　誠心守我們主陡斯的規

87a2　tuwakiya. sain ba na be beye bahakini. suweni amaga jalan i omosi de
守れ 良い 地 方 を 自身 得るがよい お前達の 後の 代 の 子孫達 に

誠　　為你們能久住這好地　　也能傳遺到萬代子孫

87a3　erin akū bibukini sere jalin inu. mini jui salomon oci. si
常 に 留めればよい と思う ため だ 私の 子供 ソロモン は お前

　　　　　　　　我子撒落孟　　你傾心

87a4　sini ama i abkai ejen[7] be takame. unenggi mujilen i cihangga gūnin i
お前の 父 の 天の 主 を 認め 誠実な 心 で 望ましい 考え で

認你父的陡斯　　　　全意甘心事奉[1]

---

[1] 話：徐家匯本はこの一字を欠く。
[2] inenggi：東洋本は enenggi に作る。
[3] 當：徐家匯本は「常」に作る。
[4] israyel：東洋本は israel に作る。
[5] abkai ejen：東洋本は ejen deus に作る。
[6] abkai ejen：東洋本は ejen deus に作る。
[7] abkai ejen：東洋本は deus に作る。

87a5 imbe uile. abkai ejen mujilen i ai ai somishūn babe tengkime
彼に 仕えよ 天の 主 心 の あら ゆる 隠れた 所を はっきり
因天主深知人心隠藏的事 通徹人心内有的念頭

87b1 sambi. niyalma i hacingga gūniha be hafunambi. si imbe baici bahambi.
知っている 人 が 様々に 考えたこと を 悟る お前 彼を 求めれば 得る
若你找他就能得

87b2 si imbe waliyaci. i simbe maktafi enteheme waliyambi. ne abkai ejen
お前 彼を 捨てれば 彼 お前を 投げて 永遠に 捨てる 今 天の 主
若你棄他 他永遠也棄你 今天主既選你

87b3 enduringge tanggin iliburede. cohome simbe baitalaki seci tetendere. teng
聖なる 堂 建てる時 特に お前を 任用しよう と思う からには しっかり
為立他的聖堂 奮勇行

87b4 seme yabu. weilen be šangga sehede. daweit[2] kemuni nanggin. tanggin.
と 行え 仕事 を 完成しろ と言ったので ダビデ さらに 廊下 堂
訖完這工程 達味還把遊廊 堂

87b5 eiten haša. sarilara deyen. butu boo. weilen[3] bolgobure ba. gūnime
諸々の 倉 宴席の 宮殿 暗い 家 罪 清める 所 考えて
諸庫 擺筵的殿 暗房 觧罪所 明悟

88a1 toktoho hacingga hūwa. abkai ejen i tanggin i utala namun enduringge
定めた 様々な 庭 天の 主 の 堂 の 多くの 倉 聖なる
想定的諸院 天主堂周圍的[4]各銀庫 存獻儀的庫

88a2 tetun i namun be tuwakiyara leweidasai ūlen i jergi nirugan be
器 の 倉 を 守る レビの頭目達の 宿舎 の 種類の 図 を
這些地方的圖[5]様

88a3 beye[6] jui salomon de buhe jai wecen i da leweida sai geren
自身の 子供 ソロモン に 与えた また 祭祀 の 頭目 レビの頭目 達の 多くの
都給他子撒落孟 還將衆祭首 肋未子孫分的班

88a4 hacin i tušan i idu. adarame abkai ejen i tanggin i dolo yabuci
種類 の 職責 の 当番 どの様に 天の 主 の 堂 の 中で 行う
為在天主堂盡職

88a5 acara ai tetun agūra abkai ejen i tanggin de baitalaci ojoro
べきか 何の 器 具 天の 主 の 堂 で 用いること できるか

---

1 事奉：徐家匯本は「奉事」に作る。
2 daweit：東洋本は taweit に作る。
3 weilen：東洋本は weile に作る。
4 的：徐家匯本はこの一字を欠く。
5 圖：徐家匯本は「啚」に作る。
6 beye：東洋本は beyei に作る。

天主堂内要用[1]甚麼噐皿

88b1　baibure tetun tome. eici aisin i fuwen yan. eici menggun i fuwen
　　　必要な　器　ごとに　或いは　金　の　重量　或いは　銀　　の　重

又按本用或金或銀的各噐皿

88b2　yan meni meni tetun i weilen. baitalan de acaburengge ere baita be
　　　量　各々の　器　の　仕事　　支出　に　合わせること　この　事　を

該用多大両数　　　都明告了他

88b3　gemu inde alahabi. aisin i dobokū. terei dengjan be weilerede.
　　　全て　彼に　告げたのだ　金　の　燭台　その　灯皿　を　作る時

造金燈台　　　及他的燈盞

88b4　meimeni dobokū dengjan i mutun de acabure. aisin menggun i dobokū
　　　それぞれの　燭台　　灯皿　の　大きさ　に　合わせる　金　　銀　　の　燭台

給了金　　　　　　　　　　　　為做金[2]燈台

88b5　terei dengjan be arara jalin inu dobokū dengjan i mutun be aname.
　　　その　灯皿　を　作る　ため　また　燭台　灯皿　の　大きさ　に　従って

並他的燈盞　　　　　給了銀

89a1　menggun buhe. doboho efen i dere be weilere turgun dere i encu
　　　銀　　与えた　供えた　パン　の　机　を　造る　ため　机　の　異なる

照台盞二物大小[3]　　為做供饅頭的桌

89a2　mutun i ici baibure aisin. menggun i gūwa dere arara de[4]. menggun
　　　大きさ　に　応じて　必要な　金　銀　　の　別の　机　作るのに　　銀

合桌的尺寸給了金　　又給銀為做別銀桌

89a3　buhe. hacingga faka moro hiyan i dabukū. geli ajige arsalan i tutala
　　　与えた　様々な　又　碗　香　の　炉　また　小さい　獅子　の　多くの

也為做杈椀吊爐　　　　　及多少[5]獅的形像[6]

89a4　arbun be hungkererede. umesi gincihiyan aisin be tucibuhe. emu arsalan.
　　　像　を　鋳るのに　非常に　光り輝く　金　を　出した　一つの　獅子

按各獅的大小　　　　　　　給了精金

89a5　emu arsalan i mutun be faksalame aisi[7] i fuwen yan be inu
　　　一つの　獅子　の　大きさ　を　分けて　金　の　重量を　も

又為那多銀獅　按大小給了銀

---

[1] 用：徐家匯本はこの一字を欠く。
[2] 金：徐家匯本は「銀」に作る。
[3] 小：徐家匯本はこの後に「給的金銀多少」を有する。
[4] arara de：東洋本は ararade に合綴する。
[5] 少：徐家匯本は「小」に作る。
[6] 像：徐家匯本は「象」に作る。
[7] aisi：東洋本は aisin に作る。

89b1 faksalaha kemuni šugiri hiyan be dabure terkin i weilen de ten i
　　分けた　さらに　乳　香　を　焚く　祭壇　の　仕事　のために　最高　の
　　為做焚弟米亜瑪香的祭台

89b2 bolgo aisin be buhe. emu adali aisin ci asha saniyara. abkai
　　綺麗な　金　を　与えた　同じ　一つの　金　から　翼を　伸ばし　天の
　　也為做克魯賓　彷彿四馬車　展開翅

89b3 ejen i hūwaliyasun doroi guise be buheliyere kerubin sa duin morin i
　　主　の　調和　礼儀の　櫃　を　覆う　ケルビム　達　四つの　馬　の
　　膀　盖天主和睦結約的[1]櫃　給了至精金

89b4 sejen ⓒ murušerengge be arame weileki sembihe. taweit hendume. bi
　　戦車　似ているもの　を　製作　したい　と思っていた　ダビデ　言うには　私
　　　　　　　　　　王達味説　　　　　這

89b5 tanggin i muru hacin hacin i tetun be ulhikini sere jalin abkai
　　　堂　の　様子　様　々　な　器　を　理解したい　と思う　ので　天の
　些噐皿堂的畾　　　　　　　　　　是天主

90a1 ejen ini gala de erebe gemu arafi. minde afabuha kai. ① jai
　　主　彼の　手　で　これを　全て　書いて　私に　手渡した　のだ　　また
　　親手畫的　　　　　　　　　送與我　　　　　我能照這

90a2 beyei jui salomon i baru hendume. kafur seme yabu. fahūn nonggifi
　　自身の　子供　ソロモン　に　向かって　言うには　きっぱり　と　行え　胆　加えて
　　圖[2]作達味又給他子撒落孟説　　你加胆定結實主意行

90a3 kiceme fašša. ume gelere. ume goloro. si abkai ejen i tanggin
　　励み　力を尽くせ　決して　恐れるな　決して　怖がるな　お前　天の　主　の　堂
　　　　不畏不怕起這工程　　　我主陛斯同你在一塊

90a4 daljingga tetun agūra be šanggame wajitala. mini abkai ejen[3]
　　に関わる　器　具　を　完成し　終わるまで　私の　天の　主
　　也不離你　　　　　　　　　　到你修完了天主堂

90a5 sini emgi bifi. sinci aljarakū. simbe waliyarakū. tanggin de holbobure
　　お前と　共に　いて　お前から　離れない　お前を　捨てない　堂　に　関係する
　　　　　　　　　　並闗係堂的噐皿

90b1 ai ai baita bici. wecen i da sai geren faitan[4]. leweida sai baksan
　　いか　なる　事　あっても　祭祀　の　頭目　達の　多くの　行列　レビの頭目　達の　隊
　　衆祭首　　　　　　　肋未的子孫分開

---

1 的：徐家匯本はこの一字を欠く。
2 圖：徐家匯本は「畾」に作る。
3 abkai ejen：東洋本は ejen deus に作る。
4 faitan：東洋本は faidan に作る。

90b2 gemu sinde aisilaki sembi. na¹ jen ningge bi. ambasa irgese kemuni

　　全て　お前を　助けたい　と思う　土地　町　の者　いる　大臣達　民衆達　さらに

一班一班在天主堂盡職的都相帮你²　　　　小民都愿聽你的㫖

90b3 cihanggai sini hese be dahara dabala.

　　喜んで　お前の　勅旨　に　従う　だけだ

90b4 sure gisun

解く　言葉

註解

90b5 ⓐ abkai ejen yakob i omosi be beyei irgese obuha ofi. tuttu

　　　天の　主 ヤコブ の　子孫達　を　自身の　民衆達　にした　ので　そのため

因天主將亜各伯的子孫 作³他的本民　　　　故説

91a1 ceni tehe ba abkai ejen i gurun sembihe. ⓒ kerubin serengge abkai

　　彼らの　いた　所　天の　主　の　国　と言っていた　ケルビム　というもの　天の

他們住的地方 是天主的國　　　　説的克魯賔是天神

91a2 enduri sa inu. sukdun beye akū bicibe. umainaci ojorakū. ashangga

　　神　達　である　実在の　身体　ない　けれども　やむを　得ず　翼がある

　　　　本雛無形　　　　但或刻或畫無奈只得用有

91a3 asihata⁴ i arbun i cembe nirumbihe colimbihe. guisei dergide moises i

　　若者達　の　像　で　彼らを　描いて　彫っていた　櫃の　上に　モーセ　が

翅膀的童形　　　　他們照⁵聖櫃

91a4 araha juwe kerubin sa⁶ i songkoi. duin kerubisa šugiri hiyan i dere i

　　作った　二つの　ケルビム　達　の　様に　四つの　ケルビム達　乳　香　の　机　の

　　　両頭做的二克魯賔　　焚香桌上四犄⁷角

91a5 duin hoso⁸ de bihe kerubin i emu juru emu juru ilime ofi tuttu

　　四　方　　にいた　ケルビム　が　一対　一　対　立つ　ので　そのため

　　　要做四克魯賔一對一對站立　　故比他

91b1 derei weilen duin morin i sejen i arbun arbušara gese duibuleme

　　机の　仕事　四つの　馬　の　車　の　像　動き出す　様に　喩えて

們如四匹馬車行⁹

---

¹ na：東洋本は a に作る。
² 你：徐家匯本はこの後に「他們同各族的長」を有する。
³ 作：徐家匯本は「做」に作る。
⁴ asihata：東洋本は asigata に作る。
⁵ 照：徐家匯本はこの後に「毎瑟」を有する。
⁶ kerubin sa：東洋本は kerubisa に作る。
⁷ 犄：徐家匯本は「犄」に作る。
⁸ hoso：東洋本は hošo に作る。
⁹ 行：徐家匯本は「形」に作る。

91b2   gisurehe. ① abkai ejen eici taweit i ulhisu be neifi tanggin i muru
        話した   天の   主   或いは ダビデ の 悟り を 開いて 堂 の 様子
           天主或開達味的明悟   使他看堂

91b3   terei hacingga tetun i yangse be getuken i tuwabuha. eici abkai enduri de
        その   様々な   器 の 様子   を はっきり と 見させた 或いは 天の 神   に
           曡及堂内的器皿   或令天神畫圖[1]

91b4   nirugan be nirubufi. sume giyangnara hergen be nonggifi taweit i gala de
        図   を 描かせ 解き   講じる   文字 を 添えて ダビデ の 手 に
           添上解説的字   交與達味

91b5   afabuha.
        渡した

---

[1] 圖：徐家匯本は「曡」に作る。

92a1 orin uyuci fiyelen
二十 九 篇
第二十九篇

92a2 wang taweit acaha geren niyalma de hendume abkai ejen[1] mini geren
王 ダビデ 集まった 多くの 人 に 言うには 天の 主 私の 多くの
王達味向聚的衆人説　　　　　　　陡斯從我的諸子内

92a3 jusei dorgici ere emu salomon be sonjoho. i yala de[2] asiha
子供達の 中から この 一人の ソロモン を 選んだ 彼 本当 に 若く
　　　　　　　選這一撒落孟　　　　年小也軟

92a4 banin uhuken. tanggin i weilen oci amba weilen inu niyalma i jalin
性格 弱い 堂 の 仕事 は 大きい 仕事 である 人 の ために
論堂的工程　　是大工程　　不是為人立

92a5 tatara boo iliburengge waka. abkai ejen[3] i deyen iliburengge kai. bi
泊まる 家 を 建てるもの でない 天の 主 の 宮殿を 建てるもの だぞ 私
旅舎　　　　　　是立陡斯的殿　　　　　我

92b1 hūsun mohotolo mini abkai ejen[4] i tanggin i turgun fayaci ojoro
力 の限り 私の 天の 主 の 堂 のため 費やすこと できる
盡力為我陡斯的堂 預俻該費用的銀

92b2 menggun be belhehe. aisin i tetun de baibure aisin. menggun be[5]
銀 を 準備した 金 の 器 に 必要とする 金 銀 の
金噐　　　　　　該用的金銅[6]

92b3 tetun de menggun. teišun i tetun de teišun sele i hacin de.
器 に 銀 銅 の 器 に 銅 鉄 の 物 に
噐　　該用的銀銅噐　　該用的銀[7]鉄噐

92b4 sele moo i hacin de moo jai onikino ⓐ sere wehe šanyan boco.
鉄 木 の 物 に 木 また アンチモニイ という 石 白い 色
該用[8]鉄木噐 該用的木另外阿尼既諾石 白色

92b5 hacingga boco i wehe. hono booši baros ⓒ i akdun beki wehe umesi
各種の 色 の 石 さらに 宝石 バロス の 堅 固な 石 非常に
及各色的石 諸樣寳石 並巴畧堅固石 都是

---

[1] abkai ejen：東洋本は deus に作る。
[2] de：東洋本は se に作る。
[3] abkai ejen：東洋本は deus に作る。
[4] abkai ejen：東洋本は deus に作る。
[5] be：東洋本は i に作る。
[6] 銅：徐家匯本は「銀」に作る。
[7] 銀：徐家匯本は「銅」に作る。
[8] 用：徐家匯本はこの後に「的」を有する。

93a1　labdu bi. ereci tulgiyen mini cisu ulin ci gamame mini abkai
　　　多く　ある　これ　　以外　私の　私有　財産　から　取って　私の　天の
　　　富餘的　除了我為修聖堂　預俻了金銀等物　還献我的私

93a2　ejen[1] i tanggin de buki sehe aisin menggun be mini abkai ejen[2] i
　　　主　　の　堂　に　供えたい　と思った　金　銀　を　私の　天の　主　　の
　　　財　　為主陛斯的堂　　　就是從阿費耳拿的金

93a3　tanggin i weilen i turgun ne alibume bi. enduringge deyen be
　　　　　堂　の　仕事　のため　今　献じている　聖なる　　宮殿　を

93a4　sahara gūnin aifini belhehe hacin kemuni na jen bisire dabala.
　　　　築く　考え　既に　準備した　物　さらに　地方　町　ある　だけだ

93a5　mini iktambuhangge ofir ba i aisin i ilan minggan dalento. ten i
　　　私の　　蓄えたもの　オフル　地方　の　金　の　三　千　タラント　最高の
　　　我如今献三千達楞多金　　　　　　　　　　　　還献

93b1　bolgo menggun i nadan minggan dalento ① inu. erebe baitalafi. tanggin i
　　　綺麗な　銀　の　七　　千　タラント　である　これを　用いて　堂　の
　　　七千達楞多細紋銀　　　　　　　　　　　　為掩堂

93b2　dolo fu fajiran biretei aisin de dalici ombime geli ai hacin i
　　　中の　墙　壁　尽く　　金　で　覆うこと　でき　また　あらゆる　種類　の
　　　内的墙壁　　　　　　　　　　匠人該做[3]甚麼

93b3　jaka aisin ningge. menggun ningge be weileci acara. faksisa. ere
　　　　物　金の　もの　　　銀の　　もの　を　造る　べきだ　石工達　この
　　　金銀物　　　　　　　　　　　　　　就用這

93b4　aisin menggun ci weilekini. ememu niyalma aika jaka be abkai
　　　　金　　銀　から　造るがよい　或る　　人　もし　物　を　天の
　　　金銀做　　　　　　　　倘有人願献甚麼

93b5　ejen de cihanggai alibuki seci inenggi[4] beye[5] gala be jalufi alibucina
　　　主　に　喜んで　献じたい　と思うなら　今日　自身　手　を　満たし　献じるがよい
　　　　　　　　　　　　今日只管献

94a1　sehe. geren booi ejete israyel[6] i hacingga mukūn ci bayan wesihun
　　　と言った　多くの　家の　主人達　イスラエル　の　様々な　族　から　富　貴な
　　　　　各支派的主依斯拉耶耳後代内有的富貴人

---

[1] abkai ejen：東洋本は deus に作る。
[2] abkai ejen：東洋本は deus に作る。
[3] 做：徐家匯本は「作」に作る。
[4] inenggi：東洋本は enenggi に作る。
[5] beye：東洋本は beyei に作る。
[6] israyel：東洋本は israel に作る。

94a2 niyalma. ememu minggan ememu tanggū cooha i da wang i boihon
人　何　千　何　百　軍隊 の 頭目 王 の 土地
千百兵首　　　　　　　　　　　管王產的大臣

94a3 hethe be alifi kadalara hafasa. gemu angga aljafi. abkai ejen[1]
家産 を 受けて 管理する 長達　みな 約　束して 天の 主
都口許為陡斯堂的工程

94a4 tanggin ilibure turgun sunja minggan dalento. jai emu dumen[2] jiha
堂　建てる ため 五　千　タラント また 一　万　銭
也献出了五千達楞多金 還一萬金錢

94a5 aisin ningge. emu tumen dalento menggun. emu tumen jakūn minggan
金の もの　一　万 タラント　銀　一　万　八　千
一萬達楞多銀　　　　　　　一萬八千達楞多銅

94b1 dalento teišun. juwan tumen dalento sele ningge be alibuha. ya
タラント 銅　十　万 タラント 鉄のもの を 献じた 誰か
十萬達楞多鉄　　　　　　　　　若誰

94b2 emke de booši wehe bici terebe abkai ejen i tanggin i namun de
一人 に 宝　石 あれば それを 天の 主 の　堂 の 倉 に
有寶石　　　　交給熱耳宋族的亜西耶耳入在天主堂庫内

94b3 dosimbume žerson booi yahiyel i gala de afabuha. irgese cihangga gūnin
入れて ゲルション 家の エヒエル の 手 に 渡した 民衆達 好ましい 考え
衆民悦許了這物

94b4 doroi jaka be bume angga aljarade ambula urgunjembihe. yala gemu
礼儀の 物 を 与え 約 束するので 大いに 喜んでいた 本当に みな
因至甘心要

94b5 yongkiyan mujilen i terebe abkai ejen de alibumbihe. wang taweit
全ての　心 で それを 天の 主 に 献じていた 王 ダビデ
献給天主　　　　　　　　　　王達味[3]心内滿

95a1 oci ele urgunjeme sebjeleme. geren niyalma i juleri abkai ejen be
は 最も 喜び 楽しんで 多くの 人　の前で 天の 主 を
樂　　　　　　　　當衆民面　　　讚美天主説

95a2 saišafi hendume. muse mafa israyel[4] abkai ejen[5] enteheme erin ci enteheme
讚え 言うには 我々の 先祖 イスラエルの 天の 主よ 永遠の 時 から 永遠の

---

[1] ejen：東洋本はこの後に i を有する。
[2] dumen：東洋本は tumen に作る。
[3] 達味：徐家匯本はこの後に「還」を有する。
[4] israyel：東洋本は israel i に作る。
[5] abkai ejen：東洋本は ejen deus に作る。

我們祖父依斯拉耶耳的主陡斯　從永遠到永達[1]是何[2]讃

95a3　erin de isitala saišacuka kai. ejen ai ai ambalinggū. horonggo. eldengge.
　　　時 に 至るまで 讃えるべき だぞ 主よ あら ゆる 鷹揚さ　威力　　光輝

美的　　　　　　　　　主大方大能　　　　　光榮聖[3]功

95a4　etere gungge bici. gemu siningge. saišame maktaci acara. damu sini
　　　勝つ 功績 あるなら 全部 貴方のもの 讃え 称賛する べきだ 僅かに 貴方

　　　　　　　　　単只你有該讃美的　　　　　　　　只有你

95a5　beyei teile. abka de bisirele hacin. na de bisirele hacin. yooni
　　　自身 だけだ 天 に ある全ての 物 地 に ある全ての 物　全部

　　　　　　　　因天上所有的物　　　地下所有的類　　　全是

95b1　siningge. ejen wang ni[4] soorin toose sinde bime. geli si geren
　　　貴方のもの 主よ 王 の　　位　権力 貴方に あり また 貴方 多くの
　　　你的　　王位的權　　　　　　単在你手　你還在萬王上　財

95b2　wang sa colgoropi amba wesihun bi. ulin nadan. eldengge derengge
　　　王　達 突出して 大きく　貴く ある 財　物　　光輝　立派なもの
　　　帛尊貴　　　　　　　　　是你的你掌管萬物

95b3　dade siningge. si geren be salifi kadalambi. erdemu muten sini gala
　　　第一に 貴方のもの 貴方 多く を 治め 管理する　徳　才能　貴方の 手
　　　　　　　　　　　　　　　盛能威柄都在你手

95b4　debi. sini galai jafaha amba toose geren be sini hese de dahabumbi.
　　　にある 貴方の 手が 持った 大きな 権力 多く を 貴方の 勅旨 に 従わせる
　　　　　　人物倶在你權下

95b5　uttu ofi. ne muse abkai ejen[5] be simbe saišame bi. sini
　　　この ため 今 私達 天の　主　 を 貴方を 讃えて いる 貴方の
　　　我們主陡斯我們今感讃你的大名

96a1　enduringge gebu be hūlame tukiyecembi. bi ainaha niyalma. mini irgese
　　　聖なる　　名前 を 呼び　誉める　私 どの様な 人　私の 民衆達
　　　　　　　　　　　　　　　我是何人　　　　我民又是甚

96a2　geli ai. be gelhun akū ere utala jaka be sinde angga
　　　また 何 我々 敢え て この 多くの 物 を 貴方に 約
　　　麼　　敢許這多物給你

---

[1] 達：徐家匯本は「遠」に作る。
[2] 何：徐家匯本は「可」に作る。
[3] 聖：徐家匯本は「勝」に作る。
[4] ni：東洋本は i に作る。
[5] abkai ejen：東洋本は ejen deus に作る。

96a3　aljambini. geren jaka gemu siningge be sini gala ci aliha
　　　束するか　多くの　物　全て　貴方のもの　我々　貴方の　手　から　受けた
　　　　諸¹物本都是你的　　　　　不過從你手接了如今献

96a4　hacin be sinde alibure dabala. be muse mafari sai adali
　　　もの　を　貴方に　献じる　だけだ　我々　我々の　先祖　達の　様に
　　　給你　　　　　　　　　　我們如我們的祖宗一様

96a5　fifaka fosokoi yabure antaha sa sini jakade bi. meni banjire inenggi
　　　散り　散りに　行く　客　達　貴方の　前に　いる　私達の　生きる　日
　　　在你台前是客旅　　　　　　　　　我們的歳月

96b1　na de dulere helmen i gese. jalan de goidame teci ojorakū.
　　　地　を　過ぎる　影　の　様に　世　に　久しく　留まること　できない
　　　猶如地下影過　　　　　不能久留

96b2　muse abkai ejen² sini enduringge gebu de tanggin ilibuki sere gūnin
　　　我々の　天の　主よ　貴方の　聖なる　名前　に　堂　建てたい　と思う　考え
　　　我們主陡斯為修榮你聖名的堂

96b3　meni belhebuhe hacin hacin i jaka be si sini gala i mende šangnaha
　　　私達の　備えさせた　様　々　な　物　を　貴方　貴方の　手　で　我々に　賜って
　　　預俻了的諸物　　　　　　　是從你手來的

96b4　bi. gemu siningge kai. mini abkai ejen³ si muse niyalma i⁴ mujilen be
　　　いる　全て　貴方のもの　だぞ　私の　天の　主よ　貴方　我々　人の　　心　を
　　　本都是你的　　　主陡斯我知你照鑑人心

96b5　cendere. terei unenggi be cihalarangge. bi same ofi. tuttu unenggi
　　　試し　その　誠実　を　好む者　　私　知る　ので　そのため　誠実な
　　　你也愛朴實　　　　　　　故我也實心樂

97a1　mujilen i ere tutala jaka be alibuha. geli ubade acanjiha sini
　　　心　で　これ　ほどの　物　を　献じた　また　ここに　会いに来た　貴方の
　　　献這多⁵物　　　　　　還更樂見你民　在這裡會合

97a2　geren irgen doroi jaka be sinde alibume saburede alimbaharakū urgunjehebi.
　　　多くの　民衆　礼儀の　物　を　貴方に　献じて　見る時　　非常に　　喜んだのだ
　　　給你献儀

---

¹ 諸：徐家匯本は「都」に作る。
² abkai ejen：東洋本は ejen deus に作る。
³ abkai ejen：東洋本は deus に作る。
⁴ niyalma i：東洋本は niyalmai に合綴する。
⁵ 多：徐家匯本はこの前に「許」を有する。

97a3　muse mafari abaraham. isak israyel[1] sei abkai ejen[2]. bairengge. si
　　　我々の　先祖　アブラハム　イサク　イスラエル　達の　天の　主よ　願うこと　貴方
　　　我們祖宗亜巴拉哈母　依撒格　依斯拉耶耳的主陡斯　懇求你永遠

97a4　ceni ere mujilen i gosin be enteheme bibureo. simbe ginggulere kuntulere[3]
　　　彼らの　この　心の　仁　を　永遠に　留めさせよ　貴方を　尊び　　　敬う
　　　存他們的這好心意　　　　　　　　　他們常愿恭敬你

97a5　gūnin be erin akū taksibureo mini jui salomon sini fafun targacun.
　　　　心　を　常　に　残させよ　私の　子　ソロモン　貴方の　法令　訓戒
　　　　　　　　　　　又求賞我子撒落孟　真心遵你的法度

97b1　sini dorolon i kooli be tuwakiyakini. sini hese de bireme acabukini. tanggin i
　　　貴方の　儀式　の　規則　を　守るがよい　貴方の　勅旨　に　全て　従うがよい　堂　の
　　　規誡禮儀　　　　　　　　　　　也按着行　用我親預俗的金銀等

97b2　weilen de mini beyei belhebuhe hacin hacin be baitalafi. i terebe
　　　　仕事　に　私　自身が　備えさせた　諸　々　を　用いて　彼　それを
　　　類修盖堂

97b3　ilibukini sere jalin. yongkiyan erdemungge mujilen be salgabureo. taweit
　　　建てるがよい　と　思う　ので　全ての　才能　　　心　を　天が与えよ　ダビデ
　　　　　　　　　　　　　　　　　　　　　　　　　　達味還

97b4　hono acaha geren niyalma de fafulame. suwe muse abkai ejen[4]　saiša
　　　また　集まった　多くの　人　に　命じて　お前達　我々の　天の　主　讃えよ
　　　分付在那裡的衆人説　　　　　　　你們都讃美我們主陡斯罷

97b5　sehede. geren ceni mafari sai abkai ejen[5] be saišahai niyakūrame abkai
　　　と言ったので　多くの　彼らの　先祖　達の　天の　主　を　讃えたまま　伏して　天の
　　　衆人即讃美他們祖宗[6]的[7]陡斯　　　　　　陡斯台前伏地

98a1　ejen[8] de hengkilehe manggi. teni wang de dorolon doroloho. kemuni
　　　　主　に　叩頭した　後　そこで　王　に　礼　尽くした　さらに
　　　叩頭　　　　　　　後也給王叩　　　　　　随即殺

98a2　ulha be wafi. abkai ejen de wecehe. jai inenggi toktoho kooli i
　　　家畜　を　殺し　天の　主　に　献じた　次の　日　定めた　規則　で
　　　牲祭天主　　　　　　次日按定例

[1] israyel：東洋本は israel に作る。
[2] abkai ejen：東洋本は ejen deus に作る。
[3] kuntulere：東洋本は kundulere に作る。
[4] abkai ejen：東洋本は ejen deus に作る。
[5] abkai ejen：東洋本は ejen deus に作る。
[6] 宗：徐家匯本は「們」に作る。
[7] 的：徐家匯本はこの後に「主」を有する。
[8] abkai ejen：東洋本は deus に作る。

98a3 ini¹ yongkiyan. elhe wecen i ulha minggan tukšan. minggan buka honin.
彼の 燔祭 酬恩 祭 の家畜 千の 子牛 千の 雄羊
為筵依斯拉耶耳衆人　　　　献全安二祭的牲口

98a4 honin i minggan deberen. meni meni dobocun hisan be kamcime alibuha.
羊 の 千の 子 各々の 供え物 酒 を 加えて 献じた
殺了一千小牛犢　　一千公棉羊

98a5 elhe wecen i yali. jergi jaka israyel² i geren omosi be uleburede
酬恩 祭 の肉 等の 物イスラエル の多くの 子孫達 に食べさせるのに
也配該供的物

98b1 isika bime. hono funcetele bihe. tere inenggi gemu abkai ejen i
充分 であり さらに 余るまで あった その日 みな 天の 主 の
那一日大慶在天主台前吃飲

98b2 juleri ambula urgunjeme sebjeleme jeke omihabi. jai emu mudan taweit i
前で 大いに 喜び 楽しんで 食べ 飲んだのだ もう 一 度 ダビデ の
第二次聖油傳達味的子

98b3 jui salomon be enduringge nimenggi de ijuha ⊙ abkai ejen i hese be
子 ソロモン を 聖なる 油 で 塗った 天の 主 の 勅旨に
撒落孟　　　　　照天主旨傳他

98b4 dahame imbe ijufi wang ilibuha. sadok be wecen i dalaha da i tušan de
従って 彼を 塗り 王 立てた ザドク を 祭祀 の 頭とした 頭目 の 職責に
立為王　　　還傳撒多克為捴³祭首

98b5 sindaha. tereci salomon abkai ejen i šangnaha soorin de tehe. ini
任じた それから ソロモン 天の 主 が 賜った 位 に 座した 彼の
是以撒落孟替他父達味坐天主國的位

99a1 ama taweit i funde gurun i dasa dasaha. geren de icangga ofi.
父 ダビデ の 代わりに 国 の 頭目達 治めた みな に 快い ので
他也合衆人的心意

99a2 israyel⁴ gurun i irgese inde dahahabi. yaya ejete. ambasa wang taweit i
イスラエル 国 の 民衆達 彼に 従ったのだ 全ての 主達 大臣達 王 ダビデ の
依斯拉耶耳衆後代 聽他的命　各族長有權的臣 連王達味別

99a3 juse biretei dorolonjime. gemu wang salomon i harangga niyalma oho. abkai
子供達 尽く 礼拝しに来て みな 王 ソロモン の 所属する 人 になった 天の
的子 都來行禮　認撒落孟為主　　　　　　天主使

¹ ini：東洋本は ici に作る。
² israyel：東洋本は israel に作る。
³ 捴：徐家匯本は「總」に作る。
⁴ israyel：東洋本は israel に作る。

99a4　ejen salomon be israyel[1] i geren omosi ci wesihun ambalinggū obume.
　　　主 ソロモン を イスラエル の 多くの 子孫達 より 貴く　鷹揚　にさせ
　　　撒落孟比依斯拉耶耳衆後代高貴

99a5　ini gurun i eldengge kumungge be ere emu okson de isibuha. neneme
　　　彼の 国 の 光輝　　栄華　を この 一つの 歩み に 及ぼした 先に
　　　賞他國光榮體面到這一步　　　　　　　　　　　他以前

99b1　bisire israyel[2] i wang sade[3] adali gurun umai akū. isai i jui taweit
　　　いる イスラエル の 王 達に 似ている 国 全く ない エッサイ の 子 ダビデ
　　　沒有王能比他　　　　　　　　　　　依撒意的子達味管

99b2　israyel[4] gurun i geren irgen be salifi kadalaha israyel[5] i[6] gurun i dasan
　　　イスラエル 国 の 多くの 民衆 を 治め 管理した イスラエル の 国 の 政務
　　　依斯拉耶耳衆民的年[7]

99b3　dasara aniya. dehi aniya inu. heberon de nadan aniya yerusalem de
　　　治める 年　四十　年 である ヘブロン で 七　年 エルサレム で
　　　　　　　　　有四十年　　　在黒柏隆[8]城管了七年日露撒冷内管了

99b4　gūsin ilan aniya wang ni[9] soorin de tehe golmin jalafun de isinafi.
　　　三十　三　年　王 の　位 に 座した 高　齢 に　達し
　　　三十三年

99b5　se inenggi. ulin nadan. eldengge derengge gemu jalutala bifi sain i urihe.
　　　歳　日　財　物　　光輝　立派なもの 全て 満ちるまで あり 安泰 に 死んだ
　　　歳数財帛　　　　　光榮體面　　　　都滿了安泰崩了

100a1　ini jui salomon ini soorin be siraha. wang taweit i nenehe amaha
　　　彼の 子 ソロモン 彼の 位 を 継いだ　王 ダビデ の　前　　後の
　　　他子撒落孟　接他的位　　　　王達味前後的功

100a2　gungge. jidere unde baita be hafure saisa samuwel i cagan baita be
　　　功績　起こらない 事 を 知る　賢者 サムエル の 文書 事 を
　　　　　　寫在先知撒木耳書上

100a3　doigomšome alara juwe mergese nadan. gat i juwe bithe de arahabi
　　　あらかじめ　告げる 二人の 賢者達 ナタン ガデ の 二つの 文書 に 書いていた
　　　　　　　　並那丹加得二先知者書上

---

[1] israyel：東洋本は israel に作る。
[2] israyel：東洋本は israel に作る。
[3] sade：東洋本は sa de に分綴する。
[4] israyel：東洋本は israel に作る。
[5] israyel：東洋本は israel に作る。
[6] i：東洋本はこの一語を欠く。
[7] 管依斯拉耶耳衆民的年：徐家匯本は「管依斯拉耶耳衆民，管了依斯拉耶耳衆民的年」に作る。
[8] 黒柏隆：徐家匯本は「黒栢隆」に作る。
[9] ni：東洋本は i に作る。

100a4　ⓤ bithei dolo taweit i fonde ememu ini gurun. ememu israyel[1] gurun.
　　　　　文書の 中で ダビデ の 時に 或いは 彼の 国　或いは イスラエル　国
　　　達味在位時　　　　　　　　或依斯拉耶耳國 或別國内有的英勇

100a5　ememu abkai fejergi yaya gurun de bisire amba baita kūbulin gemu ejehebi.
　　　　或いは 天の 下の 全ての 国 に ある 大きい 事　奇事を 全て 記したのだ
　　　奇事 都記[2]載這書上

100b1　sure gisun
　　　解く 言葉
　　　註觧

100b2　ⓐ gu wehei emu hacin ⓒ baros uthai mederi i dorgi bisire emu tun i
　　　　　玉 石の 一つの 種類　バロス 即ち　海 の 中に ある 一つの 島 の
　　　是玉石一類　　　　　　　或[3]巴畧或巴落斯是[4]海中的一島[5]

100b3　gebu inu. ⓘ aisin ocibe. menggun ocibe. teišun sele ocibe. emu
　　　　名前 である　金 でも　銀　でも 銅　鉄 でも 一
　　　　　　無論金銀銅鉄　　　　　　　　　　　　　一

100b4　dalento fuwen yan. ubai jakūnju nadan ginggin inu. ⓞ tuktan mudan žihon
　　　　タラント 重 量 ここの 八十　七 斤 である　初 回 ジホン
　　　達楞多分両捴是八十七斤　　　　　　　　　起初撒多克[6]那丹

100b5　bade saduk[7]. nadan se imbe enduringge nimenggi i ijuha bihe. ⓤ ere
　　　　地方で サドク ナタン 達 彼を　聖なる　　 油　で 塗って いた　この
　　　二祭首在日紅地方　傳他聖油

101a1　bithe aifini ufarahabi.
　　　文書 既に 失われている
　　　早[8]已失了[9]

---

[1] israyel：東洋本は israel に作る。
[2] 記：徐家匯本は「紀」に作る。
[3] 或：徐家匯本はこの一字を欠く。
[4] 是：徐家匯本は「或」に作る。
[5] 島：徐家匯本はこの後に「此島出上等白寳石」を有する。
[6] 撒多克：徐家匯本は「撒克多」に作る。
[7] saduk：東洋本は sadok に作る。
[8] 早：徐家匯本はこの前に「那丹、加得這二先知的書」を有する。
[9] 了：徐家匯本はこの後に「如達斯國衆王經尾增的總綱 卷一終」を有する。

満洲語語彙索引

＜凡例＞

・ 本章は，満漢合璧版『古新聖經』の全満洲語語彙を対象とする索引である。一般語彙と人名・地名に分けて収める。

・ 語彙の配列は満洲文字ローマ字転写の abc 順による。

・ 当該語彙の出現箇所は本文の葉・表裏・行をもって示す。

・ 同じ語彙でも品詞が異なる場合は（　）内に品詞の略称を記す。用いた略称は次の通り：c.suf.＝格語尾；n.＝名詞；pron.＝代名詞；suf.＝語尾；v.＝動詞。

・ 不規則変化の動詞を除き，一単語内における動詞語幹と活用語尾をハイフンで区別する。

・ 代名詞，疑問詞および一部の慣用的な表現を除き，格語尾は合綴（一単語内に綴られるもの）と分綴（前の単語と切り離されるもの）を区別せず，一律に独立した形で収める。また，文末の終助詞等についても同様の扱いとする。

・ 同一と思われる語彙や人名・地名が異なる綴りで現れている場合にも，統一せずそれぞれの綴りで収める。

<a>

abka   7b2, 10a4, 16a2, 18a1, 18a3, 18b2,
   18b4, 18b4, 22b1, 27a4, 44a2, 46b2,
   81b4, 91a1, 91b3, 95a5, 100a5

abkai ejen   1a5, 1b4, 2a3, 2a4, 2a5, 2b2, 3a1,
   3a2, 3a3, 3a5, 3a5, 3b2, 3b3, 4a2, 4b4,
   5b2, 5b4, 6a1, 6b1, 6b2, 6b5, 7a1, 7a3,
   7b2, 7b2, 7b5, 8a2, 8a3, 8a4, 9b1, 9b2,
   9b4, 9b5, 10a1, 11b4, 12a2, 12a3, 12a4,
   12b4, 12b5, 13b4, 13b5, 14a2, 14a5,
   14b1, 15a1, 15a3, 15a4, 15b2, 15b3,
   16a2, 17a1, 17a5, 17b3, 17b5, 18a3, 18a4,
   18a5, 18b3, 19a1, 19a1, 19a2, 19a4, 19b2,
   19b3, 19b5, 20a5, 20b1, 20b2, 20b5,
   21a2, 21b2, 21b2, 21b4, 22a2, 22b3,
   23a1, 23a5, 23b2, 23b3, 23b4, 25a4,
   26a1, 26a3, 26a4, 26b2, 27a3, 27a4, 27a5,
   27b4, 27b5, 28a3, 28a4, 28b2, 30a4,
   31a3, 31b1, 35a5, 35b1, 40b3, 41b3,
   41b5, 42a2, 42a4, 42b1, 42b4, 42b5,
   43a1, 43a3, 43a4, 43a5, 43b1, 43b3,
   43b5, 44a1, 44a4, 44b1, 44b3, 44b5,
   44b5, 45a5, 46a1, 46a4, 46a5, 46a5, 46b1,
   46b3, 46b5, 47a1, 47a3, 47a5, 47b2,
   48a2, 48a4, 49a1, 49a4, 49b1, 49b2,
   50b1, 50b1, 50b2, 50b3, 50b4, 50b5,
   51a1, 51a4, 51b5, 52a4, 52a5, 52b1,
   52b1, 52b2, 52b2, 52b5, 53b4, 54a2,
   55a2, 55a4, 55b1, 56b1, 56b3, 57a1,
   57a3, 57b2, 57b3, 57b5, 58a2, 60a2,
   61b5, 62a2, 63b3, 65a4, 65b2, 65b4,
   66a1, 66a3, 66a5, 70a4, 71b2, 73a3, 73b2,
   74a3, 74a5, 75a5, 76a1, 76b4, 76b5, 77a2,
   81b4, 82a1, 85a3, 85a3, 85a5, 85b3, 86a4,
   86b5, 87a1, 87a4, 87a5, 87b2, 88a1, 88a4,
   88a5, 89b2, 89b5, 90a3, 90a4, 90b5,

91a1, 91b2, 92a2, 92a5, 92b1, 93a1, 93a2,
   93b4, 94a3, 94b2, 94b5, 95a1, 95a2,
   95b5, 96b2, 96b4, 97a3, 97b4, 97b5,
   97b5, 98a2, 98b1, 98b3, 98b5, 99a3

absi   43a2, 49b3, 70b4, 75b4

aburi   25a1

aca   44b4

aca-fi   19a5

aca-ha   1a4, 53b2, 86b5, 92a2, 97b4

aca-mbi   8a2, 9b3, 57a1

aca-mbihe   15a2, 20b2, 62a1, 64a4, 71b3

aca-ra   57a5, 88a5, 93b3, 95a4

aca-rangge   50b2, 53a1

acabu   41a2

acabu-fi   54a2, 71a5

acabu-ha   25b1, 46b1

acabu-kini   97b1

acabu-me   11a2, 64b3, 66a2

acabu-re   48b2, 51b1, 88b4

acabu-rengge   88b2

acana   42a4

acana-ci   1a5

acana-rakū   41b2

acandu-ha   34b1

acanji-ha   97a1

acin   27b4, 28a2, 28a3, 40b5

acinggiya-ra   17a3

ada-mbihe   72b1

adali   12b2, 16b1, 39a3, 71b2, 77a3, 89b2,
   96a4, 99b1

adalingga   27a2

adarame   9b5, 17a5, 19b2, 23b2, 35b1, 43a2,
   88a4

adun   24b1

afa-ci   5b3

afa-habi   36a4, 39a3

afa-hai   74a5

afa-kini   35b1

afa-mbihe   36b2

afa-me   5b4, 30b5, 35a1, 35b2, 37b2, 38b3,
    41b1

afa-ra   29a5, 34b5, 37b4, 85b1

afabu-ci   57a4

afabu-ha   20a2, 26a2, 35a2, 41b1, 49a5,
    53b5, 64b4, 71b1, 85b4, 90a1, 91b5,
    94b3

afabu-mbihe   74b5

afabu-me   23b3

afana   6b3

agūra   10a3, 11a3, 12b5, 14b4, 21a3, 54a2,
    64b3, 88a5, 90a4

aha   23b4, 24a5, 26b1, 26b4, 26b4, 27b5,
    28a4, 28a5, 28b1, 28b3, 28b3, 42a1

ahasi   15b5, 30a5, 33a4, 33b1, 36b3, 40b4

ahūn   39b1, 64a1, 81a1

ahūta   1b1, 10b1, 10b2, 58a3, 63a2, 71b2

ai   1b1, 1b1, 17a1, 17a1, 19a5, 19a5, 21b4,
    21b4, 26a1, 26a2, 26a4, 26a4, 26b3, 27a4,
    30a4, 33a3, 38b1, 38b1, 44b1, 49a1,
    49a1, 51b3, 51b3, 57a4, 57a4, 64b5,
    71b3, 74a1, 74a3, 74b4, 87a5, 87a5, 88a5,
    90b1, 90b1, 93b2, 95a3, 95a3, 96a2

aibide   30a4

aifini   77a2, 93a4, 101a1,

aika   1a4, 50b5, 58b2, 86b2, 93b4

aina-mbi   41a1

ainaha   96a1

ainame   45b3

ainci   23a1, 45b1

ainu   24a4

aisi   89a5

aisila   35a4, 52a1

aisila-habi   30a4

aisila-ki   90b2

aisila-me   34b4, 36b3

aisila-rakū   37a1

aisilan   21b3

aisin   30a5, 31a1, 31a3, 38a1, 40a1, 46a3,
    51a4, 51b3, 88b1, 88b3, 88b4, 89a2,
    89a4, 89b2, 89b2, 92b2, 92b2, 93a2,
    93a5, 93b2, 93b3, 93b4, 94a5, 100b2

aitubu-ha   17b1

aitubu-ki   30a1

aitubu-re   19a4, 27b1

aitubu-reo   19a5

aji   54a5, 54b4, 55b2, 55b5, 55b5, 56a1,
    62a5, 63b3, 69b5, 70a2, 71a3, 77a2

ajige   16a2, 16b4, 22a1, 48b5, 66b1, 71b5,
    73a1, 89a3

ajigen   26a5, 63a2

akda-fi   28b1

akdula-fi   25a5

akdula-ha   16b1

akdula-ki   86b4

akdula-me   50a5

akdun   18a2, 25b3, 26a1, 71a1, 92b5

akū   3b1, 9b2, 9b3, 12a4, 14b2, 15b4, 17b5,
    17b5, 19a4, 21b4, 21b5, 21b5, 22b1,
    22b4, 22b5, 25a2, 25b5, 27a2, 27a3,
    28b5, 36b5, 38a3, 41b3, 47a3, 47b2,
    48b3, 49a2, 50a1, 51b4, 55a5, 55b4,
    56a3, 57a5, 57b5, 58b4, 59a4, 62b4,
    64a2, 66b2, 71a3, 71b3, 74a5, 82a3, 87a3,
    91a2, 96a2, 97a5, 99b1

akūmbu-re   14a5, 70b4

akūngge   21a1, 26a1

ala-ha   36a2, 44b5

ala-habi   26a3, 88b3

ala-kini　17b1

ala-me　25a4

ala-ra　100a3

albabun　30a3

alban　29a5, 71b3, 76a2, 77b2

algimbu-ha　7a2

ali-fi　11b2, 57a2, 74a4, 82b5, 94a3

ali-ha　32a1, 32b3, 71b2, 81b5, 96a3

ali-habi　59a5

ali-mbihe　63b4

alibu　18a5

alibu-ci　20b2, 57a4, 74b5

alibu-cina　93b5

alibu-ha　14a1, 14a1, 22b3, 31a3, 41a4, 46b4, 94b1, 97a1, 98a4

alibu-habi　12a5, 52b2

alibu-hangge　74a4

alibu-ki　93b5

alibu-mbi　45b5

alibu-mbihe　94b5

alibu-me　93a3, 97a2

alibu-re　46a1, 57b3, 96a4

aliha-ci　33b4

alimbaha-rakū　97a2

alin　5b2, 6a5, 31a4, 48a5, 82b5, 83a1

ališa-mbime　3a4

aliya-ra　47b1

alja-fi　6b2, 94a3

alja-ha　28b3

alja-mbi　96a3

alja-me　2a5

alja-ra　94b4

alja-rakū　90a5

aljabu-ha　25b4

aljabu-rakū　25b5

ama　25b3, 32b5, 33a1, 33a3, 44b2, 50a4, 59a4, 61b5, 65a1, 65a3, 65b5, 71a3, 78b4, 85b3, 86a1, 86a1, 86b2, 87a4, 99a1

amaga　87a2

amaha　22a5, 26b1, 100a1

amala　19b4, 20b3, 27b2, 29a3, 37b5, 38b2, 54a4, 56b5, 62b3, 83b3

amargi　2b5, 34b5, 72a1, 72b2

amasi　21a5, 33b2

amba　12a2, 16a2, 17b3, 22a1, 24a5, 26a5, 26b5, 27a1, 28a3, 30b3, 31b3, 33b4, 36a2, 36b2, 37b2, 38b1, 42a1, 43a4, 53a1, 57b4, 63a1, 66b1, 71b4, 74a3, 83b5, 85a4, 92a4, 95b2, 95b4, 100a5

amban　83a5, 83b2

ambasa　1a3, 17a3, 32a2, 33a2, 53b1, 60a2, 60a3, 63b3, 83b4, 84b2, 86b5, 90b2, 99a2

ambakila-kini　18a4

ambalinggū　95a3, 99a4

ambara-me　18b1, 36b4

ambula　38b4, 47a2, 94b4, 98b2

an　15a5

ana-me　20a1, 54a4, 57b5, 61b4, 63a1, 64b4, 71b4, 88b5

anabu-ha　36b4

anafu　30a3, 31a5

angga　15b5, 28b3, 81b4, 94a3, 94b4, 96a2

anggala　21a5, 41b3, 43a3, 75b3, 76b5

anggara　30b2

aniya　37b2, 42b2, 47b1, 47b2, 75b3, 77b5, 78a3, 99b3, 99b3, 99b3, 99b4

aniyadari　77b2

antaha　16b4, 96a5

ara-fi　90a1

ara-ha　91a4

ara-habi 60a5, 100a3

ara-hangge 60a5

ara-me 38a3, 46b5, 51b4, 54a1, 89b4

ara-ra 22b2, 30b5, 48b2, 88b5, 89a2

arbun 17b5, 89a4, 91a3, 91b1

arbuša-ra 91b1

arsalan 89a3

arsalan 89a4, 89a5

asara-ra 82b3

asha 89b2

ashangga 91a2

asiha 92a3

asihata 91a3

asuki 6b4

asuru 1b3

ašša-cina 18b1

aššabu-fi 43b4

aššabu-rakū 25a1

<b>

ba 1b1, 1b5, 2a2, 2a3, 3a4, 3b1, 3b2, 4b2,
    5b5, 6a2, 6a3, 7a3, 7a3, 8a5, 13a5, 15b2,
    16b2, 16b2, 16b4, 17a1, 18a2, 20a5,
    22a2, 23a1, 23a1, 24a2, 24b2, 24b5, 29a4,
    29b1, 31a2, 31a4, 31b1, 33a2, 33a4,
    33b5, 34a3, 34b1, 35b4, 36b5, 37b3,
    38b3, 39a3, 41a2, 41b3, 42a1, 42b5,
    45a5, 46a2, 47a1, 48a3, 48b3, 52a3, 52b5,
    55a3, 57a3, 57a3, 58a1, 58b4, 60a2, 63b2,
    64a2, 66b2, 71b4, 72b4, 78a4, 79a3,
    79b2, 79b3, 79b5, 80a2, 80a4, 80b1,
    81a5, 82a3, 82b2, 82b3, 82b4, 83a1,
    83a2, 83a3, 83a4, 83b3, 87a2, 87a5, 87b5,
    91a1, 93a5, 100b5

baba 7a2, 75a2

badarambu-ki 29b2

baha 29b3, 30b1, 38a3, 42a1, 72a3, 72a5

baha-ci 21b3

baha-fi 4b4

baha-kini 87a2

baha-mbi 87b1

bahabu-ha 7a4, 24b4

bahana-ha 66a5

bahana-rangge 51b4

bai 46a1

bai-ci 2a4, 87b1

bai-ha 46a5

bai-ki 28b2

bai-me 4a2, 4a3, 5b3, 36b4, 45a4

bai-re 6b2, 15b3, 46b1, 47a

bai-rengge 27b5, 40b3, 42a1, 44b1, 50b4,
    97a3

baibu-ha 59b4

baibu-rakū 56b5

baibu-re 85a5, 88b1, 89a2, 92b2

baibule-re 49a2

baica-ha 41a3

baica-me 57b1

baihana-rangge 41b1

baili 32b5

baisu 15b3, 15b4, 21b5, 52a5

baita 8a4, 9b3, 14b1, 15b4, 16a2, 20a1, 22a1,
    22a5, 23a4, 26a2, 26b1, 27a1, 27b2, 28a1,
    29a3, 30a4, 31b4, 36a2, 40b5, 41a1,
    41b2, 49b3, 53b5, 55a3, 56b2, 57a2,
    58a3, 62a1, 64a1, 66a3, 74b2, 76a2, 82a1,
    84b2, 88b2, 90b1, 100a2, 100a2, 100a5

baitala-ci 49a3, 88a5

baitala-fi 6a1, 46a2, 93b1, 97b2

baitala-ha 30a5

baitala-ki 87b3

baitala-mbihe 12b5, 21a3, 65b3

43b2, 43b2, 43b4, 44a1, 44a3, 44a4, 44a5, 44b2, 44b2, 44b2, 44b3, 44b4, 44b4, 44b5, 45a1, 45a2, 45a3, 45a3, 45a5, 45b1, 45b1, 45b4, 45b4, 45b5, 46a1, 46a1, 46a2, 46a2, 46a3, 46a4, 46a4, 46a5, 46b2, 46b3, 46b4, 47a2, 47a3, 47b1, 47b1, 47b2, 47b3, 48a4, 48a5, 48a5, 48b1, 48b1, 49a1, 49a2, 49a3, 49a4, 49a5, 49b1, 49b4, 50a3, 50a3, 50a5, 50a5, 50b2, 50b2, 50b3, 50b3, 50b4, 50b5, 51a2, 51a4, 51b2, 52a2, 52a3, 52a5, 52b1, 52b5, 53a1, 53a2, 53a5, 53b1, 53b2, 53b4, 53b5, 54a1, 54a2, 54a4, 55a1, 55a2, 55a3, 55a4, 55a5, 55b3, 56b2, 56b3, 56b4, 56b5, 57a2, 57a4, 57b1, 57b2, 57b5, 58a1, 58a2, 58a3, 58b3, 59a5, 59b2, 59b3, 59b4, 59b5, 60b2, 61b4, 62a1, 62b3, 62b3, 63a3, 63a4, 63b4, 63b5, 64a1, 64a3, 64a4, 64b2, 64b4, 64b4, 65a1, 65a4, 65b2, 65b3, 65b4, 65b5, 66a3, 66a5, 66a5, 66b2, 66b2, 69b3, 69b4, 70b4, 71a3, 71b1, 71b4, 72a3, 72a4, 73a4, 73b3, 73b4, 73b4, 73b5, 73b5, 74a1, 74a1, 74a2, 74a3, 74a5, 74a5, 74b2, 74b3, 74b5, 75a1, 75a2, 75a5, 75b1, 75b3, 75b5, 76a2, 76b3, 76b4, 76b5, 77a2, 77b5, 78a4, 78b2, 78b5, 81b3, 81b5, 82a1, 82a4, 82b2, 82b2, 82b5, 83a1, 83a2, 83a3, 83a3, 83a4, 83b2, 84b3, 84b4, 85a1, 85a2, 85a4, 85a4, 85a5, 85b1, 85b2, 85b4, 85b5, 86a1, 86a3, 86a3, 86a4, 86a5, 86b1, 86b3, 86b4, 87a1, 87a1, 87a2, 87a4, 87a5, 87b1, 87b4, 88a2, 88a2, 88b2, 88b3, 88b5, 88b5, 89a1, 89a4, 89a4, 89a5, 89a5, 89b1, 89b2, 89b3, 89b4, 89b5, 90a4, 90b3, 90b5, 91b2, 91b3, 91b4, 91b4, 92a3, 92b2, 92b2, 93a2, 93a3, 93b3, 93b4, 93b5, 94a3, 94b1, 94b4, 95a1, 95b3, 95b4, 95b5, 96a1, 96a2, 96a4, 96b3, 96b4, 96b5, 97a1, 97a2, 97a4, 97a5, 97b1, 97b2, 97b3, 97b5, 98a2, 98a4, 98a5, 98b3, 98b3, 98b4, 99a4, 99a5, 99b2, 100a1, 100a2, 100a2

be (pron.)   1a5, 19a5, 96a2, 96a3, 96a4

bedere-he   21a4, 35b4, 38b2

beide-mbihe   31b3, 75a2

beide-me   16a3, 19a2

bederenji-he   41a3

beiden   15b5, 50b5, 86b3

beidesi   24a3, 25a2, 53b5

beki   71a1, 92b5

beleningge   51b2

belhe-fi   8a1

belhe-he   8a5, 13b4, 48b2, 92b2, 93a4

belhe-hebi   85a5

belhe-me   51a4

belhe-re   49a2

belhebu-he   9b1, 96b3, 97b2

bene-cina   9b1

bene-he   3b2, 33b3

benji-he   30b1, 48b4

benju   40b2

bethe   3a1, 29b4, 33b2, 39a4

beye   2b4, 8a5, 9b5, 9b5, 11b1, 26a4, 27b1, 27b2, 30b4, 34a2, 35a3, 38a2, 38a5, 39a3, 42b3, 44a5, 44b2, 45a3, 47b2, 47b3, 49a4, 53a5, 55a3, 65a1, 66b4, 71a1, 74a4, 75a1, 78b3, 84b3, 84b5, 85b4, 87a2, 88a3, 90a2, 90b5, 91a2, 93b5, 95a5, 97b2

bi (pron.)   5b4, 23a5, 24a1, 24a3, 24a5, 24b2,

25a2, 25b2, 25b3, 32b4, 35a4, 40b1, 41b5, 42a5, 44a5, 44a5, 45b3, 48b5, 49b1, 49b5, 50a2, 50a4, 50a5, 51a3, 85a3, 86b1, 86b2, 86b4, 89b4, 92a5, 96a1, 96b5

bi (v.)　3a5, 7a1, 18a2, 18a2, 23a5, 23b1, 23b2, 24a4, 25a4, 27a5, 37a4, 46a2, 47b3, 49b5, 51b3, 52a2, 73a5, 87a1, 90b2, 93a1, 93a3, 95b2, 95b4, 95b5, 96a5, 96b4

bi-ci　1a5, 31b1, 48a3, 74a4, 90b1, 94b2, 95a4

bi-cibe　21b4, 55b4, 86a3, 91a2

bi-fi　3b3, 6b3, 11b3, 22b4, 24b2, 39a5, 62a1, 78a5, 90a5, 99b5

bi-he　8b3, 10a1, 12b2, 12b3, 16b3, 19b2, 20b3, 22a3, 22b5, 24a2, 25b4, 31b5, 32a5, 35b2, 38a2, 39b5, 45a3, 47a1, 47a2, 47b1, 47b4, 50b3, 55b4, 58a4, 58b2, 59a3, 62a2, 64a4, 64b5, 65b2, 69b1, 70b3, 71a4, 72a2, 72a4, 73a3, 74b2, 75b2, 76b5, 77a2, 77a5, 78a3, 79a4, 79b2, 80a1, 80a5, 80b2, 82a1, 83b3, 84a4, 91a5, 98b1, 100b5

bi-kini　19b3, 58a1

bi-me　7a2, 16b4, 19a3, 27a1, 27b4, 29a4, 37b3, 46a4, 48b5, 83b1, 95b1, 98b1

bibu-fi　23a2

bibu-habi　49a4

bibu-he　19b5, 31b1, 74b4

bibu-hebi　51a5

bibu-kini　87a3

bibu-re　29b5

bibu-reo　97a4

bileri　12b4

bira　36a3, 75a4

bire-me　2a1, 18a3, 52b2, 97b1

bire-tei　93b2, 99a3

birgan　1b5

bisire　1b1, 2a2, 20a5, 38a5, 39b2, 40b3, 42b5, 44a2, 51b5, 56a3, 64a3, 75a4, 75b4, 81a5, 82a5, 82b3, 93a4, 99b1, 100a5, 100b1

bisirele　3b4, 18b5, 95a5, 95a5

bisireo　50b1

bisu　33b5

bišu-ha　3a2

bithe　1a1, 20b3, 37a3, 40b1, 40b2, 41a3, 41b3, 75b4, 81b3, 100a3, 100a4, 101a1

bithesi　31b5, 60a3

biya　3b3, 42b3, 57b4, 77b2, 77b5, 78a3, 78a4, 78b1, 78b5, 79a2, 79a4, 79b1, 79b3, 79b5, 80a2, 80a4, 80b1

boco　92b4, 92b5

bodo-ci　48b4, 51b1

bodohon　50b4

boigon　82b1

boihon　16b3, 83a4, 84b4, 94a2

bolgo　89b2, 93b1

bolgobu-re　87b5

bolgomi-ha　9b5

bolgomi-re　57a3

bolhomi-kini　9a5

boo　2a5, 3b2, 3b3, 3b3, 9a5, 12a3, 18a3, 21a4, 21a4, 23a5, 24a4, 25a4, 25b5, 26a4, 26b1, 27b5, 28a4, 28a5, 28b3, 28b4, 44b2, 54a3, 54b2, 55a1, 56a5, 59b1, 59b2, 59b2, 59b3, 59b4, 59b4, 59b5, 60a5, 60b1, 60b1, 60b2, 60b2, 63a1, 63a3, 63b5, 63b5, 70b1, 70b5, 71b4, 73a1, 73a1, 73a2, 73a5, 73b2, 74a2, 75a1, 75a3, 75b2, 75b2, 75b3, 76a1, 76b2,

76b5, 77b4, 79b4, 80a2, 80b5, 82b3, 83b4, 85b3, 86a1, 87b5, 92a5, 94a1, 94b3

boobai 74a1

booingge 66b3, 70b4

boola-kini 18b4

booši 38a2, 92b5, 94b2

bošo-ro 24b1

bu 45a5

bu-he 14a5, 24a3, 46a3, 88a3, 89a1, 89a3, 89b2

bu-ki 45b5, 86a5, 93a2

bu-me 94b4

buce-fi 56a3, 59a4

buce-he 3a3, 77a2

buce-hebi 43b1

buce-re 43b3

buheliye-re 89b3

bujan 19a1

buka 12a5, 98a3

burde-ci 15a2

burde-mbihe 11b5, 21a2

buren 2b4, 11b5, 12b4, 15a2, 21a2

burla-ha 36a5

burla-ra 35b3

burlabu-ha 35b3

butu 87b5

\<c\>

cagan 82a3, 100a2

cahan 31b4, 60a5

canggi 29b5, 56a3

cargi 36a1, 75a4

caru-ha 14a4, 57a5

ce 20a5, 20b5, 24b5, 25a3, 33a1, 35b3, 39b2, 40b4, 57a1, 61b5, 65a3, 66a4, 66b1,

70b1, 70b4, 73a3, 73b2, 76a1

ceci 6b2

cembe 1b2, 5b1, 5b3, 5b4, 6a1, 8a4, 17a2, 29a3, 33b3, 35a2, 35b3, 36a2, 38a4, 54a4, 56a4, 59a5, 76a2, 81b4, 91a3

cenci 78b4

cende 6b2, 7a4, 20a2, 53b5, 57a4, 64b4, 71b1

ceni 6a3, 10a5, 10b2, 16b4, 17a2, 27b4, 30a1, 33b2, 36b3, 38a5, 40b2, 53b2, 58a3, 59a3, 61b5, 63a2, 63b3, 66a4, 70b4, 71a1, 71b2, 91a1, 97a4, 97b5

cende-re 96b5

ci 1b5, 1b5, 2a3, 2a5, 7a1, 10b1, 10b2, 12a3, 14a2, 15a5, 16b5, 17b4, 19a5, 19b2, 23a1, 24a1, 24a1, 25b4, 25b4, 26b2, 26b3, 27b1, 30b2, 31a2, 33b2, 34a3, 34b1, 35a1, 35b3, 36b1, 38a1, 38a2, 38b4, 39a4, 40a5, 40b3, 42a4, 42b3, 43b5, 45a4, 46a5, 48a5, 53b2, 56b2, 56b5, 59b3, 64a1, 69b3, 70b5, 71a2, 72a5, 73a5, 75a3, 79b4, 85b3, 85b5, 89b2, 93a1, 93b4, 94a1, 95a2, 96a3, 99a4

cihai 42a5, 42b2

cihala-rangge 96b5

cihangga 87a4, 94b3

cihanggai 45b5, 90b3, 93b5

ciksin 75b5

cincil-ame 33a5

cingkai 23b2, 45b2

cira 15b4, 18b1, 21b5

cisu 93a1

cohome 51a1, 65b3, 87b3

colgoro-ko 15a5

colgoro-me 28b2

colgoro-pi 95b2

coli-mbihe 91a3

cooha 1a3, 5b1, 6a3, 7a2, 12a1, 24a5, 28a3,
　　29b1, 29b2, 29b4, 30a3, 30b3, 31a4,
　　31a5, 31b3, 34a4, 34b1, 34b2, 34b3,
　　35a1, 35a3, 35b2, 35b3, 35b5, 36a1,
　　36a3, 36a4, 36a5, 36b2, 36b3, 36b4,
　　37b2, 38b2, 39b1, 39b3, 64b2, 74a3,
　　77b3, 77b4, 78a3, 78a4, 78b2, 78b5,
　　79a4, 80a3, 83b5, 84b3, 84b4, 84b5,
　　94a2

coohala-ha 38b5

coohala-ra 49b3

cuwangna-me 37b3

<d>

da 1a3, 1b1, 1b1, 4a2, 8a2, 8b1, 8b2, 8b3,
　　8b4, 8b5, 9a1, 9a2, 9a3, 9a3, 9b4, 9b4,
　　10a2, 10a5, 11b1, 11b1, 11b4, 12a1, 12a4,
　　12b1, 12b2, 14b2, 14b2, 14b3, 14b5,
　　15a1, 15a3, 20a4, 20a4, 20b4, 21a4, 21a5,
　　22b3, 23a1, 24b2, 31b5, 32a2, 32b4,
　　40a5, 47a5, 51b5, 53b1, 53b1, 53b2,
　　53b5, 54b2, 55b3, 56b1, 56b1, 56b2,
　　56b3, 56b4, 57b1, 57b2, 59a2, 59a5,
　　60a4, 60a4, 60a5, 60b1, 63a3, 63a3, 63b2,
　　64a2, 64a3, 64a4, 66a5, 69b3, 70b1, 71a3,
　　71b2, 72b2, 73a1, 73a2, 73b2, 73b4,
　　74a3, 75a1, 75a2, 76b3, 77a1, 77a3, 77a3,
　　77b5, 78a1, 78a3, 78a4, 78b2, 78b5,
　　79a3, 79a4, 79b1, 79b5, 80a2, 80a4,
　　80b1, 80b3, 80b4, 80b4, 80b5, 80b5,
　　81a1, 81a2, 81a2, 81a3, 81a3, 81a4, 81a5,
　　81b1, 81b2, 81b2, 82a4, 82a5, 82b1,
　　82b2, 82b3, 82b4, 82b4, 83a1, 83a5,
　　84b3, 84b5, 85b5, 88a2, 88a3, 88a3,
　　90b1, 90b1, 94a2, 95b3, 98b4, 99a1

dabaha 2a2, 11b3, 22b3, 42b1, 49a2, 50a4,
　　51b5, 86b1, 90b3, 93a4, 96a4

dabali 25a3, 26b5, 51b1

dabsun 31a4

dabukū 89a3

dabu-re 89b1

daha-ci 64a4

daha-ha 36b5

daha-habi 99a2

daha-kini 7a3, 57a4, 58a4

daha-me 7a1, 28b4, 29a5, 45a1, 65a4, 98b4

daha-mbi 52a4

daha-ra 90b3

dahabu-mbi 95b4

dahala-mbihe 8b5, 10b3

dahala-me 66a1

dahala-ra 2b2

daila-me 5b1, 29a3, 74a5

dain 34b1, 38b3, 38b5

dala-ha 4a2, 9a3, 60a4, 63b2, 98b4

dala-hangge 62a4, 71a2

dalento 34a2, 38a1, 40a1, 51a5, 51a5, 93a5,
　　93b1, 94a4, 94a5, 94b1, 94b1, 100b4

dali-ci 93b2

dali-re 84b3

dalji 44b1

daljingga 90a4

damu 4a2, 7b2, 17b5, 22b2, 23b3, 29b5,
　　45a3, 47b1, 49b2, 59b2, 72b4, 78a4,
　　82a1, 85a5, 86a3, 95a4

dari 22a1, 57b3

daruhai 15a2, 20b1

dasa-ha 99a1

dasa-ra 99b3

dasame 6b1

dasan 99b2

de 1a4, 1a4, 1a5, 1b1, 1b2, 1b3, 2a1, 2a2, 2b1, 2b4, 2b4, 3a1, 3a5, 3b1, 3b2, 3b2, 3b3, 5a1, 5a5, 5b3, 5b5, 5b5, 5b5, 6a2, 6a3, 6a5, 6b2, 6b4, 7a1, 7a2, 7a3, 7b5, 8a1, 8a5, 8b1, 9b3, 10a2, 10a4, 10b4, 11a1, 11a5, 12a1, 12a4, 12b2, 13a1, 13a3, 13b4, 13b5, 14a1, 14a2, 14a3, 14a3, 14a4, 16a3, 16a4, 16b1, 16b1, 16b4, 16b5, 17a1, 17b2, 17b2, 18a2, 18b3, 18b5, 19a3, 19b2, 19b2, 19b4, 20a4, 20a5, 20b1, 20b2, 20b2, 20b3, 20b4, 21a2, 21a4, 21a5, 21a5, 21b5, 22a2, 22a3, 22b1, 22b3, 22b4, 23a1, 23a2, 23a4, 23a4, 23a5, 23b1, 23b1, 23b3, 23b4, 24a2, 24a2, 24a3, 24a3, 24b1, 24b1, 24b2, 24b3, 24b4, 25a4, 25a5, 25b1, 25b5, 26a2, 26a2, 26a3, 27a3, 27a4, 27a5, 27b2, 27b5, 28a1, 28a2, 28b3, 28b3, 28b5, 29a5, 29b2, 29b5, 30a1, 30a3, 30a5, 30b1, 30b3, 31a3, 31a5, 31b1, 31b4, 32a3, 32a5, 32b3, 32b4, 33a2, 33a2, 33b1, 33b2, 33b3, 33b5, 34a5, 34b1, 34b2, 34b4, 34b5, 35a2, 35a3, 35b2, 35b4, 35b4, 35b5, 36a2, 36a2, 36b1, 37a1, 37a4, 37b4, 38a3, 38a5, 38b2, 38b2, 38b3, 38b5, 38b5, 39a3, 39a4, 39a5, 39b1, 39b2, 39b3, 39b5, 40a4, 40b1, 40b1, 40b5, 41a2, 41a3, 41a3, 41a4, 41b1, 41b2, 41b3, 41b5, 41b5, 42b5, 43a1, 43a2, 43a3, 43a3, 43a4, 43a5, 43b3, 43b3, 43b4, 44a2, 44a4, 44a4, 44b1, 44b3, 44b3, 44b4, 44b5, 45a2, 45a4, 45a4, 45b2, 46a1, 46a2, 46a3, 46a4, 46a5, 46b1, 46b1, 46b2, 46b2, 46b4, 47a1, 47a5, 47b2, 47b4, 48a4, 48b2, 48b4, 49a1, 49b4, 50a3, 50a4, 50b1, 51a1, 51a2, 51a4, 51b1, 52a1, 52a1, 52a2, 52a3, 52a4, 52a4, 52b1, 52b2, 52b2, 52b5, 53a5, 53b3, 54a2, 54b5, 55b1, 55b4, 56b1, 56b3, 57a1, 57a2, 57a3, 57b3, 57b4, 58a3, 58b2, 58b4, 59a2, 59b2, 59b3, 59b4, 60a2, 60a5, 61b5, 62b4, 63a4, 63b2, 64a1, 64b3, 65a4, 65b5, 66a2, 66a3, 66b2, 66b3, 69a5, 70b3, 70b4, 71a2, 71a5, 71b3, 71b3, 72a1, 72a2, 72a5, 72a5, 72b1, 72b2, 72b2, 72b3, 72b4, 72b5, 73a1, 73a2, 73a4, 74a3, 74b4, 74b5, 74b5, 75a2, 75a5, 75b1, 75b2, 75b2, 75b4, 75b4, 76a1, 77a1, 77b2, 77b4, 77b5, 78a3, 78b1, 78b5, 78b5, 79a2, 79a4, 79b1, 79b3, 79b5, 80a2, 81a5, 81b3, 82a2, 82a3, 82a5, 82b5, 83a1, 83b4, 84a3, 84b2, 85a1, 85a5, 85b4, 86a1, 86a4, 86b4, 86b5, 87a1, 87a2, 87b3, 87b4, 88a3, 88a5, 88b2, 88b3, 88b4, 89a2, 89a4, 89b1, 90a1, 90a5, 91a5, 91b3, 91b4, 92a2, 92a3, 92b2, 92b3, 92b3, 92b3, 92b4, 93a2, 93b2, 93b5, 94b2, 94b2, 94b3, 94b4, 94b5, 95a3, 95a5, 95a5, 95b3, 95b4, 95b4, 96b1, 96b1, 96b2, 97a2, 97b1, 97b2, 97b4, 97b5, 98a1, 98a1, 98a2, 98a5, 98b3, 98b4, 98b5, 99a1, 99a5, 99b1, 99b3, 99b3, 99b4, 99b4, 100a3, 100a5, 100b5

deberen 98a4

debtelin 1a1

dehi 41b1, 99b3

dehici 75b3

deiji-kini 55a5

deijibu 6a4

dekdebu-he 40a4

dele 6b3

delhendu-he　16b1

demun　17b3, 17b4, 27a3

den　20a5, 21a1, 39a4, 47a1

dende-he　60a1

dengjan　88b3, 88b4, 88b5, 88b5

deo　2b1, 35a2, 35a3, 39a1, 62b1, 73b1,
　　73b4, 79a1

deote　1b1, 8b2, 8b4, 8b4, 8b5, 9a1, 9a2, 9a5,
　　10a2, 10b1, 10b2, 15a3, 19b5, 20a3,
　　20a4, 56a4, 58b5, 66a4, 66b4, 66b5,
　　67a1, 67a2, 67a3, 67a4, 67a5, 67b1, 67b2,
　　67b3, 67b5, 68a1, 68a2, 68a3, 68a4, 68a5,
　　68b1, 68b2, 68b3, 68b4, 68b5, 69a1,
　　69a2, 70b2, 70b4, 71a1, 71a5, 74a4,
　　74b5, 75a3, 85a2

derakūla-ha　34a1

dere　23a2, 89a1, 89a1, 89a2, 91a4, 91b1

derengge　24b3, 26b2, 95b2, 99b5

dergi　2a3, 18b4, 71b5, 72b2, 76a3

dergide　91a3

deri　13a2

deribu-ci　30a4

deribu-fi　11b2

deribu-he　28b4, 38b3, 64a1, 81b5

deribu-kini　15b1

deribu-mbihe　56b2

deribu-me　14a3

desereke　18b4

deyen　1a4, 8a1, 8a4, 9b1, 13b5, 20a5, 20b4,
　　21b5, 22b5, 23b1, 26a3, 46b5, 52b1,
　　56b4, 56b4, 57a3, 58a1, 66a1, 72a4, 73a4,
　　87b5, 92a5, 93a3

dobo-ho　89a1

dobo-ro　85a4

dobocun　45b4, 57a5, 98a4

dobokū　88b3, 88b4, 88b4, 88b5

dobori　22b4, 23b3

doigomšo-me　23a4, 26b1, 74b2, 100a3

dolo　3a4, 9b1, 13a3, 15a5, 23b2, 37b5, 43a2,
　　46b5, 48a5, 52a2, 58a3, 71b2, 73a1,
　　78b4, 84b5, 88a4, 93b2, 100a4

donji　85a3

donji-ci　64a3

donji-fi　30b3

donji-ha　6b4, 34b2, 46b3

donji-hala　27a3

donji-me　5b1

donji-re　87a1

donjibu-ha　28b1

donjibu-kini　17b2

doo-ha　36a3

dorgi　24a1, 43a1, 52b3, 62a1, 66a1, 100b1

dorgici　10a2, 25b1, 43b1, 53b3, 62a3, 77b2,
　　84b5, 86a2, 92a3

doro　11a3, 12a2, 12a3, 12b4, 13a1, 15a1,
　　16a3, 16a5, 16b4, 19b5, 23a5, 30b4,
　　38a3, 46a2, 52b1, 58a1, 85a3, 89b3,
　　94b4, 97a2

dorolo-ho　98a1

dorolon　18b1, 57b4, 57b5, 97b1, 98a1

dorolonji-me　99a3

doshon　21b3

dosi　6b4

dosi-ci　60a2

dosi-fi　22a1, 26a3, 35b2, 57b2

dosi-ka　35b4, 48a4, 78a1

dosi-mbihe　63b2

dosi-re　61b5

dosimbu-ci　3b1

dosimbu-ha　41b3

dosimbu-ki　81b3

dosimbu-me　94b3

dosimbu-re　59b5

dube-re　22a5

dubete-he　32b3

duibule-me　47b3, 91b1

duici　4b1, 56a1, 59a1, 60b4, 61a4, 61b4,
62a5, 67a1, 68a1, 69a2, 70a1, 70a3, 71a4,
78b5

duin　36b2, 39a5, 45a1, 47b2, 52a2, 53b4,
54a1, 54a3, 54b4, 55a2, 59a3, 65b4,
72b3, 72b4, 73a1, 77b3, 78a2, 78a5,
78b3, 78b5, 79a2, 79a4, 79b1, 79b3,
79b4, 80a1, 80a3, 80a5, 80b2, 89b3,
91a4, 91a5, 91b1

duka　2a1, 10b5, 20a3, 21a3, 22b3, 22b4,
34b3, 48b1, 54a1, 69b3, 71b1, 71b1,
71b3, 72a1, 72a1, 72a3, 72a4, 72a5, 72a5,
72b1, 72b1, 72b2, 72b2, 72b3, 72b5,
73a2, 76b3

dule-re　96b1

dulembu-he　38a5

dulimba　13b5, 24a2

dulin　33b1

dumen　94a4

durun　26b4, 41b5, 64a2

<e>

ebsi　20a2, 24a1, 29b2

ebsihe　2b3

ebuhu　46b4

ecike　83a5

ede　1b4, 9b3, 32b5, 64b2, 70b1

efen　14a3, 57a5, 89a1

efi-rengge　13a2

efot　12b3

efule-ci　18b2

efule-hebi　37b5

ehe　25a1, 44a5, 47a5

eici　21b5, 22a1, 42b2, 42b2, 42b4, 88b1,
88b1, 91b2, 91b3

eihen　83a3

eime-me　41b4

eiten　18b3, 87b5

eiterecibe　57a3, 58b2, 74b4

eitubu-habi　25a3

eje　40b1

eje-fi　14b1, 75b4

eje-he　20b3, 41a3, 82a3

eje-hebi　100a5

eje-hengge　26b4, 63a1

eje-mbihe　31b4

eje-me　15b5

ejele-he　29a4

ejen　5b3, 24a5, 26b4, 27a2, 27b4, 28a3,
28a5, 28b2, 28b5, 40b4, 41a1, 45b3,
52a2, 75b2, 95a3, 95b1

ejete　9a5, 56a5, 59b3, 59b3, 60a5, 63a3,
73b1, 74a2, 76a1, 77b4, 84b3, 94a1,
99a2

ekiyeniye-he　47b2

elbi-hebi　34a5

elbi-me　36a1

elci　4b2, 33a1

elcisa　33b3, 35b5

elde-rengge　26b2

eldembu-hei　18a4

eldembu-kini　28a3

eldembu-re　14b2, 19b1, 45b1, 49b1, 85b2

eldengge　17b1, 18a1, 18a3, 95a3, 95b2,
99a5, 99b5

ele　17b4, 28b5, 85a1, 85a1, 95a1

elehun　50a3

elemangga　3b2, 17a2, 24a1, 25b5

elhe　12a4, 13b5, 14a1, 46a4, 50a2, 52a2,
　　98a3, 98a5

elje-me　6b4

emderei　11a3, 11a3, 30b4, 30b5, 60b1, 60b1

ememu　1a3, 1a3, 10a2, 10a3, 48a5, 48b1,
　　57a2, 57a2, 57a3, 57a3, 74a2, 74a2, 75a5,
　　75a5, 77b4, 77b4, 84b4, 84b4, 93b4,
　　94a2, 94a2, 100a4, 100a4, 100a5

emgeri　6b4, 28b5, 46b2

emgi　2a2, 5b3, 8b3, 9a5, 9b2, 15a3, 16a5,
　　22b2, 23b2, 24b2, 31a1, 34b2, 36b3,
　　38b3, 44a3, 45a1, 50b1, 51b5, 64b2,
　　66a4, 73b2, 74a4, 83b2, 90a5

emke　24a3, 25b1, 78a4, 94b2

emu　4a4, 6a5, 8a1, 8b2, 8b4, 14a3, 14a4,
　　16b5, 16b5, 16b5, 17a1, 17b3, 20a2,
　　23b3, 27a5, 27a5, 29b3, 31a4, 33b1,
　　34a2, 37b2, 38a1, 38b4, 39a3, 40a1, 41a4,
　　42a5, 42b2, 43b2, 44b4, 45a2, 46a3,
　　49b1, 49b5, 50a2, 54b5, 55a1, 55b3,
　　58b2, 58b4, 63b5, 63b5, 72b1, 72b1,
　　72b4, 72b4, 73a1, 73a2, 75a4, 75b2,
　　77b2, 78a5, 78b1, 84a3, 85a4, 86a3, 89a4,
　　89a5, 89b2, 91a5, 91a5, 92a3, 94a4, 94a5,
　　94a5, 98b2, 99a5, 100b1, 100b1, 100b2

emuci　40a2, 61a2, 61b2, 67b3, 68b4, 80a4

encu　17b1, 17b4, 27a3, 76b2, 89a1

enduri　6a3, 7b2, 17b3, 17b4, 27a3, 39b5,
　　42b5, 43b2, 43b4, 43b5, 44a2, 44b3,
　　45a3, 46b2, 47a2, 47b3, 91a2, 91b3

enduringge　1b2, 4a3, 5a4, 13a5, 15b2, 18a5,
　　19b1, 21b2, 22a1, 26a3, 48a3, 52b1,
　　55a3, 56b4, 57a3, 58a1, 60a1, 63b2, 73a4,
　　74a2, 74b4, 76b4, 87b3, 88a1, 93a3,
　　96a1, 96b2, 98b3, 100b5

enggelenji-he　19a2, 27b1

enteheme　8a4, 16b2, 19b2, 19b2, 25b3,
　　27b4, 28a1, 28a2, 28b4, 50a5, 55a3,
　　56b4, 85b4, 86b4, 87b2, 95a2, 95a2,
　　97a4

enteke　16a4, 26b5, 43b3, 48b5

entekengge　23b4, 42a4

erde　20b1, 57b2

erdemu　15b3, 21b2, 95b3

erdemungge　97b3

ere　1b3, 2a3, 3a4, 6a3, 6a4, 10b3, 12b2,
　　13b1, 16b2, 22b4, 25a3, 26a4, 26b3,
　　26b4, 27a5, 28b1, 29a3, 30b1, 32a5,
　　36b1, 38a1, 38a2, 38b1, 38b3, 38b5,
　　39a1, 39b2, 40b5, 41b4, 41b5, 42a4,
　　44b1, 45a2, 45b4, 47a2, 48a2, 48a2,
　　49b3, 50b2, 51a1, 53a2, 53a3, 54b2,
　　54b4, 56a5, 56a5, 57b1, 57b4, 58b4,
　　59a2, 61b4, 62b5, 63a1, 63b4, 64a2,
　　64a4, 65b2, 70b3, 71a5, 71b1, 72a5,
　　72b1, 73a1, 73a5, 74a4, 75a2, 76b2,
　　81b2, 82a1, 83a4, 83b1, 88b2, 92a3,
　　93b3, 96a2, 97a1, 97a4, 99a5, 100b5

erebe　21b3, 22b2, 26a5, 27b1, 30a5, 33a5,
　　34b1, 41a1, 86b1, 90a1, 93b1

ereci　24b5, 36b2, 56b4, 74b2, 93a1

erei　20b3, 50a1, 62a4

ergembu-ki　56b4

ergen　36a4

ergi　32a3, 34b5, 71b5, 72a1, 72a3, 72a4,
　　72b2, 72b2, 72b3

ergide　72b5, 75a4, 76a3

erin　14b1, 15b4, 21b5, 21b5, 22a5, 24a3,
　　25b5, 28a1, 28b5, 37b2, 55a5, 57b5,
　　71b3, 86b4, 87a3, 95a2, 95a3, 97a5

erše-re　84b5

eshun　66b1

esi　1b4

etan　10b3

ete-ci　35a4

ete-he　11a5, 30b5, 36b4

ete-hebi　13b1

ete-re　95a4

etu-fi　44a3

etu-he　12b2

etu-mbihe　12b1

etuhun　18a2, 70b1, 75b4, 78b4, 85a1

etuku　12b1, 12b2, 33b2, 35a1, 44a3

eye-he　49b4

eyebu-he　49b2, 85b1

<f>

fa　13a2

fafula-ha　9b5, 16a4, 20b2, 48a4, 57a1, 62a2

fafula-me　6a4, 43b4, 44b3, 51a1, 52a1, 97b4

fafula-ra　46b2

fafun　16a4, 20b3, 50b3, 58a2, 87a1, 97a5

fahūn　90a2

faida-kini　52b3

faida-me　36a4

faidan　59a2

faitan　90b1

fajiran　93b2

faka　89a3

fakca-fi　21a4

fakcashūn　34b4

faksala-ha　54a4, 75b2, 89b1

faksala-hangge　69b3

faksala-kini　71b4

faksala-me　55a3, 59a5, 60a1, 89a5

faksalabu-ha　66a1

faksi　4b3, 48b1, 51b3, 93b3

falan　2b4, 44a1, 44b4, 45a2, 45a4, 45a5, 46b4, 52b5

falga　75b3

farsi　14a3

farsila-ra　38a4

fašša　51b4, 90a3

faya-ci　49a3, 92b1

faya-ra　51a4

fe　23a1

fejergi　1a1, 16a2, 18b4, 27a4, 100a5

fejile　62a1

feku-re　13a2

feniyen　24b1, 44b1, 82b5

ferguwe-me　49a2

ferguwecuke　14b1, 15b4

ferguwecun　15b1, 17b2

ferkingge　83b1

feshele-me　3a1

fifaka　96a5

fifan　2b3, 64b3, 65a3, 66a2

fila　10a3, 11a1, 12b5, 14b5, 21a2

firu-me　39b1

fithe-re　10a3, 14b4

fiyelen　1a2, 4b1, 7b4, 13b3, 23a3, 29a2, 32b2, 37a4, 37b1, 40a2, 48a1, 53a4, 59a1, 64b1, 69b2, 77b1, 84b1, 92a1

folo-ro　51b2

fonci　25a3

fonde　1b3, 16b3, 25a3, 47a1, 100a4

forgošo-me　44b2, 47b3

fori-rengge　10a4

foro-me　43b3

forobu-rengge　44a3

fosoko　96a5

fu　4b3, 51b2, 93b2

fude-mbihe　12b4

fuhali　27a2, 58b4

fukjin　25a1

fulehe　60b1

fulehun　26b5, 32b5

fulgiye-me　11a3

fulu　40b4, 48b4, 49b3, 51b1, 53b2

funce-hele　35a2

funce-tele　98b1

funde　56b2, 99a1

funiyahan　43a4

funiyehe　33b1

funiyesun　39a2

fusi-fi　33b2

fusihūla-ha　13a3

fusihūn　81b3, 82a2

futa　16b3

futala-ha　16b3

fuwen　38a1, 40a1, 51b1, 88b1, 88b1, 89a5,
　　100b4

<g>

gai-ci　57a1

gai-fi　29b1, 30a5, 38b2, 53b2

gai-ha　9a1, 24b1, 36a1, 56a4, 82a3

gai-me　5a2, 9a1, 35a2, 59b4, 81b5, 85b5

gai-rakū　41a1

gai-re　40a4, 44a5, 48b1

gaibu-habi　36b3

gaisu　45b1

gaitai　36a5, 44a1

gaji-fi　9a4, 49a4

gala　2b5, 5b3, 5b5, 6a1, 19a5, 39a4, 39b3,
　　43a3, 43a3, 43b4, 44a2, 44b2, 52a3, 62a1,
　　78a4, 90a1, 91b4, 93b5, 94b3, 95b3,
　　95b4, 96a3, 96b3

gama-fi　46a1

gama-ha　29b4, 31a1, 38a1

gama-ki　2a3, 45b3

gama-me　93a1

gama-rao　42a1

gardaša-me　36a3

gargan　77b5, 78a1, 78b2

gashū-ha　16a5

gašan　82a4

gebu　2a4, 3a4, 4a4, 4a4, 5a2, 6a3, 7a2, 10a5,
　　14a2, 15a4, 15b2, 18a4, 19b1, 20b4,
　　24b4, 28a2, 32a5, 39b5, 40b1, 41b3,
　　47a3, 47b4, 49b1, 49b4, 50a4, 52b2,
　　53b2, 55a5, 56b5, 58b2, 58b4, 69b1,
　　75b3, 78a5, 81b3, 81b5, 84a3, 85b2,
　　96a1, 96b2, 100b2

gebungge　70b1

gebule-he　3a4, 6a3, 58b3

gebule-hebi　32b1

gebule-hengge　58b3

gebule-mbi　50a2

gebule-mbihe　32b1, 37a3, 76b2, 77a4, 84a2

gelecukengge　17b4

gele-he　45a3

gele-me　3a5

gele-re　7a3, 51a3, 90a3

gelhun　3b1, 22b5, 36b5, 50a1, 96a2

geli　1a5, 3a4, 7a3, 11b5, 12b4, 13b5, 16a2,
　　16b4, 18b3, 19a3, 26a4, 27a1, 28b2,
　　29a4, 37b3, 44a4, 46a4, 48a2, 48b5, 50a2,
　　54a3, 56b1, 59b5, 65b4, 66a2, 77a1,
　　78a3, 83b1, 84a4, 86b2, 89a3, 93b2,
　　95b1, 96a2, 97a1

gemu　1b2, 12a2, 17a5, 19b3, 27a4, 31a3,
　　34a5, 36b1, 39b2, 40b4, 45a3, 45b5,
　　47a1, 50a2, 51b2, 54b4, 55b1, 56a5,
　　57a1, 60a1, 61b5, 62b5, 64a3, 65b2,

66a5, 70b1, 70b4, 71b1, 72b3, 75a3,
76b3, 78b3, 83a4, 85a5, 88b3, 90a1,
90b2, 94a3, 94b4, 95a4, 96a3, 96b4,
98b1, 99a3, 99b5, 100a5

gene   5b4, 23b4

gene-ci   24b2, 30a4

gene-fi   40a5

gene-he   17a1, 35a2, 36b5, 45a1

gene-hengge   31b1

gene-mbi   12a3

gene-me   33b3

gene-re   37b2, 45a4, 47a3

genggiyen   22b2

geren   1a3, 1b3, 2a2, 2b2, 4b5, 8a5, 11b1,
11b2, 12b1, 14a2, 15a4, 17b2, 18b2,
19a1, 19a5, 19b3, 21a4, 24a2, 25a3, 26b2,
28a4, 31a2, 31b2, 34a2, 34b2, 35a1, 36a3,
37b3, 40a3, 41a4, 42b5, 44a3, 45b2,
48b1, 50a1, 52a3, 59b1, 59b2, 60a4,
60b1, 63a3, 63a4, 65b5, 71a3, 71b5,
74a2, 78a3, 78b2, 80b3, 81b5, 84b2,
85b3, 86a2, 86b5, 88a3, 90b1, 92a2,
92a2, 94a1, 95a1, 95b1, 95b3, 95b4,
96a3, 97a2, 97b4, 97b5, 98a5, 99a1, 99a4,
99b2

geri   42b4, 43a5

gese   6a2, 24b5, 26a4, 81b4, 91b1, 96b1

geterembu-he   25a4

getuken   27a2, 91b3

gida   39a2

gida-ha   6a1, 29a3

gida-habi   38b4

gida-ra   25a1, 35a4, 38a4

gidabu-ha   30b3, 35b5

gincihiyan   89a4

ginggin   40a1, 100b4

ginggule   18a5

ginggule-me   58a1

ginggule-re   97a4

ginggun   76b4

girucun   33b4

gisabu-ha   7a2, 30a2

gisun   1a4, 1b3, 1b4, 4a1, 7b1, 13a4, 16b1,
21b1, 26a2, 26b3, 26b3, 28a2, 28b1,
32a4, 37a2, 37a4, 39b4, 41a1, 45a1, 46b1,
46b3, 47a4, 52b4, 53a2, 53a3, 53a3,
58b1, 63b1, 64a3, 69a4, 76b1, 84a1,
85a2, 87a1, 90b4, 100b1

gisure   24a5

gisure-cina   28a5

gisure-he   7b2, 21b2, 22a5, 26b1, 28a1, 50b3,
91b2

gisure-hebi   53a2

gisure-hengge   47b3

gisure-me   24a4

gisure-rakūngge   49a2

gisure-re   22b2

gisure-rengge   47b3

giyalan   57a3

giyangna-kini   76a2

giyangna-ra   91b4

gobi   46b5

goci-ka   44a2

goci-re   41a5

gocishūn   53a3

goida-me   96b1

golmin   33b2, 99b4

golo   39a1, 75b4

golo-hoi   45a3

golo-ro   7a4, 51a3, 90a3

gosi-me   26b5, 86a2

gosihon   44a3

gosin 20b5, 97a4

gu 100b1

gubci 17a5

gucu 83b3

guise 1b2, 1b4, 2a3, 2a4, 2a5, 2b5, 3a1, 3a2,
3a3, 3b1, 3b3, 4a3, 8a1, 8a2, 8a3, 8a5,
9b1, 9b4, 10a1, 11b3, 11b5, 11b5, 12a2,
12a3, 12b1, 12b4, 13a1, 13a5, 13b4,
14a5, 15a1, 19b5, 20a1, 22a1, 23b1,
52b2, 76b4, 85a3, 89b3, 91a3

gulhuken 29b5

gulu 47b2

gungge 11a5, 13b1, 21b4, 95a4, 100a2

gungnecuke 76b4

guri-me 12a3

guribu-ki 8a5

guribu-re 56b5

gurine-re 1b5

gurinji-kini 1b3

gurinji-rakū 3b2, 23a1,

gurun 1a1, 1a4, 1a5, 4a3, 4b5, 5a5, 12b3,
15a5, 16b5, 16b5, 17a2, 18b3, 24a1,
25b5, 27b1, 29a5, 29b1, 30a3, 31a5,
31b2, 32b3, 33a2, 33b5, 35b5, 36a3,
36b4, 37a1, 37b3, 38a5, 41a2, 41a4,
41b4, 42b5, 43a5, 48a3, 49a1, 50a5, 53a5,
53b1, 75a2, 84b2, 85b4, 86a4, 91a1,
99a1, 99a2, 99a5, 99b1, 99b2, 99b2,
100a4, 100a4, 100a5

gurung 4b2, 7b5, 21a5, 23a4, 72a5, 84b5

gūni 15b5

gūni-ha 15a5, 87b1, 87b5

gūni-rakūn 33b1

gūnin 1a5, 2b5, 6b5, 9b4, 27b1, 30a3, 33a3,
34b5, 34b5, 38a4, 40a4, 41b2, 47b1,
50b4, 52a5, 55a5, 86b3, 87a4, 93a4,
94b3, 96b2, 97a5

gūnina 22a2

gūnina-fi 34a1

gūsin 8b4, 53b2, 78b3, 99b4

gūwa 4a2, 5a1, 8a2, 16b5, 17a1, 20b3, 27a3,
37a4, 55b4, 60b2, 62a2, 66a3, 66a5,
72b1, 89a2

gūwacihiyala-ha 47a2

<h>

hacin 2b3, 2b3, 14a4, 15b5, 15b5, 18b5,
27a1, 27a1, 42a4, 42a5, 42a5, 42b2, 49a3,
51b3, 53a2, 57a4, 57b1, 74a2, 74b1,
74b1, 85a5, 88a4, 89b5, 89b5, 92b3,
92b4, 93a4, 93b2, 95a5, 95a5, 96a4,
96b3, 96b3, 97b2, 97b2, 100b1

hacingga 4b3, 9a5, 13a5, 15b1, 18a1, 18a2,
21a3, 40a5, 53b4, 54b2, 56b4, 59b5,
73a4, 87b1, 88a1, 89a3, 91b3, 92b5,
94a1

hadaha 48b2

hafan 83a2, 83a2, 83a3, 83a4

hafasa 1a4, 64b2, 84b5, 94a3

hafuna-mbi 87b1

hafu-re 17a4, 22b1, 100a2

haha 5a2, 5a2, 14a2, 32a2, 36b1, 39a2, 39a3,
56a3, 56a4, 62b4, 65b4

hahasi 41a5, 70b3, 75b5, 82b1

haihū 3a1

hala-hai 24a2

halanja-mbihe 72b5

halanja-me 59b2, 63b4, 72b3, 77b3

hami-ka 56b5

hanci 34b3, 44a1

harangga 8b3, 29a4, 30a2, 31a5, 78a2, 78b1,
78b1, 78b3, 79a2, 79a3, 79a5, 79b2,

79b4, 80a1, 80a3, 80a5, 80b2, 99a3

hargasa-me　13a2

hargaša-hakū　1b3

hargašanju　18a5, 22a1

hasa　23b4

hashū　32a2

haša　82b4, 87b5

hebe　1a3, 83a5, 83b2, 83b4

hehe　14a3

helmen　96b1

hendu　23b4, 42a4

hendu-he　49b2

hendu-me　1a4, 3a5, 5b4, 6a1, 8a2, 9a4, 10a2,
　　19a4, 23a5, 26a4, 32b4, 33a3, 33b4, 35a3,
　　40a5, 41b5, 42a3, 42b1, 43a2, 44a4, 45a5,
　　45b5, 48a2, 48b5, 49a5, 52a1, 56b3,
　　85a2, 85b1, 86a5, 89b4, 90a2, 92a2, 95a2

hendu-rengge　24a5

hengkile-he　45a5, 98a1

heni　3a1, 9b3

hergen　91b4

hese　1a5, 2a4, 4a2, 5b2, 6b1, 7a1, 9b5, 23a1,
　　23b3, 23b4, 41a2, 41b4, 42a3, 42a4,
　　42b1, 44a5, 44b5, 49a5, 49b2, 58a3,
　　64a4, 66a3, 78b5, 90b3, 95b4, 97b1,
　　98b3

hethe　16b3, 83a4, 84b4, 94a3

hisan　98a4

hiya　32a1, 77b3, 84b3

hiyan　55a4, 89a3, 89b1, 91a4

holbobu-re　28a1, 57a2, 90a5

holo　5b2, 6a5, 31a5, 83a1

homhon　46b2

honin　12a5, 24b1, 44b1, 83a3, 98a3, 98a4

hono　9a2, 12b3, 16a5, 25a5, 30a5, 32b1,
　　45b3, 51b5, 56b5, 92b5, 97b4, 98b1

hontoho　76a3, 81a4, 81a5

horon　4b5

horonggo　17b1, 18a1, 27b2, 70b5, 95a3

hoso　91a5

hošo　52a2

hoton　1b1, 3b2, 7b5, 13a1, 29a4, 30a3, 30b1,
　　32a5, 34a5, 34b1, 34b3, 35a5, 35b4,
　　37b4, 37b4, 37b5, 38a3, 38a4, 38b1,
　　38b2, 38b5, 43b2, 47a1, 75b4, 79a5,
　　82a4, 82b3

huhu　57a5

huju-hebi　44a4

huncu　38a5, 45b4

hungkere-re　89a4

hutu　47a5

huwekiye-me　87a1

huwesi　38a5

hūda　45b5

hūla-kini　15a4

hūla-mbihe　21a1

hūla-me　9a4, 47a3, 49a4, 96a1

hūla-ra　21a2

hūlhida-me　42a2

hūncihin　63a1, 75b5

hūsi-me　42b4

hūsun　2b3, 36a5, 47a3, 52a5, 70b3, 92b1

hūsungge　75a3

hūturi　3b4, 14a2, 19b2, 19b3, 21a5, 28b3,
　　28b5, 28b5, 50b1, 55a5, 70a5

hūturingga　27a5, 29a1, 51a1

hūwa　86b1, 88a1

hūwaliya-mbihe　11b2

hūwaliyambu-re　30b4

hūwaliyasun　12a2, 12a3, 12b4, 13a1, 15a1,
　　16a3, 16a5, 19b5, 23a5, 30b4, 52b1,
　　58a1, 85a3, 89b3

<i>

i (c.suf.)   1a1, 1a1, 1a1, 1a1, 1a3, 1a3, 1a4,
1a5, 1b1, 1b1, 1b1, 1b3, 1b4, 1b4, 1b5,
1b5, 2a1, 2a1, 2a2, 2a2, 2a2, 2a3, 2a3,
2a4, 2a4, 2a5, 2a5, 2b2, 2b2, 2b3, 2b3,
2b4, 2b4, 3a1, 3a2, 3a3, 3a4, 3a5, 3b1,
3b2, 3b2, 3b3, 3b3, 4a2, 4a2, 4a3, 4a3,
4a4, 4b2, 4b2, 4b4, 4b4, 5a2, 5a4, 5a5,
5b2, 5b3, 6a2, 6a2, 6a4, 6b1, 6b3, 6b3,
7a1, 7a2, 7a3, 7b2, 7b2, 7b5, 7b5, 8a2,
8a4, 8a5, 8a5, 8a5, 8b1, 8b2, 8b5, 9a2,
9a3, 9a4, 9a5, 9a5, 9a5, 9b1, 9b1, 9b4,
9b4, 9b4, 9b5, 9b5, 10a1, 10a1, 10a1,
10a2, 10a2, 10a3, 10a3, 10a4, 10a5, 10b1,
10b1, 10b2, 10b3, 10b3, 11a1, 11a1, 11a3,
11a3, 11a5, 11b1, 11b2, 11b3, 11b4, 11b4,
11b5, 12a1, 12a1, 12a1, 12a1, 12a2, 12a2,
12a2, 12a2, 12a3, 12a3, 12a4, 12a5, 12a5,
12b3, 12b3, 12b3, 12b4, 12b4, 12b5,
13a1, 13a1, 13a1, 13a2, 13a3, 13a5, 13b1,
13b4, 13b4, 13b5, 14a2, 14a3, 14a5,
14a5, 14b1, 14b1, 14b2, 14b5, 15a1,
15a1, 15a1, 15a3, 15a5, 15b3, 15b5,
15b5, 16a1, 16a1, 16a2, 16a2, 16a3, 16a5,
16a5, 16b1, 16b1, 16b3, 16b4, 17a1,
17a5, 17b3, 17b4, 17b4, 18a2, 18a3,
18b1, 18b1, 18b2, 18b3, 18b4, 18b4,
18b4, 19a1, 19a1, 19a5, 19b1, 19b5,
19b5, 19b5, 20a1, 20a1, 20a2, 20a3, 20a4,
20a4, 20a5, 20a5, 20a5, 20b1, 20b2,
20b4, 20b4, 21a1, 21a2, 21a3, 21a3, 21a4,
21b2, 21b2, 21b4, 22a3, 22b5, 22b5,
23a1, 23a1, 23a4, 23a5, 23a5, 23a5, 23b1,
23b2, 23b4, 23b5, 24a1, 24a1, 24a2,
24a2, 24a4, 24a5, 24a5, 24a5, 24b1, 24b2,
24b2, 24b3, 24b4, 24b4, 24b5, 25a1,
25a2, 25b1, 25b3, 26a3, 26a5, 26b1,
26b1, 26b4, 26b5, 27a1, 27a3, 27a4,
27a4, 27b1, 27b2, 27b2, 27b3, 27b3,
27b3, 27b4, 28a2, 28a2, 28a3, 28a3, 28a3,
28a4, 28a4, 28a5, 28b3, 29a3, 29a5, 29b1,
29b1, 29b2, 29b4, 29b4, 29b5, 30a1,
30a5, 30a5, 30b1, 30b2, 30b2, 30b3,
30b3, 30b4, 30b4, 30b4, 30b5, 31a1,
31a2, 31a3, 31a4, 31a5, 31b2, 31b2,
31b3, 31b3, 31b3, 31b4, 31b4, 31b5,
31b5, 31b5, 32a1, 32a2, 32a2, 32a2, 32a2,
32b3, 32b4, 32b5, 33a1, 33a1, 33a2,
33a5, 33b1, 33b1, 33b1, 33b5, 34a1,
34a3, 34a4, 34a5, 34b1, 34b2, 34b2,
34b2, 34b3, 34b3, 34b3, 34b4, 34b4,
35a1, 35a3, 35a3, 35a4, 35a5, 35a5, 35b3,
35b3, 35b4, 35b5, 36a1, 36a1, 36a1,
36a3, 36a4, 36a5, 36b2, 36b3, 36b4,
36b5, 37a3, 37a3, 37b3, 37b4, 37b5,
38a1, 38a1, 38a2, 38a3, 38a4, 38a4, 38a5,
38b1, 38b1, 38b3, 38b3, 38b5, 39a1,
39a1, 39a1, 39a2, 39a2, 39a4, 39b1, 39b1,
39b1, 39b2, 39b3, 40a1, 40a3, 40a4,
40a5, 40b1, 40b1, 40b3, 40b4, 40b5,
40b5, 41a2, 41a3, 41a4, 41a4, 41a5, 41b1,
41b2, 41b3, 41b3, 41b4, 41b4, 41b4,
41b5, 42a1, 42a2, 42a3, 42a4, 42a5, 42b1,
42b1, 42b2, 42b3, 42b3, 42b4, 42b5,
42b5, 42b5, 43a1, 43a2, 43a3, 43a3, 43a4,
43a5, 43b1, 43b1, 43b2, 43b5, 43b5,
44a1, 44a1, 44a2, 44a2, 44a3, 44a4, 44b1,
44b2, 44b3, 44b4, 44b5, 45a1, 45a2,
45a5, 45b2, 45b4, 46b1, 46b1, 46b2,
46b3, 46b4, 46b4, 46b5, 46b5, 46b5,
46b5, 47a1, 47a2, 47a2, 47a2, 47a3, 47b1,

47b1, 48a2, 48a2, 48a3, 48a3, 48a3, 48a5,
48b1, 48b2, 48b3, 48b3, 49a1, 49a4,
49a4, 49a4, 49a5, 49b1, 49b3, 50a3, 50a4,
50b3, 50b3, 50b5, 50b5, 51a2, 51a4,
51a4, 51a4, 51a5, 51a5, 51b3, 51b4,
51b5, 52a4, 52a5, 52a5, 52b1, 52b1,
52b2, 52b3, 52b5, 52b5, 52b5, 53a1,
53a2, 53a3, 53a5, 53a5, 53b1, 53b1,
53b2, 53b4, 53b4, 54a1, 54a2, 54a3,
54a3, 54a4, 54a5, 54a5, 54b1, 54b2,
54b2, 54b3, 54b3, 54b4, 55a1, 55a2,
55a3, 55a3, 55a4, 55a4, 55b1, 55b1,
55b1, 55b2, 55b2, 55b3, 55b4, 55b5,
55b5, 56a1, 56a2, 56a2, 56a3, 56a4, 56a5,
56a5, 56b1, 56b1, 56b1, 56b2, 56b3,
56b4, 56b5, 56b5, 57a1, 57a2, 57a3,
57a4, 57a5, 57b1, 57b2, 57b4, 57b4,
57b4, 57b5, 57b5, 57b5, 58a1, 58a3,
58a3, 58a3, 58b4, 59a2, 59a2, 59a2, 59a4,
59a5, 59a5, 59b1, 59b1, 59b1, 59b1,
59b2, 59b3, 59b3, 59b3, 59b4, 59b5,
59b5, 60a1, 60a1, 60a2, 60a3, 60a3, 60a3,
60a3, 60a4, 60a4, 60a4, 60a5, 60a5, 60a5,
60a5, 60b1, 60b1, 60b1, 60b2, 60b3,
60b3, 60b4, 60b4, 60b5, 60b5, 60b5,
61a1, 61a1, 61a2, 61a2, 61a3, 61a4, 61a4,
61a5, 61a5, 61b1, 61b1, 61b2, 61b2,
61b3, 61b3, 61b4, 61b5, 61b5, 62a1,
62a1, 62a1, 62a2, 62a2, 62a3, 62a3, 62a3,
62a4, 62a4, 62b1, 62b1, 62b1, 62b2,
62b2, 62b4, 62b4, 62b5, 62b5, 63a1,
63a1, 63a2, 63a2, 63a3, 63a3, 63a3, 63a3,
63a4, 63b2, 63b2, 63b3, 63b3, 63b4,
63b5, 63b5, 63b5, 63b5, 64a2, 64a2,
64a3, 64a4, 64b2, 64b2, 64b2, 64b4,
64b4, 64b5, 64b5, 65a2, 65a3, 65a3,

65a5, 65b2, 65b5, 66a1, 66a1, 66a1, 66a2,
66a3, 66a3, 66a4, 66a5, 66b2, 66b3,
66b4, 66b4, 66b5, 67a1, 67a3, 67a4,
67a5, 67b1, 67b2, 67b3, 67b4, 67b5,
68a1, 68a2, 68a3, 68a4, 68a5, 68b1, 68b2,
68b3, 68b4, 68b5, 69a2, 69a3, 69b3,
69b4, 69b4, 69b5, 70a2, 70b1, 70b2,
70b5, 70b5, 71a2, 71a2, 71a3, 71a5,
71b1, 71b2, 71b2, 71b2, 71b4, 71b5,
71b5, 72a1, 72a1, 72a1, 72a3, 72a3, 72a4,
72a4, 72a4, 72a5, 72b2, 72b2, 72b3,
72b4, 72b4, 72b5, 73a1, 73a1, 73a2,
73a3, 73a3, 73a4, 73a5, 73a5, 73a5, 73b1,
73b2, 73b2, 73b3, 73b3, 73b3, 74a2,
74a3, 74a4, 74a4, 74a5, 74b1, 74b1,
74b2, 74b3, 74b3, 74b4, 75a1, 75a1,
75a2, 75a3, 75a4, 75a5, 75b1, 75b1,
75b2, 75b2, 75b3, 75b3, 75b3, 75b3,
75b3, 75b4, 75b5, 76a1, 76a1, 76a1,
76a2, 76a3, 76a3, 76a3, 76b2, 76b4,
76b4, 76b5, 77a1, 77a3, 77a3, 77a4,
77b2, 77b2, 77b2, 77b3, 77b3, 77b4,
77b4, 77b5, 78a1, 78a1, 78a2, 78a3, 78a4,
78a4, 78a4, 78a5, 78b1, 78b1, 78b2,
78b2, 78b2, 78b3, 78b3, 78b4, 79a1,
79a3, 79a5, 79a5, 79b2, 79b2, 79b3,
79b3, 79b5, 79b5, 80a2, 80a2, 80a2,
80a4, 80a4, 80a5, 80b1, 80b1, 80b2,
80b3, 80b3, 80b3, 80b4, 80b4, 80b4,
80b5, 80b5, 80b5, 80b5, 81a1, 81a1,
81a1, 81a2, 81a2, 81a2, 81a3, 81a3, 81a3,
81a4, 81a4, 81a4, 81a4, 81a5, 81a5, 81a5,
81b1, 81b1, 81b1, 81b2, 81b2, 81b2,
81b3, 81b3, 81b4, 81b4, 81b5, 81b5,
82a1, 82a1, 82a2, 82a3, 82a4, 82a4, 82a5,
82a5, 82a5, 82b1, 82b1, 82b2, 82b2,

82b3, 82b3, 82b3, 82b4, 82b4, 82b4,
82b4, 82b5, 83a1, 83a2, 83a2, 83a3, 83a4,
83a4, 83a5, 83a5, 83b1, 83b2, 83b2,
83b2, 83b3, 83b3, 83b4, 83b4, 83b5,
84a3, 84b2, 84b3, 84b3, 84b4, 84b5,
84b5, 85a3, 85a3, 85a3, 85a4, 85a5, 85b2,
85b3, 85b3, 85b3, 86a1, 86a1, 86a1,
86a4, 86a4, 86a4, 86b3, 86b5, 86b5,
87a1, 87a2, 87a4, 87a4, 87a4, 87a5, 87b1,
88a1, 88a1, 88a2, 88a2, 88a2, 88a3, 88a3,
88a4, 88a4, 88a4, 88a4, 88a5, 88b1, 88b1,
88b2, 88b3, 88b4, 88b4, 88b5, 89a1,
89a1, 89a2, 89a2, 89a3, 89a3, 89a5, 89a5,
89b1, 89b1, 89b3, 89b3, 89b3, 89b5,
89b5, 90a2, 90a2, 90a3, 90b1, 90b1,
90b1, 90b5, 90b5, 91a1, 91a1, 91a3,
91a3, 91a3, 91a3, 91a4, 91a4, 91a4, 91a5,
91b1, 91b1, 91b1, 91b2, 91b2, 91b3,
91b3, 91b3, 91b4, 92a3, 92a4, 92a4,
92a5, 92b1, 92b1, 92b2, 92b3, 92b3,
92b4, 92b5, 92b5, 93a2, 93a2, 93a3,
93a3, 93a5, 93a5, 93a5, 93b1, 93b1,
93b2, 94a1, 94a1, 94a2, 94a2, 94b2,
94b2, 94b3, 94b3, 94b4, 94b5, 95a1,
95a5, 95b4, 96a4, 96a5, 96b1, 96b3,
96b3, 96b4, 97a1, 97a2, 97a3, 97a4,
97b1, 97b1, 97b2, 97b5, 98a2, 98a3,
98a4, 98a5, 98a5, 98b1, 98b2, 98b3,
98b4, 98b4, 98b5, 99a1, 99a1, 99a2,
99a2, 99a3, 99a4, 99a5, 99b1, 99b1,
99b2, 99b2, 99b2, 99b5, 100a1, 100a2,
100a3, 100a4, 100a4, 100a5, 100b1,
100b1, 100b1, 100b5

i (pron.) 3a2, 16a1, 16a2, 16a4, 17a5, 18a1,
18b1, 19a3, 25b2, 25b3, 33b3, 34a1,
37a3, 39a5, 41b2, 44a3, 46b3, 49a3, 50a3,
50a4, 52a2, 55b3, 69b4, 72a2, 77a1, 77a4,
78a2, 79b2, 79b5, 80a4, 80b2, 83a5,
85b5, 86b2, 87b2, 92a3, 97b2

ibene-he 35a3

ibenji-hei 5b2

icangga 1b3, 99a1

ice 2a5, 23a2, 48a4, 57b4

ici 18b1, 26b5, 31b3, 32a3, 42a5, 65a4,
89a2

icihiya-ci 62a1

icihiya-fi 64a2

icihiya-ha 84b2

icihiya-kini 55a4

icihiya-mbihe 66a3

icihiya-me 56b2

icihiya-ra 8a4, 20a1

idu 14b2, 20a1, 54a4, 59a2, 61b5, 64b4,
66b2, 77b5, 88a4, 77b3

idura-me 56b1

ihan 2b5, 14a3, 45b3, 83a1

iju-fi 98b4

iju-ha 98b3, 100b5

ijubu-ha 5a5

iktambu-ha 74b1

iktambu-hangge 93a5

ilaci 1a2, 39a3, 53a4, 56a1, 60b3, 61a3,
61b3, 62a5, 66b5, 67b5, 69a1, 69b5,
70a3, 71a4, 78b1

ilan 3b3, 10b3, 22a4, 34a4, 42a4, 42b2,
42b3, 42b4, 53b3, 54a3, 54b1, 54b2,
56a4, 58b4, 65b4, 71a5, 93a5, 99b4

iletu 53a1

iletulebu-re 65b3

ilgabun 66b2

ilgin 23b1

ilhato 82b4

ilhi　10b3, 14b3, 54a4, 63a1, 71b4

ili　50b2, 52b1

ili-ci　50b2, 85b2

ili-fi　85a2

ili-ha　34a5, 72a4

ili-hakū　24a4

ili-ki　28a5, 45b1, 49a1, 49b1, 85a4

ili-mbihe　32a3, 44a1

ili-me　49b4, 91a5

ili-rakū　23b5

ili-rakūngge　21b4

ili-re　25b2, 49a5, 50a4, 52b3, 86b1

ilibu　44b5

ilibu-ci　53a1

ilibu-ha　5a5, 7b5, 25a3, 53b1, 86a2, 98b4

ilibu-ki　96b2

ilibu-kini　97b3

ilibu-re　4b3, 74b1, 87b3, 94a4

ilibu-rengge　92a5, 92a5

imbe　3a2, 4b4, 5b1, 8b5, 13a3, 14b1, 15b1, 18a5, 25b5, 34b5, 39b2, 45a4, 50a1, 65a4, 87a5, 87b1, 87b2, 98b4, 100b5

inde　5a1, 25b3, 26a2, 29a5, 30a4, 36b5, 42a4, 49a5, 50a4, 56a3, 70a5, 78a5, 86a5, 88b3, 99a2

inenggi　3a5, 15a2, 22b4, 25a5, 42b4, 53a5, 57b4, 72b4, 86b2, 93b5, 96a5, 98a2, 98b1, 99b5

inenggidari　17b1, 20a1, 57a4, 72b3

ing　34a5

ini　3b3, 3b3, 4b2, 4b5, 8a5, 8b2, 8b3, 9a2, 11b1, 15a2, 15a3, 15b4, 15b5, 18a2, 18a4, 19a3, 20b5, 21a4, 23a4, 26a1, 27b2, 29b1, 30a2, 31b2, 32b3, 32b5, 33a4, 34a2, 35a2, 35b1, 38a2, 40b3, 46b2, 50a1, 50a2, 50a5, 55a3, 55a3, 65b3, 66b4,

66b4, 66b4, 66b5, 66b5, 67a1, 67a1, 67a2, 67a2, 67a3, 67a4, 67a5, 67b1, 67b2, 67b3, 67b4, 67b5, 68a2, 68a3, 68a4, 68a5, 68b1, 68b2, 68b3, 68b4, 68b5, 69a1, 69a2, 70b2, 72a3, 73b1, 73b4, 74b5, 75a1, 75a1, 75a3, 78b3, 78b4, 79a2, 79a3, 79a5, 79b2, 79b4, 80a1, 80a3, 80a5, 80b2, 86b2, 86b4, 90a1, 98a3, 98b5, 99a5, 100a1, 100a1, 100a4

inu　4a4, 5a1, 5a4, 7b3, 7b3, 7b3, 11a1, 14b4, 16a1, 16b3, 17b3, 19a2, 19b2, 19b3, 21b3, 22a4, 25b2, 26a1, 28a3, 28b2, 32b1, 35b4, 39b3, 39b5, 40a1, 41a1, 41a5, 47a5, 47b3, 48a3, 48b3, 49b5, 51b4, 52b3, 53a3, 54a3, 54a5, 54b2, 56a1, 56a3, 56a5, 57b2, 58b5, 59a2, 60a2, 60b2, 60b3, 61b4, 62a3, 63a1, 66b3, 69a3, 69a5, 70a5, 70b5, 71a2, 73a2, 73b1, 73b3, 76b2, 76b5, 77a1, 77a3, 77a3, 78a1, 78b3, 79a1, 79a3, 79b4, 80a1, 80b1, 80b3, 81b2, 83a5, 83b3, 83b4, 84a2, 84a3, 84a4, 87a3, 88b5, 89a5, 91a2, 92a4, 93b1, 99b3, 100b2, 100b4

irgebu-cina　19b4

irgebu-mbihe　11a4

irgebun　11a4, 19b4, 22b2, 64b5

irgen　2b2, 4b5, 8b1, 14a2, 16a1, 19b3, 21a4, 24a2, 27b1, 27b4, 34a2, 35a5, 35b3, 40a4, 41a4, 45b2, 86a2, 97a2, 99b2

irgese　4b4, 12b3, 24a3, 24b1, 24b4, 25a2, 29a5, 31b2, 38a4, 40b1, 40b3, 41b4, 43b2, 44a4, 44b3, 50a3, 50b3, 52a4, 56b3, 75a2, 81b3, 85a2, 90b2, 90b5, 94b3, 96a1, 99a2

isa-fi　36a3

isabu　48a4

isabu-fī   48a4

isabu-ha   8b1

isan   72a4, 72b4

isebu-he   3a2, 17a3, 22a3, 41b4

isebu-re   42b1, 44b3

isebu-reo   44b2

isebun   3a4

ishun   6b3, 36a4

ishunde   48b2, 64a2, 72b5

isi-ka   43b4, 98b1

isi-rakū   43a4

isi-tala   2a1, 7a2, 16a4, 25a3, 28a1, 40b1,
    86b4, 95a3

isibu-ci   28b5

isibu-fī   37b3, 50a1

isibu-ha   3b4, 9b2, 14a2, 32b5, 70a5, 85a1,
    99a5

isibu-ki   21a5

isibu-kini   1b2, 55a5

isibu-mbi   34a1

isibu-me   14a3, 28b3

isibu-reo   28b5, 50b1

isina-fī   99b4

isina-ha   2b4, 5b5, 16b5

isina-mbihe   39a5, 41b1, 76a1, 77b4

isina-me   53b3

isina-tala   19b2, 33b2

isinji-fī   5a5, 13a1, 33a2, 42b1

\<j\>

jabca-ra   47b1

jabdu-rakū   82a2

jabu-me   1b4, 6b2, 23b1, 40b3, 45b2

jabubu-ki   43a2

jaci   30b1, 48b4, 55b4

jafa-fī   44a2

jafa-ha   95b4

jafa-habi   29a5

jafa-mbihe   2b2

jafabu-re   30a3

jai   1a3, 6a5, 7b5, 10b1, 12b1, 20a3, 24b4,
    29a4, 31a1, 34a4, 38b4, 40a5, 48b5, 52a1,
    53b1, 54b1, 58a2, 63b5, 70b2, 75a3,
    84b4, 86a5, 88a3, 90a1, 92b4, 94a4, 98a2,
    98b2

jaici   37a3, 54b3, 54b4, 55b5, 56a2, 60b3,
    62a5, 66b3, 69b5, 70a2, 71a4

jaila-me   35b4

jaka   3b4, 22b1, 38a3, 45b4, 46a1, 49a2,
    57a5, 74a3, 74a5, 74b3, 74b5, 85a5,
    93b3, 93b4, 94b4, 96a2, 96a3, 96b3,
    97a1, 97a2, 98a5

jakade   2b3, 4a3, 11b5, 18b1, 20a1, 26a3,
    28a4, 28b1, 35b1, 40b2, 42b1, 49b4,
    60a3, 63a3, 96a5

jakūci   29a2, 61a1, 61b1, 67a5, 68b1, 70a4,
    79b3, 84b1

jakūn   11a5, 20a2, 31a4, 53b3, 59b4, 66a4,
    71a1, 94a5

jakūnju   9a1, 40a1, 66a4, 100b4

jalafun   99b4

jalan   16a3, 20a2, 24b3, 39a2, 50a3, 63b4,
    63b4, 87a2, 96b1

jalbari-me   28b2, 41b5, 46a5

jalbari-re   46b3

jalin   4b5, 7a3, 8a3, 25a2, 28b4, 30b5, 33a2,
    35a5, 40b2, 43b2, 49b1, 50a2, 58a2,
    65b3, 71b4, 76a2, 85a4, 87a3, 88b5,
    89b5, 92a4, 97b3

jalu   53a5

jalu-fī   93b5

jalu-ka   25a5

jalu-tala　99b5

janggisa　84b4

je　2b4, 44a1, 44b4, 45a1, 45a4, 45a5, 46b4,
　　52b5

je-ke　98b2

je-me　82b5

jebele　30a5

jecen　43a1

jen　49a3, 90b2, 93a4

jende-rakū　17a2

jergi　6a4, 9a4, 12b5, 13b1, 14b4, 22b1, 30b2,
　　32a2, 34a3, 39a2, 57b1, 63b3, 64b3,
　　82a5, 88a2, 98a5

ji-fi　6a5, 30a1, 34a5, 37b5

ji-he　5b1, 9a1, 33a5, 34b4, 36b3, 39a4

jidere　17a4, 22a5, 42a2, 100a2

jiha　94a4

jila-me　32b4, 46b3

jilan　19a3, 20b5, 25b4, 43a4

jilangga　26b5, 43b3

jilgan　10a4, 11b2, 21a1, 65a3, 66a2

jili　82a1

jing　21a1, 24b1, 29b1, 43b2, 65a3, 86b5

jio　18a3, 33b5

jiyanggiyūn　31b3, 36a2, 36b2, 74a3, 78a3,
　　83b5

jobobu-re　17a2

jobolon　9b2, 12a4, 33a1, 40b5, 43b3, 45b2,
　　82a1

jondo-ho　76b3

jorgon　80b1

jori-me　13b1, 14a2, 20b4, 22a5, 55a5

jugūn　72a5, 72b5

jui　10a5, 10b1, 10b3, 13a1, 20a3, 25b3,
　　25b4, 30b4, 31a3, 31b3, 31b4, 31b4,
　　31b5, 32a1, 32b3, 32b4, 39a1, 39b1,

48b5, 48b5, 49a4, 49b1, 49b5, 50a4,
50b1, 52a1, 53a5, 54b1, 54b3, 54b4,
54b5, 55b3, 55b5, 55b5, 56a1, 56a1,
56a1, 56a1, 56a2, 60a3, 60a4, 62a4, 62a4,
62a5, 62a5, 62a5, 62a5, 62b1, 62b1,
62b2, 62b2, 62b4, 62b4, 62b5, 63b4,
69b4, 69b5, 69b5, 69b5, 70a1, 70a1,
70a1, 70a2, 70a2, 70a3, 70a3, 70a3, 70a3,
70a4, 70a4, 70a4, 70a5, 71a3, 71a4, 71a4,
71a4, 72a2, 73b3, 74b2, 74b3, 74b3,
77a2, 77a4, 78a1, 78b2, 78b4, 79a1, 79a5,
80b4, 80b4, 80b5, 81a2, 81a2, 81a3,
81a4, 81a4, 81b1, 81b1, 81b2, 81b5,
82a4, 82a5, 82b1, 83a2, 83b1, 83b4,
86a3, 86b1, 86b2, 87a3, 88a3, 90a2, 97a5,
98b3, 99b1, 100a1

julergi　34b5, 72a3, 72b3

juleri　2a4, 3a3, 6b5, 9a2, 11b3, 14a5, 15a1,
　　19b5, 20a5, 24b3, 26a5, 27b3, 36a5,
　　42b3, 47a3, 55a4, 57b5, 60a5, 86b5,
　　95a1, 98b2

julesi　25a1, 56b4

jura-fi　41a2

jurambu-ha　34b2

jurgangga　82a1

juru　72b4, 72b4, 91a5, 91a5

juse　5a2, 5a2, 5a2, 8b1, 10a1, 16a1, 16b1,
　　21a3, 22a3, 25a2, 25b1, 32a2, 39b2, 45a1,
　　54a5, 54a5, 54b1, 54b3, 54b4, 54b5,
　　55a1, 55a2, 55a3, 55b1, 55b2, 55b2,
　　55b4, 55b4, 55b5, 55b5, 56a1, 56a2,
　　56a2, 56a3, 56a3, 56a4, 56a4, 56a5, 57a1,
　　58a3, 59a2, 59a2, 59a4, 62a2, 62a3, 62b2,
　　62b4, 62b5, 63a2, 64b2, 64b5, 65a1,
　　65a2, 65a5, 65b2, 65b4, 65b4, 65b5,
　　66b4, 66b5, 67a1, 67a2, 67a3, 67a4, 67a5,

67b1, 67b2, 67b3, 67b4, 68a1, 68a2, 68a3, 68a4, 68a5, 68b1, 68b2, 68b3, 68b4, 68b5, 69a1, 69a2, 69b5, 70a2, 70a5, 70b2, 70b4, 71a1, 71a2, 71a3, 71a5, 72a3, 73a5, 73b1, 75a1, 83b2, 84b5, 86a1, 86a3, 92a3, 99a3

juwan 1a2, 4b1, 9a2, 13b3, 23a3, 29a2, 32b2, 37a4, 41a5, 51a5, 59b4, 61a2, 61a3, 61a3, 61a4, 61a5, 61a5, 61b1, 61b1, 65b4, 66b4, 66b5, 67a1, 67a2, 67a3, 67a4, 67a5, 67b1, 67b2, 67b3, 67b4, 67b5, 67b5, 68a1, 68a1, 68a2, 68a3, 68a3, 68a4, 68a4, 68a5, 68a5, 68b1, 68b2, 68b2, 68b3, 68b4, 68b5, 69a1, 69a3, 71a1, 71a5, 80a2, 80a4, 80b1, 84b2, 94b1

juwanci 61a2, 67b2, 80a2

juwe 2b1, 4a4, 8b3, 8b5, 9a2, 29b3, 30a1, 30a2, 32a5, 34a4, 34b5, 35a5, 41b2, 48b3, 53b3, 58b4, 59a4, 59b5, 63b2, 66a4, 66b4, 66b5, 67a1, 67a2, 67a3, 67a4, 67a5, 67b1, 67b2, 67b4, 67b5, 68a1, 68a2, 68a3, 68a4, 68a5, 68b1, 68b2, 68b3, 68b4, 68b5, 69a1, 69a3, 70b5, 72a4, 73a1, 73a2, 75b5, 77b3, 78a2, 78a5, 78b2, 79a2, 79a3, 79a5, 79b2, 79b4, 80a1, 80a3, 80a5, 80b2, 83b4, 84a3, 84b2, 91a4, 100a3, 100a3

juweci 48a1, 61a3, 61b3, 67b4, 68b5, 78a4, 80b1

<k>

ka-ha 37b4

kadala-ha 31b2, 32a2, 99b2

kadala-mbi 18b4, 95b3

kadala-mbihe 14b5, 36a2, 73b4, 75a1, 77b5, 78a4, 78b2

kadala-me 50b3

kadala-ra 4b5, 18a4, 24a3, 25a2, 53b5, 57b1, 78a1, 78b5, 79a3, 79a4, 79b1, 79b5, 80a2, 80a4, 80b1, 82a4, 83a1, 83a2, 83a2, 83a3, 83a3, 83a5, 84b5, 85b5, 86a5, 94a3

kadala-rangge 60b2

kadalabu-fi 57a1

kafur 90a2

kai 3a1, 8a4, 16a2, 17b4, 23b2, 27a4, 29a1, 32b5, 33a5, 38a4, 43a4, 47a3, 49b3, 51a2, 70a5, 73a5, 78b4, 81b5, 86b2, 90a1, 92a5, 95a3, 96b4

kamci-me 75b5, 85a1, 98a4

kamji-me 34a5

karma-ki 35a4

karma-me 3b4

karma-ra 84b3

karmaha-mbi 31b1

karu 34a1

karula-me 76b5

kemuni 5a1, 7b5, 10a2, 10b2, 19a4, 21a1, 26a5, 27b4, 30a2, 32a5, 37a3, 43b1, 47b4, 57b2, 58b2, 66b1, 69a5, 70b3, 72b3, 75b2, 77a4, 79a5, 83b1, 84a2, 87b4, 89b1, 90b2, 93a4, 98a1

kenehunje-re 58b3

kesi 12a4, 26a5, 26b5, 28b3, 49b5, 52a4

kice-kini 57a2

kice-me 51b4, 90a3

kimule-mbihe 31a1

kin 2b3, 10a3, 12b5, 14b4, 64b3, 66a2

kiru 34b3

kiyangkiyan 70b5

komso 16b4, 54b5

kooli 50b5, 51a2, 55a4, 57b5, 76a1, 86b3, 97b1, 98a2

kumun　10a3, 11a3, 11b1, 12b2, 15b1, 21a3,
　　54a2, 64b3, 66a5

kumungge　99a5

kundule　18b1

kundule-fi　2a4

kundule-he　17b4

kundule-re　58a1, 75a5

kunggur　6a5

kuntule-re　97a4

kūbulin　100a5

<l>

labdu　30b1, 48b3, 49b2, 55b4, 59b3, 93a1

lashala　43a1

lashala-mbi　16a3

loho　38a5, 41a5, 42b3, 42b4, 44a2, 46b2,
　　47a2

longken　2b3

<m>

mafa　95a2

mafari　25b1, 96a4, 97a3, 97b5

mahala　37b5, 38a1, 38a3

maikan　24a2

maise　45a2, 45b4

makta-ci　95a4

makta-fi　87b2

makta-kini　19a3

makta-me　65a4

makta-ra　15a3

mangga　11b1, 21b4, 51b3, 70b3, 85b1

manggaša-mbi　43a3

manggi　2b5, 6a1, 14a1, 25b1, 33b5, 37b2,
　　41a3, 44b5, 98a1

mari-habi　21a5

mari-rakū　86b3

maribu-ha　33b3

matala-mbihe　3a1

mederi　18b4, 100b1

meimeni　10b3, 20a1, 34b1, 54a4, 56a5,
　　57b5, 61b4, 63a1, 64b3, 65b5, 66b2,
　　70b1, 71b4, 77b5, 88b4

meitebu-fi　33b2

mejige　5a5, 30b3, 33b3

membe　17b1

mende　9b2, 96b3

menggun　22b3, 31a1, 31a3, 34a2, 45b1,
　　49a3, 51a4, 51a5, 51b3, 88b1, 88b4,
　　89a1, 89a2, 89a2, 92b2, 92b2, 92b3,
　　93a2, 93b1, 93b3, 93b4, 94a5, 100b2

meni　1b1, 9b2, 27a3, 35a5, 35a5, 88b2,
　　88b2, 96a5, 96b3, 98a4, 98a4

mergen　50b4, 72a2, 83b1

mergese　100a3

meyen　6b1, 34b3

micu-me　45a5

mimbe　26b2, 35a3, 43a1, 85b3, 86a2

minde　23b5, 24a4, 25b2, 25b3, 26a5, 27a1,
　　32b5, 35a4, 45a5, 49b2, 50a4, 85b1,
　　86a3, 86a5, 90a1

minggan　1a3, 16a3, 29b3, 29b3, 30a2, 31a4,
　　34a2, 34a4, 36b1, 53b3, 53b4, 53b5,
　　54a1, 54a3, 74a2, 75a4, 75b5, 77b3,
　　77b4, 78a2, 78a5, 78b3, 79a2, 79a4,
　　79b1, 79b3, 79b4, 80a1, 80a3, 80a5,
　　80b2, 84b4, 93a5, 93b1, 94a2, 94a4,
　　94a5, 98a3, 98a3, 98a4

mini　1a4, 3b1, 5b3, 6a1, 6a2, 17a3, 17a4,
　　23b4, 24a3, 24a4, 24b1, 24b4, 25a2,
　　25b4, 25b5, 25b5, 26a4, 26a4, 28a5,
　　28b4, 40b2, 40b4, 41a1, 44a5, 44b1,
　　44b2, 44b2, 45b3, 48b5, 49a5, 49b1,

49b3, 49b4, 50a3, 50a5, 52a1, 85a2, 85a2, 85a2, 85b2, 85b3, 85b4, 86a1, 86a1, 86a3, 86b1, 86b1, 86b2, 86b3, 87a1, 87a3, 90a4, 92a2, 92b1, 93a1, 93a1, 93a2, 93a5, 96a1, 96b4, 97a5, 97b2

miosihon　39b5

miya-mbihe　38a2

miyalin　57b1

moho-tolo　92b1

mohon　19a3, 20b5, 26a1

moo　4b3, 6b3, 6b3, 19a1, 23a5, 24a4, 24b5, 39a2, 45b4, 48b4, 51b1, 51b2, 53a2, 53a2, 82b4, 92b4, 92b4

morin　29b4, 29b5, 89b3, 91b1

moringga　29b3, 34a3

moro　89a3

mucu　82b2

mudan　6a5, 9b1, 11a1, 38b5, 39a3, 77b3, 98b2, 100b4

muhaliyan　18b2

mujasi　4b3

mujilen　7a4, 13a3, 15b3, 16a4, 23b2, 26b5, 43a2, 43b4, 52a5, 76b4, 87a4, 87a5, 94b5, 96b4, 97a1, 97a4, 97b3

mukdembu-fi　4b5

mukdembu-ki　25a5

muke　6a2, 18b5

mukiye-hebi　27b3

mukšan　10a12a2, 8b2, 8b3, 8b4, 8b5, 9a1, 9a1, 10a2, 10b1, 10b2, 10b2, 10b3, 13a5, 17b2, 18a2, 27a4, 27a5, 27a5, 27b3, 38b4, 39a4, 40a5, 41a5, 41b3, 43b5, 54b5, 55b1, 55b3, 59b2, 59b3, 59b5, 60a3, 60b1, 60b2, 63b5, 63b5, 64a1, 69b3, 71a2, 75b1, 76a3, 80b3, 80b3, 80b4, 80b5, 81a1, 81a1, 81a2, 81a3, 81a3,

81a4, 81a5, 81b1, 81b1, 84b3, 85b5, 86a1, 94a1

muribu-re　17a2

muru　6b4, 89b5, 91b2

muruše-rengge　89b4, 1a5, 16a2, 19a4, 19a4, 21b3, 85a3, 86b5, 87a1, 95a2, 95b5, 96a4, 96b2, 96b4, 97a3, 97b4

musei　9b2, 16a3

mute-kini　50b4

mute-mbi　26b3, 51a1

mute-mbihe　4a2

mute-rakū　4a3, 42b4, 49b4

muten　17b5, 65b3, 95b3

mutu-ha　33b5

mutun　88b4, 88b5, 89a2, 89a5

＜n＞

na　17a5, 18a3, 18b1, 18b2, 18b3, 19a1, 22b1, 24b5, 33a5, 41a2, 44a2, 44a4, 45a4, 49a2, 52a3, 87a2, 90b2, 93a4, 95a5, 96b1

nadaci　23a3, 60b5, 61a5, 67a4, 68a4, 70a2, 70a4, 77b1, 79b1, 79b1

nadan　12a5, 12a5, 29b3, 36b1, 40a1, 41b1, 43b1, 47a5, 75a4, 75b5, 93b1, 95b2, 99b3, 99b5, 100b4

nahon　24a4

nahūn　23a5, 53a2

nakambide-re　45b2

namun　73a4, 73b3, 73b4, 82a4, 82a5, 88a1, 88a2, 94b2

nanggin　57a2, 87b4

naranggi　43a3, 48b5, 85b2

narhūn　12a5, 12b3, 14a4, 33a5, 33a5, 57a5

ne　9b2, 23a5, 25a3, 40b3, 49a3, 52a4, 87b2, 93a3, 95b5

neci-he　44a5

neci-re　17a4

neci-rakū　50a1

necihiye-re　33a2

nei-fi　91b2

nei-me　52b5

neigen　63a4, 66b2

neigenje-me　71b5

nememe　23b1, 41a1

nemeyen　49b5

nenehe　100a1

neneme　11b2, 74b4, 99a5

nergin　45a2

nesuken　49b5

ni　24a4, 26b3, 33a3, 66a2, 72a5, 76a2, 77b2,
　　82a3, 83b2, 83b3, 83b5, 84b3, 84b4,
　　84b5, 85b4, 95b1, 96a3, 99b4

nila-ra　48b1

nimeku　42b5

nimenggi　5a4, 14a4, 82b4, 98b3, 100b5

ningge　10b2, 30a5, 34a2, 38a2, 39a4, 46a3,
　　49a4, 50a2, 54b1, 54b4, 55a2, 59a3, 65a3,
　　71a1, 72b3, 72b4, 73a1, 78b4, 90b2,
　　93b3, 93b3, 94a5, 94b1

ningguci　13b3, 60b5, 61a5, 67a3, 68a3,
　　69b2, 70a1, 70a4, 79a4, 79a4

ninggun　39a5, 46a3, 53b5, 59b4, 65a3, 72b2

ninju　20a2, 70b5

nirubu-fi　91b4

nirugan　88a2, 91b4

niru-mbihe　91a3

niyakūra-me　97b5

niyalma　1b2, 4a3, 4a4, 8a3, 8b2, 9a4, 10b1,
　　10b2, 10b3, 11a1, 15b3, 17a2, 17a4,
　　18b3, 19a2, 21b3, 22b2, 24b4, 26b2,
　　28a5, 30a2, 31b2, 33a4, 33b3, 34a1,
　　35b5, 38b3, 41a3, 41a5, 43a1, 43a3,

43b1, 43b2, 48b3, 49a1, 49b3, 51a3,
　　53a3, 53b4, 55b1, 57b4, 58b2, 58b4,
　　64b4, 66a4, 66b4, 66b5, 67a1, 67a3,
　　67a4, 67a5, 67b1, 67b2, 67b3, 67b4,
　　67b5, 68a1, 68a2, 68a3, 68a4, 68a5, 68b1,
　　68b2, 68b3, 68b4, 68b5, 69a2, 69a3,
　　70b1, 70b5, 71a5, 71b4, 74b4, 75a4,
　　76b2, 76b3, 77b4, 78a2, 78a5, 79a2,
　　79a5, 79b3, 79b4, 80a1, 80a3, 80a5,
　　80b3, 82a2, 83b1, 84a3, 85b1, 85b3,
　　87b1, 92a2, 92a4, 93b4, 94a2, 95a1, 96a1,
　　96b4, 97b4, 99a3

niyele-re　39a2

niyeleku　39a2

nofi　2b1, 22a4, 35a5, 59a5, 63b2, 72a4

nomun　1a1, 21a2, 37a3

nonggi-fi　90a2, 91b4

nonggi-ha　77a1

nonggi-ki　81b4

nonggi-me　26b3

nonggi-rao　40b4

nonggi-re　77a1

nonggingge　1a1

nure　82b2

nushu-me　6b4

<o>

o　3b1, 5b3, 24a4, 26a5, 26b4, 27a5, 33a4,
　　40b5, 43a2, 44a5, 46a2

o-ci　2b2, 9a5, 11a1, 14b5, 18a1, 31a4, 35a4,
　　41b1, 43b5, 51b1, 53b5, 54b3, 62a2,
　　65a2, 65a5, 70a2, 71a1, 72a3, 73a3, 80b3,
　　83b3, 87a3, 92a4, 95a1

o-cibe　63a1, 63a2, 71b5, 71b5, 100b2,
　　100b2, 100b2

o-fi　1b4, 3a1, 3a3, 8b4, 9b2, 12a4, 18b2,

22a5, 26b1, 28b1, 33a3, 34a1, 35b5,
41b2, 46b3, 49a2, 49b4, 53a1, 53b3,
54b5, 59a4, 63b2, 66a5, 70a5, 71a3,
76b5, 81b5, 82a2, 85b1, 90b5, 91a5,
95b5, 96b5, 99a1

o-ho   6a2, 12a1, 13b4, 25a4, 27b5, 35b2,
37b2, 40a4, 46a2, 53a5, 54b3, 55b3,
59b3, 64a1, 70b1, 78b1, 79b1, 83b1,
86b5, 99a3

o-kini   28b4, 31a5, 86b2

o-mbi   3b1, 5b3, 29a1

o-mbihe   2a5, 8b3, 14b3, 31b3, 39a3, 54a1,
56b1, 58b5, 62b2, 66a4, 69b4, 71b1,
76b2, 78a3, 79a2, 79b3, 80a3, 83a5,
83b5

o-mbime   93b2

o-me   51a1

o-tolo   38a2

obu-fi   22b2

obu-ha   15a3, 21a4, 24b2, 71a3, 74a2, 90b5

obu-habi   26b2, 76a4, 50a3

obu-me   26b1, 45b4, 99a4

obu-re   27b1, 30a3

ojorakū   8a3, 18b2, 45b5, 51b1, 85b2, 91a2,
96b1

ojorakūngge   48b4

ojoro   17b5, 23b5, 25b3, 49a3, 50a4, 53a3,
60a2, 71b4, 88a5, 92b1

ojorongge   50a4, 60b1

okdo-me   29b2

okdo-ro   33b3

okdonji-fi   45a4

okdono-ho   5b1

oksolo-ro   6b4

okson   99a5

olhošo-ci   9b3

oliwa   82b4

olji   29b4

olo   12a5, 12b3

omi-habi   98b2

omin   42b2

omolo   59b1, 59b1, 62a3, 62a3, 69b4, 73b3,
78a2, 79b2, 80a1, 80a5, 80b2

omosi   2a1, 2a2, 12a1, 16a1, 16a3, 16b1,
20b2, 23b5, 24b2, 24b4, 40a3, 43b1,
48a3, 51a2, 56a5, 56b5, 59b3, 59b4,
60a1, 64a4, 73a3, 73a5, 75a5, 77b2, 81b2,
86a4, 87a2, 90b5, 98a5, 99a4

omšon   80a4

onco   43a4

oncodo-me   42a1

onggo-ro   16a4

onggolo   25b4, 49a3, 59a4

onikino   92b4

orici   37b1, 61b2, 68b3

orin   8b2, 8b4, 39a5, 40a2, 48a1, 53a4, 56b2,
56b5, 59a1, 61b2, 61b2, 61b3, 61b3,
64b1, 68b4, 68b5, 69a1, 69a2, 69b2,
77b1, 81b3, 82a2, 84b1, 92a1

oso   35a5, 51a3

<s>

sa   1a1, 1a3, 1b1, 4b2, 5a5, 5b3, 6a4, 8a2,
8b1, 9b4, 10a2, 11b4, 12a2, 12a4, 12b1,
14b2, 14b5, 17a3, 17b4, 17b4, 20a4,
20b4, 22a4, 22b3, 25b1, 27a4, 33a1,
34b2, 36b3, 37a3, 37b2, 37b3, 40a5,
44a3, 51b3, 52a1, 53b1, 53b2, 53b5,
56b1, 56b2, 56b4, 57b2, 57b2, 60a5,
63a3, 64a2, 66a5, 69b3, 71b2, 72a3,
72b2, 72b4, 73a1, 73a2, 73b2, 73b4,
74a3, 75a1, 75a2, 75b5, 76a4, 76b3, 77a3,

77b5, 78b3, 80b3, 81b2, 85a1, 85b5, 88a2, 88a3, 89b3, 90b1, 90b1, 91a2, 91a4, 93b3, 95b2, 96a4, 96a5, 97b5, 99a1, 99b1

sa-kini　40b2

sa-mbi　87b1

sa-me　96b5

sa-ra　4b4, 23a4, 74b2

sabu-fi　36b4, 45a3, 47a2

sabu-ha　13a3, 44a3

sabu-me　35b3

sabu-re　97a2

sabuhū　46b4

saci-fi　29b4

saci-me　48b1

saci-re　51b2

saha-ha　46a4

saha-ra　4b3, 48a5, 51b2, 93a4

saikan　9b3

sain　19a3, 35b1, 87a2, 99b5

saisa　11b1, 17a4, 22b1, 42a2, 72a2, 100a2

saiša　97b4

saiša-fi　95a2

saiša-hai　97b5

saiša-ki　19b1

saiša-kini　15a4

saiša-mbi　19a1, 57b3

saiša-me　11a5, 15a3, 17a5, 19a3, 20b5, 65a4, 95a4, 95b5

saiša-ra　14b2, 65b3, 77a2

saiša-rangge　54a2

saišacuka　95a3

saišacukangge　17b3

sakda　12a1, 44a3, 72a3, 72b4

sakda-fi　53a5

sala-me　14a5

salgabu-hangge　5a1

salgabu-reo　97b3

salhabu-ha　27a1

sali-fi　18a4, 18b4, 31b2, 50a5, 60b2, 86a5, 95b3, 99b2

sali-re　45b1, 45b5

salu　33b1, 33b5

samsibu-ha　6a2

saniya-ha　2b5

saniya-ra　89b2

sara-kabi　8a1

sargan　5a2, 13a1, 56a3, 56a4, 65b4

sargata　5a1

sarila-ra　87b5

se (suf.)　5a4, 5b5, 6a5, 9a3, 9a3, 10b5, 11a1, 11a3, 11b3, 11b4, 11b5, 13b1, 14b4, 15a1, 20a3, 21a1, 22a4, 29a3, 31b5, 38b3, 54b2, 54b5, 55a2, 55b2, 56a1, 56a2, 56a5, 59a3, 60a1, 62b3, 62b5, 64a4, 65a3, 65b2, 70b2, 70b3, 73a3, 74b3, 75b5, 97a3, 100b5

se (n.)　53a5, 53b2, 56b2, 56b5, 82a2, 99b5

se (v.)　19b3, 26a1, 44b5

se-ci　35b1, 45b3, 65a1, 81b3, 87b3, 93b5

se-cibe　4a3

se-fi　43a4, 52a1

se-he　1b3, 1b4, 3b1, 5b5, 6a5, 9b3, 10a4, 16b3, 17a1, 23b1, 23b3, 24a4, 33b1, 33b5, 35b1, 40b2, 41a2, 42a2, 43b5, 44b3, 45b5, 50a5, 52b3, 54a3, 56b5, 58a4, 85b2, 86b4, 87b4, 93a2, 94a1, 97b5

se-hebi　51a2

se-hengge　21b5

se-mbi　22b1, 25a5, 26a5, 28b2, 32b4, 43a2, 45b1, 46a1, 49a1, 56b4, 90b2 se-mbihe 2a4, 7b3, 8b2, 17a4, 34a3, 49b1, 77a4, 84a4, 85a4, 89b4, 91a1

se-rakū 81b4

se-me 3a4, 6a3, 6a5, 8a5, 9b3, 17a1, 17b1, 18b2, 18b4, 19b3, 21a1, 21a5, 22a2, 25a5, 27b4, 28a4, 28a5, 30a1, 32b1, 32b1, 33a4, 34a1, 34b5, 37a3, 48a4, 50a2, 51a2, 57a1, 63b3, 76b2, 77a4, 81b4, 84a2, 86a5, 86b2, 87b4, 90a2

se-re 5a5, 7a3, 28b4, 29b2, 30b3, 31a5, 32a1, 32a5, 39b5, 39b5, 40b2, 47b4, 50b4, 52b3, 55a5, 58b2, 60a2, 66b1, 69a5, 71b4, 73b2, 76a2, 87a3, 89b5, 92b4, 96b2, 97b3

se-rengge 47a5, 91a1

sebjele-kini 18b3, 18b5

sebjele-me 12b3, 95a1, 98b2

sebjen 18a2

sefu 76a3, 77a3

sejen 2b1, 2b1, 29b3, 29b4, 29b5, 34a3, 34a4, 36b1, 38a5, 45b3, 89b4, 91b1

sele 38a4, 48b2, 51a5, 51b4, 92b3, 92b4, 94b1, 100b2

selgiye-fi 17b2

selgiye-kini 15b2

selgiye-mbihe 78b5

selgiyen 51a2

sengge 72a3

senggi 49b2, 49b3, 85b1

senggi-me 35b1

seremše-mbihe 22b4

si 5b3, 6b4, 23b4, 23b5, 24b2, 26b2, 26b3, 26b4, 28a5, 28b2, 28b5, 33a5, 35a4, 42a3, 44b3, 45a5, 49b4, 50b2, 50b3, 50b5, 51b4, 85b1, 87a3, 87b1, 87b2, 90a3, 95b1, 95b3, 96b3, 96b4, 97a3

sibiya 59b5, 60b3, 60b3, 60b3, 60b3, 60b4, 60b4, 60b4, 60b4, 60b4, 60b5, 60b5, 60b5, 60b5, 61a1, 61a1, 61a1, 61a1, 61a1, 61a2, 61a2, 61a2, 61a2, 61a3, 61a3, 61a3, 61a4, 61a4, 61a4, 61a4, 61a5, 61a5, 61a5, 61a5, 61b1, 61b1, 61b1, 61b1, 61b2, 61b2, 61b2, 61b2, 61b3, 61b3, 61b3, 61b3, 61b4, 61b4, 63a3, 63a4, 63b5, 64a1, 66b2, 66b3, 66b3, 66b4, 66b5, 66b5, 67a1, 67a1, 67a2, 67a2, 67a3, 67a3, 67a4, 67a4, 67a5, 67a5, 67b1, 67b1, 67b2, 67b2, 67b3, 67b3, 67b4, 67b4, 67b5, 67b5, 68a1, 68a1, 68a2, 68a2, 68a3, 68a3, 68a4, 68a5, 68a5, 68b1, 68b1, 68b2, 68b3, 68b3, 68b4, 68b4, 68b5, 68b5, 69a1, 69a1, 69a2, 69a2, 69a3, 71b5, 72a1, 72a1

sibkele-he 10a1

siden 31b4

sidende 42b3, 44a2

sikilo 46a3

silhida-me 40a3

silhida-ra 64a2

sili-ha 17a3, 20b4

simbe 19b1, 22a2, 24a5, 24b1, 33a4, 35a4, 35a4, 42a5, 87b2, 87b3, 90a5, 95b5, 97a4

simhun 39a5, 39a5

sinci 27a2, 90a5

sinda-ci 71b3

sinda-ha 2b1, 13b5, 20a4, 52a3, 98b5

sinda-rakūn 5b4

sinda-reo 5b4

sinde 16b2, 24b4, 25a4, 50b1, 50b4, 51b3, 90b2, 95b1, 96a2, 96a4, 97a2

sini 5b5, 6b5, 19b1, 23b2, 24b2, 24b3, 24b3,

25a3, 25a4, 25a5, 25a5, 25b1, 25b1,
25b3, 25b4, 26a5, 26b1, 26b3, 26b4,
26b5, 27a1, 27a2, 27b4, 27b5, 28a1,
28a2, 28a5, 28b1, 28b1, 28b1, 28b3,
28b3, 28b4, 33a3, 33a4, 40b4, 42a1,
42a5, 42b2, 42b2, 42b3, 42b5, 43b4,
44b1, 44b3, 45a5, 46a1, 49b2, 49b3,
49b5, 50b1, 50b1, 50b3, 51b5, 86b1,
87a4, 90a5, 90b3, 95a4, 95b3, 95b4,
95b4, 95b5, 96a3, 96a5, 96b2, 96b3,
97a1, 97a5, 97b1, 97b1

siningge   95a4, 95b1, 95b3, 96a3, 96b4

sira-ha   100a1

sira-habi   79a1

sira-me   76b3

sira-rangge   14b3

siran   13b1, 13b1

sirge   11a5

sisa-ha   6a2

sisi-ha   46b2

soli-fi   1a4

soli-me   2a1

solinji-ha   8b1

somi-ha   45a3

somishūn   11a3, 87a5

songko   15b5, 27b2

songkoi   1b4, 9b5, 25a1, 25b4, 28a2, 38b1,
55a4, 57b4, 63a2, 66a3, 86b3, 91a4

sonjo   42a5, 42b2

sonjo-fi   64b3

sonjo-ho   8a4, 16a1, 42a5, 69b4, 85b3, 86b2,
92a3

sonjo-hobi   53b4, 55b1

sonjo-me   35a1

soorin   25b2, 25b2, 26a1, 32b3, 50a5, 75b3,
85a4, 86a4, 86b4, 95b1, 98b5, 99b4,

100a1

su-me   91b4

su-re   4a1, 7b1, 13a4, 21b1, 32a4, 37a2, 37a4,
39b4, 47a4, 52b4, 58b1, 63b1, 69a4,
76b1, 84a1, 90b4, 100b1

sube   29b4

sucuna-kini   10a4

suduri   82a3

suja-me   36a5

sukdun   43a5, 91a2

sulfa   50a3

sunja   94a4

sunjaci   60b4, 64b1, 67a2, 70a1, 70a3, 79a2,
79a3

sunte-he   13a5

sunte-re   6b5, 43b2

sure   17b5, 22b1, 22b2

suwaliya-me   29a4

suwangkiya-ra   82b5

suwe   9a4, 9b1, 19a2, 19a4, 33b4, 40a5,
97b4

suwembe   85b5, 87a1, 16b3

suweni   1a5, 9a5, 10a2, 33b5, 52a2, 52a2,
52a3, 52a3, 52a5, 87a2

<š>

šan   27a3, 28a5

šangga   87b4

šangga-me   90a4

šangga-rao   28a1

šangna-ha   24b5, 86a3, 96b3, 98b5

šangna-habi   65b5

šangna-ki   16b2, 26a5

šangna-rao   50b5

šanyan   92b4

še   64b3, 66a2

šedoro 4b3, 48b4, 53a2

šolo-ho 14a4, 57a5

šoobin 57a5

šošohon 1a1

šugiri 55a4, 89b1, 91a4

šulhe 6b3, 6b3

šumin 15a5

šurde-me 8a1, 18a1, 41a2, 50a1, 6b2

<t>

ta-ra 66b2

tabcila-ha 31a2, 37b3

tabcin 74a5

tacibu-me 75a5

tacibu-mbihe 66b1, 83b2

tacihiya-mbihe 75a2

tacihiya-ra 64a3

tacihiyan 20a1, 48a4, 76a1

taifin 50a2, 52a2

taka 33b4

taka-me 87a4

taksi-mbi 28a4

taksibu-ki 50a5

taksibu-kini 28a2

taksibu-re 25b3

taksibu-rengge 16b2, 85b4

taksibu-reo 97a5

takūra 57a4

takūra-fi 4b2, 35b5

takūra-ha 7b2, 20b5, 30b5, 43a1

takūra-hangge 33a4

tanggin 23b5, 24a1, 25b2, 48a2, 48a5, 49a1,
    49a5, 49b1, 49b4, 50a3, 50b2, 50b2,
    51a4, 52b3, 53a1, 53b4, 56b1, 57a2,
    58a3, 61b5, 66a3, 71b2, 72a5, 72b5,
    73a4, 73b3, 74b1, 74b4, 74b5, 85a4,

85a4, 85b2, 86b1, 87b3, 87b4, 88a1,
    88a4, 88a5, 89b5, 90a3, 90a5, 91b2, 92a4,
    92b1, 93a2, 93a3, 93b1, 94a4, 94b2,
    96b2, 97b1

tanggū 1a3, 8b2, 8b3, 8b4, 8b5, 9a2, 29b5,
    40b4, 41a5, 46a3, 51a5, 66a4, 74a2, 75a4,
    76a1, 77b4, 84b4, 94a2

tara 58b5

targacun 50b5, 51a2, 86b3, 97a5

tari-re 82b1

tašara-ha 58b4

tata-fi 59b5, 63b5

tata-ha 63a4, 66b2

tata-habi 71b5

tata-mbihe 64a1

tata-ra 92a5

tatan 24a1

te 24a4, 27b5, 43a1, 50a5

te-ci 23b5, 96b1

te-fi 26a4, 75a2

te-he 1b1, 2a3, 3b1, 18a2, 36a1, 39a1, 40b1,
    50a1, 76a3, 91a1, 98b5, 99b4

te-hekū 24a1

te-mbihe 16b4, 24a2, 34b4, 37b5

te-mbime 24b5

te-me 23a5, 36b2

te-re 23a4

te-rengge 83b4

tebu-fi 16a4, 56b3

tebu-he 24b5, 30a3

tebu-ki 86a4

tebu-re 82b2

tede 45a1

tehere-rengge 27a5

teile 17b5, 53a3, 55a1, 59b5, 95a5

teisu 14a3, 14a3, 20b4, 20b4, 57a4, 58a2,

58a2, 62a1, 71b3, 71b3

teišun   10a3, 11a1, 12b5, 14b5, 21a2, 30b1,
30b2, 30b2, 31a1, 48b3, 51a5, 51b4,
92b3, 92b3, 94b1, 100b2

teksile-he   6b1, 34b3

temen   83a2

temgetule-mbihe   2b4

temše-cibe   36a5

ten   55a3, 60a1, 63b2, 89b1, 93a5

teng   18b2, 25a5, 51a2, 87b3

tengkime   87a5

teni   6b3, 8a1, 19a1, 19b1, 33b5, 38b1, 50b5,
98a1

tere   3a4, 3a5, 4a4, 6a2, 15a2, 16b3, 16b4,
23b3, 28b5, 47a1, 56b2, 73a2, 98b1

terebe   1b3, 3b1, 8a3, 11b3, 13b4, 31b1,
38a2, 49a1, 50a2, 74b5, 79a1, 94b2,
94b5, 97b2

tereci   4b4, 8a4, 36b5, 98b5

terei   2b1, 10b1, 15a4, 15a5, 15b1, 15b2,
15b3, 15b4, 15b5, 16a1, 16a3, 17b1,
17b2, 18a1, 18a3, 18b1, 19b4, 20a2,
20a4, 22b2, 25b2, 27b3, 27b5, 28a4,
29b2, 32b3, 34a4, 35b2, 36a5, 39b3,
43b3, 45a1, 52a4, 55a5, 64a1, 64a3, 70a5,
71a5, 72a2, 78a2, 79a1, 88b3, 88b5,
91b3, 96b5

terkin   20b1, 22b5, 44b4, 45b1, 46a4, 46b1,
47a1, 47a2, 48a3, 53a1, 89b1

tesebe   5b4, 6b3, 25a1, 38b4

tesei   24a3, 42b3, 48a5, 53b3, 56a4, 85a2

tetele   3a5

tetendere   9a5, 33b4, 87b3

tetun   30b2, 31a1, 51b4, 52b2, 54a2, 56b4,
73a4, 74b1, 88a2, 88a5, 88b1, 88b2,
89b5, 90a4, 91b3, 92b2, 92b3, 92b3

tofohoci   7b4, 61a4, 68a2

tokso   82a5

tokto-fi   85b5

tokto-ho   27b4, 47b1, 88a1, 98a2

tokto-hobi   10a5, 14b2, 63a4, 86a5

tokto-kini   10a4

tokto-ro   66b2

toktobu-ha   4b4, 16a5, 18b2, 48b1, 54a5,
55a4, 58a2, 59b2, 73a3, 76b3

toktobu-mbi   25b2

toktobu-re   25b5

tome   14a4, 57b3, 72b4, 77b3, 88b1

ton   16b4, 38a3, 40a4, 40b2, 40b3, 40b3,
41a3, 41a4, 44a4, 48b3, 51b4, 53b2,
57b4, 64b4, 74a5, 75b3, 77b3, 81b3,
82a3

tondo   28b4, 31b3, 46a2, 75b1

too-re   39b1

toose   4b5, 18a4, 24a3, 46a2, 57b1, 64a3,
85b4, 95b1, 95b4

torombu-re   33a1, 33a4

tu   34b3

tubade   47a3, 58b3

tuci-fi   34b3

tuci-ke   28b2, 38b4, 43b5, 60b2, 66b3, 71a2,
73a5, 75a3

tuci-kengge   79b4

tuci-me   34b1

tucibu-he   24a1, 27b2, 89a4

tucibu-me   38a4

tucibu-re   51b2

tuhe-ke   72a1, 72a2

tuhe-re   43a3, 43a4

tuhebu-ki   5b5

tukiye-ci   8a2, 8a3

tukiye-fi   13b4

tukiye-me　44a1

tukiye-re　8a3, 9b4, 12a3, 12b1

tukiyece-he　24b3

tukiyece-kini　15b2

tukiyece-mbi　96a1

tukiyece-mbihe　63b3

tuksicuke　27b2

tukšan　12a5, 98a3

tuktan　9b1, 13a5, 85b5, 100b4

tule　1b1, 82b3

tulgiyen　26b3, 27a2, 36b2, 74b2, 93a1

tumen　29b3, 30a2, 31a4, 34a4, 36b2, 41a5,
　41b1, 43b1, 51a5, 51a5, 53b3, 53b4,
　77b3, 78a2, 78a5, 78b3, 79a2, 79a4,
　79b1, 79b2, 79b4, 80a1, 80a3, 80a5,
　80b2, 94a5, 94a5, 94b1

tun　100b1

tunggen　64b3

tungken　2b3, 10a4, 66a1

tura　30b2

turge-kini　18b5

turgun　1b5, 3a2, 4b3, 8a4, 15b1, 17a2, 19a2,
　31a5, 33a1, 33a5, 48a5, 52b3, 60a2, 74b1,
　77a2, 82a1, 89a1, 92b1, 93a3, 94a4

turi-ki　34a3

tušabu-ha　43a5

tušabu-re　40b5

tušan　14a5, 20a2, 20a4, 32a1, 56b2, 57b1,
　57b2, 59a5, 59b5, 61b4, 63a4, 63b4,
　64b4, 70b4, 71b1, 73a2, 86a5, 88a4,
　98b4

tutala　27b2, 38a2, 49b3, 74b3, 75b1, 86a2,
　89a3, 97a1

tuttu　1b4, 6a2, 12a4, 22a5, 26b1, 28b1, 33a4,
　41b2, 46b3, 49b4, 53a2, 53b3, 54b5,
　58b3, 63b3, 71a3, 76b5, 85b1, 90b5,

91a5, 96b5

tuwa　46a5

tuwa-ci　41a4, 52a1

tuwa-fi　47b2

tuwa-ha　45a4

tuwa-ki　32b4

tuwa-mbi　22a2

tuwa-mbihe　13a2

tuwa-ra　33a5, 57b1

tuwabu-ha　53a1, 91b3

tuwakiya　87a2

tuwakiya-ci　50b5, 86b3

tuwakiya-ha　76b5

tuwakiya-kini　58a2, 97b1

tuwakiya-mbihe　12a1, 73a4, 73b3, 74a4

tuwakiya-me　50b4

tuwakiya-ra　10b5, 11b3, 20a3, 21a3, 22b3,
　69b3, 71b1, 71b2, 72b1, 72b1, 73a1,
　73a2, 73b4, 76b3, 88a2

tuwakiya-rangge　54a1

tū-re　45a2

tū-mbihe　14b5, 21a2

<u>

ubade　1b2, 3a3, 7b2, 19b5, 21b2, 24b5,
　31b1, 39a3, 45b1, 46a3, 56b3, 58b3,
　72a3, 97a1

ubai　100b4

ubaša-ra　82b1

ubu　14a5, 40b4, 78a5, 78b1

ucara-ci　58b3

ucule-hengge　15a4

ucule-ki　19b1

ucule-kini　15b1, 17a5, 65a1

ucule-mbihe　11a2, 11a5, 13b2, 65a4, 66a2

ucule-me　57b3, 65a1, 66b1

ucule-re 10a3, 11b1, 12b1, 54a2, 64b4, 65a4,
　　77a3

ucun 2b3, 10a2, 11b2, 12b1, 19b1, 65a1,
　　66b1, 77a2

uda-me 46a2

udu 4a3, 21b3, 36a4, 42b3

ufa 14a4, 57a5

ufara-habi 101a1

uhe 19a5

uhei 34b1, 52a5, 53b2

uheri 39a5, 54b1, 66a4, 71a5, 82a5

uhuken 21b4, 48b5, 92a4

uile 87a5

uile-re 75b1

uji-he 83a1

uju 32a2, 38a1, 44a1, 63b3, 66b3,

ujuci 1a1, 60b3

ujula-ha 51b5, 60a2, 64a3

uka-cibe 42b3

ukcabu-reo 19a5

ukdun 82b3

uksala-me 42b4

uksura 13a5, 16b5, 17a1, 17b2, 27b3, 31a2,
　　36a1

uksurangga 36b5, 44b4

ula 29b2, 36a1

ulandu-kini 15a5

ulebu-re 98a5

ulha 45b4, 46b4, 82b5, 98a2, 98a3

ulhi-fi 34b5

ulhi-kini 89b5

ulhi-re 42a3

ulhibu-he 26a2, 27a2

ulhisu 52b5, 91b2

ulin 82a4, 93a1, 95b2, 99b5

umai 24a1, 99b1

umaina-ci 91a2

ume 6b2, 16a4, 17a3, 17a3, 44b2, 51a3,
　　51a3, 58b3, 90a3, 90a3

umesi 17b3, 26a1, 35a1, 39a4, 46a2, 48b3,
　　49b5, 70b1, 71a1, 72a2, 75a3, 89a4,
　　92b5

unde 100a2

undehen 48b2

undengge 17a4, 22a5, 42a3

unduri 72b5

unenggi 47b1, 87a4, 96b5, 96b5

unenggile-me 58a1

unggi-fi 1b2, 33b4

unggi-he 4b3, 20a5, 33a1, 34a2

unggine-he 43b2

untuhun 17b5, 45a2, 46a5

ura 33b2

ure-me 66a5

ureshun 66b1

urgun 2b4, 10a4, 12a2, 18a2, 30b5

urgunje-cina 15b3

urgunje-hebi 97a2

urgunje-kini 18b3

urgunje-mbihe 94b4

urgunje-me 12b3, 18b5, 95a1, 98b2

urhu 3a1

uri-he 99b5

uri-me 56b5

uri-re 49a3

urse 7a3, 17a5, 17b4, 25a1, 30a1, 35a4,
　　38b1, 48a4, 76a3, 82b2

usha-me 3a2

usiha 81b4

usin 18b5, 18b5, 34b4, 82a5

uša-ra 29b4

utala 7b5, 10a5, 88a1, 96a2

uthai   5a2, 10a5, 16a1, 16b3, 28a3, 36b1,
    39a2, 40a1, 44a3, 48a2, 54b2, 61b4,
    66b3, 69a5, 77a1, 81b2, 100b1

uttu   12a1, 13b4, 15a4, 17a1, 19b3, 20b3,
    25a4, 26b4, 35b2, 40a4, 45b2, 46a2,
    49a2, 58b3, 60a5, 62a2, 69b3, 73a2, 82a2,
    84b2, 86b4, 95b5

uyuci   32b2, 61a1, 61b1, 67b1, 68b2, 78a1,
    79b5, 79b5, 92a1

<ū>

ūlen   88a2

ūren   6a4, 6a4

<w>

wa-fi   38b4, 98a2

wa-ha   3a3, 24b3, 31a5, 36b1, 39a1, 39b2

wa-hai   29b2

wa-me   46b4

wa-ra   43a1, 43b4

wabu-ha   84a4

wabu-hangge   39b3

wacihiya-me   82a2

wadan   8a1

wahiya-ra   2b5

wajin   19a3, 20b5, 26a1

waji-tala   90a4

waka   9b3, 27a4, 40b5, 42a1, 44a5, 92a5

waliya-ci   87b2

waliya-fi   36a4

waliya-ha   6a4

waliya-mbi   87b2

waliya-me   16b5

waliya-rakū   90a5

wang   1a1, 4a3, 4b2, 4b4, 5a5, 13a2, 17a3,
    22a3, 23b1, 26a3, 29b1, 30a1, 30b2,

30b3, 30b4, 32a2, 32b3, 33a3, 34a4,
34b4, 36b3, 37a3, 37b2, 37b5, 37b5,
40b4, 41a1, 41b1, 45b3, 53b1, 60a3,
63a2, 64b5, 66a2, 72a5, 74a1, 75b1,
75b2, 76a2, 77b2, 82a3, 82a3, 83a4,
83b2, 83b2, 83b3, 83b5, 84b3, 84b4,
85a1, 85b4, 86a2, 92a2, 94a2, 94b5,
95b1, 95b2, 98a1, 98b4, 99a2, 99a3,
99b1, 99b4, 100a1

wargi   72a4, 72b5, 75a4

wasibu-fi   46b1

wasibu-ha   82a2

wasibu-me   49b2

wasimbu-fi   23b3, 42a3

wasimbu-hangge   44a5

wece-he   98a2

wece-me   46a5

wecen   1b1, 4a2, 9a3, 9b4, 11b4, 12a5, 13b5,
    13b5, 14a1, 14b5, 18a5, 20a4, 20a4,
    20b1, 20b1, 22b5, 31b5, 45b4, 46a1,
    46a4, 46a4, 46b1, 46b4, 46b5, 48a3,
    53a1, 53b1, 57b1, 57b3, 59a5, 60a4,
    60a4, 63a3, 63b2, 64a2, 78b2, 88a3,
    90b1, 98a3, 98a5, 98b4

wehe   48a5, 48b1, 48b2, 51b2, 51b2, 92b4,
    92b5, 92b5, 94b2, 100b1

wehiye-me   25b1

weile   40b5, 42a1, 44a5

weile-ci   93b3

weile-he   22b5, 23a2, 38a3, 46b5, 54a1

weile-hebi   30b2

weile-ki   89b4

weile-kini   93b4

weile-re   51b3, 74b1, 88b3, 89a1

weilen   51a4, 51b3, 82b1, 85a5, 87b4, 87b5,
    88b2, 89b1, 91b1, 92a4, 92a4, 93a3,

97b2

weri-hebi　16b2

wesi-fi　2a3

wesi-re　72a5, 72b5

wesihule-he　86a1

wesihule-hei　26b4

wesihule-me　18a3, 33a3

wesihule-re　15b1

wesihun　24b3, 63b4, 86a4, 94a1, 95b2, 99a4

<y>

ya　24b2, 31b1, 94b1

yabu　51a3, 87b4, 90a2

yabu-ci　1b4, 71b3, 88a4

yabu-cina　19b3

yabu-fi　41a1

yabu-ha　14b1, 15b4, 38b1, 42a2, 44b1

yabu-ki　23b2, 45b3

yabu-kini　23b2, 45b3

yabu-mbi　35b1, 57b4

yabu-mbihe　9a2, 72b3

yabu-me　6b5, 36a4

yabun　15a5, 17b2

yabu-rao　28a2

yabu-re　9b2, 22a1, 27a1, 56b1, 58a3, 59b2,
　　77b3, 86b3, 96a5, 41b5

yaci　42a1

yadahūn　51a3

yadalinggū　21b3

yafa-ha　29b3, 36b2

yala　10a5, 16b2, 17b3, 20b2, 22a2, 25a2,
　　26b2, 27a5, 30b5, 34a3, 42a2, 43a5, 49a3,
　　50b2, 62a2, 74a4, 92a3, 94b4

yali　14a4, 47b2, 98a5

yalu-mbihe　5b2

yamji　20b1, 57b2

yan　38a1, 40a1, 51b1, 88b1, 88b2, 89a5,
　　100b4

yangsa-ra　82b2

yangsangga　18a5

yangse　91b3

yargiyan　58b4

yarhūda-mbihe　75b1

yarkiya-fi　40a3

yaru-mbihe　65a1

yaru-me　11b2

yaru-re　12b2

yasa　24b3, 26a5, 27b3, 43b3, 47b3, 57b5,
　　60a5

yasala-me　45a2

yatuhan　10a3, 11a5, 12b5, 14b4

yaya　99a2, 100a5

yendebu-he　52a3

yongkiyan　13b5, 14a1, 20b1, 20b1, 22b5,
　　45b4, 46a1, 46a4, 46b1, 46b5, 48a3,
　　52a4, 52a5, 57b3, 65b3, 94b5, 97b3,
　　98a3

yooni　6a4, 26a3, 49a3, 52a4, 95a5

yuyun　47a5

人名・地名

<a>

abaner　81b1

abaraham　16a5, 22a2, 22a4, 97a3

abimelek　22a4

abinadab　2a5

abisai　31a3, 35a2, 35a2, 35b3

abiu　59a3, 59a3

abiya　61a1

abiyadar　60a4

abiyasafe　76b2

abiyatar　9a3, 31b5, 83b4

abiyedzar　79b5

abner　74b3, 84a3

adaredzer　29b1, 30a1, 30a5, 30b1, 30b3, 30b5, 30b5, 36a1, 36b3

adeodato　39a1

adiyel　82a4

adoram　30b4, 32a5

adzamot　82a4

adzarahel　67b3, 69a5

afeses　61b1

afoni　82b3

agar　83a4

ahilot　31b4

ahimelek　59b1, 60a4, 63a3

ahiyo　2b1

ahohi　78a3

akimelek　31b5

akitob　31b4

akitofel　83b2, 83b3

akiyas　73a3

akos　60b5

akses　79a5

amalek　31a2

amariyas　56a1, 62a5

amasai　11b4

amat　30b2

amidzabat　78b4

aminadab　9a2, 9a4

ammiyel　70a4

ammon　31a2, 32b3, 33a2, 33a2, 33b5, 34a5, 34b2, 35a2, 35a4, 35b3, 36b5, 37b3, 38a5

amram　55a1, 55a2, 73b2

amran　62a2

amri　81a2

anatot　79b5

ani　10b4, 11a2

araki　83b3

aran　54b2

areūna　47b4

aron　8b1, 55a2, 55a2, 57a1, 58a3, 59a2, 59a2, 61b5, 63a2, 64a3, 80b5

asafe　10b1, 14b5, 15a2, 19b4, 64b2, 64b5, 65a1, 66b3, 69b4, 76b2

asahel　79a1

asaiya　8b3, 9a3

asarehel　69a5

asarela　64b5

asefe　11a1, 65b5

asefen　14b2

ašamoni　84a2

ašellot　78b1

atlai　83a2

<b>

bahal　5b5, 6a3

bahaliyata　5a4

balanan　82b4

balga　61a4

baniyas　10b4, 11a3, 11b4, 14b4, 15a1, 32a1, 78b2, 78b4, 80a4, 83b4

bariya　54b4, 54b5

barkiyas　10b1, 11b2

baros　92b5, 100b2

bede　32a5

bedelem　38b5

ben　10b4

bengno　62b3

beniyamin　41b2, 81b1

berot　32a5

bersabehe　40a5

bošiyeo　65a5, 67a3

<d>

dalayeo　61b3

damasko　29b5

dan　40b1, 81b1

daweit　1a3, 1b4, 23a4, 30a1, 30a2, 30a4, 30a4, 30b3, 30b4, 42a3, 49a5, 53a2, 53a5, 56b2, 56b5, 59a5, 65b2, 81a1, 81b3, 84b2, 87b4

deus　52a2

dodi　84a3

dudiya　78a4, 78b1, 84a3

dzabadiyas　79a1

dzabdiyas　82b3

dzabdiyel　78a1, 84a2

dzabulon　81a2

dzahariyas　81a5

dzakariyas　11b4, 14b3, 62b2, 69b5, 72a2

dzakūr　62b3, 64b5, 66b5

dzarahi　79b3

dzarai　80a2

dzatam　73b1

dzedan　54b1

dzekiri　74a1, 74a1

dzidza　54b3, 54b5

<e>

ebdiyas　81a2

eder　56a4, 62b5

edom　31a2, 31a4, 31a5

edziri　82b1

edzirihel　81b2

efaraim　79b2, 80a5, 81a3

elam　70a1

eldzabat　70b2

elehadzar　59a3, 59a4, 59b1, 59b2, 59b3, 60a1, 60b1, 62b4, 63b4, 64a1

elehadzer　56a2, 56a3

elifalet　5a3, 5a4

elifalo　11a4

elifalu　10b5

eliohenai　70a2

elisafen　8b5

elisam　5a4

eliswa　5a3

eliu　81a1

eliyab　10b4, 11a2, 14b4

eliyasib　61a2

eliyata　65b1, 68b3

eliyedzer　11b4, 55b2, 55b3, 55b4, 73b4, 80b4

eliyel　9a1, 9a4

eljiu　70b3

elkana　11b3

emat　1b5

emmer　61a5

esido　1b5, 23b5, 27b1

etan　11a1

<f>

faldaya　81a4

falloni　79b1

farao　22a4

farasim　5b5, 6a3

faraton　80a4

fares　78a2

feleto　32a1

feteya　61b1

filistim　5a5, 5b1, 5b3, 5b5, 6a3, 6a5, 6b5,
　　7a2, 13b1, 29a3, 31a2, 38b2, 38b5

follati　70a4

<g>

gabahon　7a1, 7b3, 20a5, 20b4, 23a1, 47a1

gadzer　38b2

gadzera　7a1, 7b3

galat　75b4, 81a5

gamur　61b3

ganan　13a5, 16b2

gananiyas　68a4

gat　42a3, 42b1, 43a2, 44b3, 44b5, 54a4,
　　55a1, 76a3, 100a3

godoliyas　65a2, 66b4

godoniyel　80b2

goliyat　39a1

<h>

haladeya　22a2

hanani　65b1, 68b1

hananiyas　65b1

hanon　32b4, 32b5, 33a1, 33a2, 33b1, 34a1,
　　60b4

hasabiyas　65a2, 67b4, 75a3, 80b5

hasahel　84a3

hašamon　83b1

heberon　9a1, 55a1, 55b5, 73b2, 75a3, 75b1,
　　99b3

hebiri　62b3

hedzekiyel　61b2

hedzir　61a5

helet　84a4

helles　79b2

helšiyas　71a4

heman　10a5, 11a1, 20b3, 21a1, 64b2, 65a5,
　　65a5, 65b2, 65b3, 65b5, 65b5

hemat　29a5

hira　79a5

hiram　4b2

hofa　61a3

holtai　80b1, 84a4

hosa　20a3, 71a2, 71a2, 71a5, 72a4, 77a1

hosiyel　54b2

hūsati　38b3, 79b3

<i>

ididon　65a2

ididun　20a3

iditon　64b2, 65a2, 65a3

iditun　20b3, 21a1, 21a3, 65b5

isahar　55a1, 55b5, 73b2, 75a1

isahari　62a4

isai　99b1

isaiyas　73b5, 73b5

isak　16a5, 22a4, 97a3

isari　67a1

isbahab　61a4

ismehel　83a2

israyel　1a4, 1a5, 2a1, 2a1, 2b2, 4b4, 5a5,
　　8a5, 9a5, 9b4, 12a1, 12b3, 14b1, 16a1,
　　16b1, 19b1, 20b2, 23b5, 24a2, 24b2,
　　24b4, 25a2, 27a4, 27b3, 28a2, 28a3,

31b2, 35a1, 35b5, 36a3, 36a5, 36b4,
39b1, 40a3, 40b1, 40b5, 41a2, 41a4,
41b4, 42b5, 43a5, 43a5, 48a2, 48a3, 49a4,
50a3, 50a4, 50b3, 51a2, 51b5, 53a5,
53b1, 56b3, 62a1, 75a2, 75a5, 77b2,
80b3, 81b2, 84b2, 85b2, 85b3, 86a2,
86a4, 86b5, 94a1, 95a2, 97a3, 98a5, 99a2,
99a4, 99b1, 99b2, 99b2, 100a4

isrehel　69a5

isrehela　67a4

issakar　70a4, 81a1

itamar　59a3, 59a4, 59b1, 59b3, 59b4, 60a1,
60b2, 63b5

<k>

kamuwen　80b5

kangsaiya　10b3

kariyatiyarim　1b5, 2a2

kat　8b2, 10b1

kelub　82b1

kerubin　2a3, 89b3, 91a1, 91a4, 91a5

kerubisa　91a4

koneniyas　75a1

kore　69b3, 69b4, 73a3

kotoniyel　84a4

kusai　83b3

<l>

ledan　73a5, 73a5, 73b1

lehedan　54a5, 54a5, 54b2, 58b2

lehet　54b3, 54b4

lewei　1b1, 8a2, 8b1, 9a3, 9a4, 9b4, 10a1,
10a2, 10a5, 11b1, 12a4, 12b1, 14b2,
14b5, 20b4, 22b3, 41b2, 53b1, 53b2,
54a3, 55b1, 56a5, 56b1, 56b2, 56b4,
56b5, 57b2, 60a3, 60a5, 62a2, 62b5,

63a3, 64a4, 66a5, 69b3, 72b2, 73a1, 73a2,
73b2, 73b4, 75a1, 75a2, 77a3, 77a4,
80b5, 88a2, 88a3, 90b1

lobni　58b2

<m>

mahadziyeo　61b4

mahadziyot　65b2, 69a1

mahasiyas　10b5, 11a2

mahaša　34a3, 34a4, 80b4

maiman　60b5

manasse　76a3, 81a4, 81a5

marai　80a2

maronat　83a3

maselemiya　69b4, 69b5, 70b5

mašellot　78a5

mašeniyas　10b5, 11a4

mataniyas　67b1

mataniyeo　65a5

matatiyas　10b5, 11a4, 14b3, 65a3, 68a1

medaba　34a5

melkiya　60b5

melkom　38a1, 39b5

melloti　65b1, 68b2

merari　8b3, 10b2, 54a4, 56a2, 62b2, 62b3,
71a2, 73a3

meselemiya　77a3

mesobotamiya　22a3

mika　56a2, 62b1, 62b1, 62b1

mikahel　81a2

mikol　13a2

moab　29a4

mohab　29a5, 31a2

moholi　56a2, 56a2, 56a4, 62b2, 62b4, 62b5

moises　9b5, 22b5, 46b5, 51a1, 55a2, 55b1,
55b2, 64a4, 73b3, 91a3

molok　39b5

mosi　62b5

musi　56a2, 56a4, 62b2

musobotamiya　34a2

<n>

nadab　59a2, 59a3

nadan　5a3, 100a3, 100b5

nadanahel　60a3, 70a3

nafek　5a3

nahas　32b3, 32b4

nason　4a4

natan　23a4, 23b1, 23b3, 26a2, 26a2

natanahel　11b4

nataniya　67a2

nataniyal　64b5

nefetali　81a3

ner　74b3

netofat　80a2, 80b1

noga　5a3

<o>

obededom　3b2, 3b3, 10b5, 11a4, 11b5, 12a2,
　　　14b4, 20a2, 20a3, 70a2, 70b4, 70b5,
　　　72a2, 76b4

obet　70b2

odza　2b1, 3a2, 3a3, 3a4

odzadziu　11a4

odzasiu　81a4

odzihel　73b2

odziriyel　81a3

odziyas　82a5

odziyel　9a1, 11a2, 55a1, 56a1, 62b1, 65a5

odziyeo　62b3

odzo　2b5

ofir　93a5

ornan　43b5, 44b4, 45a1, 45a3, 45a4, 45b2,
　　　46a3, 46b4, 47b4, 52b5

osehe　81a4

osiyel　69a5

osiyeo　62b2

otir　65b1, 68b4

otni　70b2

otoniyel　84a4

<r>

rafa　39a4, 39b2

rafahel　70b2

rafaim　5b2, 38b3

rahabiya　73b4, 73b5

rapa　37b4, 37b4

rohobiya　55b3, 55b4, 62a3

romati　82b2

romemtiyedzer　69a2

romemtiyeser　65b1

ruben　76a3, 80b3

<s>

sabtiyas　70a1

sadok　9a3, 20a4, 31b5, 59b1, 60a4, 63a2,
　　　81a1, 98b4

saduk　100b5

safai　38b4

safat　83a2

safatiyas　80b5

sakar　70a3

sakariyas　10b4, 11a2, 71a4

saldus　39a1

salemot　62a4, 62a4

salomit　54b1, 55b5

salomon　5a3, 30b1, 48b5, 49a4, 49a5, 52a1,
　　　53a5, 86a3, 86b1, 87a3, 88a3, 90a2, 92a3,

97a5, 98b3, 98b5, 99a3, 99a4, 100a1

samaha　39b1

samahot　79a3

samakiyas　70b3

samir　62b1

samiramot　11a2, 14b3

samuwa　5a3

samuwel　74b2, 100a2

sapato　57b3

sarayas　32b1

saron　82b5, 83a1

sarweya　31a3, 31b3, 74b3, 81b5

sašaniya　61a2

satan　40a3, 47a5

saūl　1b3, 13a1, 25b4, 74b3

sebeniyas　11b3

sedari　83a1

sefim　72a4

sehorim　60b4

sekiri　80b4

selemit　74a1, 74a4, 74b5

selemiyas　72a1, 77a3

semei　54a5, 54b1, 54b3, 54b4, 70a5, 70b2

semeyas　8b5, 9a4, 60a3, 65a2, 67b2, 70a2,
　　77a1, 82b2

semiremot　10b4

semri　71a2, 71a3

sidon　4a4, 48b3

sidun　2b4

sihor　1b5

simehon　80b4

siriya　30a2, 34a3, 35a1, 35a3, 35b2, 35b3,
　　35b4, 36b1, 36b5

siriyaingge　30a1, 36a1

soba　29b1, 30a1, 30b3, 34a3

sobab　5a3

sobahel　73b4

sobak　37a3

sobokai　38b3, 79b3

sofak　36a2, 36b2

sohom　62b3

sori　65a2

subahel　62a3, 62a3, 67b5

subuhel　55b3, 65a5

susa　31b5, 32b1

<š>

šeredo　32a1

šis　56a3, 56a3, 62b4, 74b2

šoneniyas　11b1, 12b2

šun　30b1

<t>

tabeliyas　71a4

tamasko　30a3

taweit　2a1, 2b2, 3a3, 3a5, 3b1, 4b2, 4b4, 5a1,
　　5a4, 5b1, 5b2, 6a1, 6a4, 6b1, 7a1, 7a2,
　　7a3, 7b5, 8a1, 9a2, 10a1, 12a1, 12a5,
　　13a1, 13a2, 13b4, 14a1, 15a2, 19b4, 21a4,
　　22b5, 23b1, 23b4, 24a5, 26a2, 26a3,
　　26b3, 28a4, 29a3, 29b2, 31a1, 31b1,
　　31b2, 32a2, 32b4, 32b5, 33a3, 33b1,
　　33b3, 34a1, 34b1, 36a2, 36a5, 36b4,
　　37b4, 37b5, 38b1, 39b1, 39b2, 40a3,
　　40a4, 41a4, 41b4, 41b5, 42a2, 42b1,
　　43a2, 44a1, 44a4, 44b4, 45a1, 45a3, 45a5,
　　45b2, 45b5, 46a2, 46b1, 46b3, 47a1,
　　47b1, 48a2, 48b2, 48b4, 48b4, 51b5,
　　52b5, 54a1, 54a3, 63a2, 64b2, 74a1, 74a5,
　　75b2, 76a2, 82a3, 83a4, 83a5, 89b4,
　　91b2, 91b4, 92a2, 94b5, 97b3, 98b2,
　　99a1, 99a2, 99b1, 100a1, 100a4

tebat 30b1

tekuwa 79a5

tiro 4b2, 48b3

tohū 30b2, 30b5

\<u\>

ubil 83a3

uriyel 8b2, 9a3

\<ū\>

ūfarade 29b1

ūfarede 35b5

\<y\>

yabuseo 43b5

yadiyas 83a3

yadzer 75b4

yadziyel 10b4

yafiya 5a4

yahadziyel 56a1, 62a5

yahat 62a4

yahiyel 11a2, 11a4, 54b1, 83b2, 94b3

yahiyeli 73b1, 73b1

yakin 61b2

yakmaham 56a1

yakob 16a1, 16b1, 22a3, 22a4, 90b5

yaliyeo 62a5

yarimot 56a5

yašim 61a3

yasiyel 15a1, 81b1

yatanahel 70a1

yatihel 69b5

yato 81b1

yaus 54b3, 54b5

yebahar 5a3

yebuseo 44b4, 46b4

yedei 60b3

yedzis 83a4

yehedeya 62a3

yehiyas 11b5

yehiyel 10b4, 10b5, 14b3, 14b3, 14b4

yekmam 62b1

yemini 79b5

yerihao 55b5

yeriko 33b4

yerimot 62b5, 65a5, 68a2, 81a3

yeriya 75b2, 75b3

yermehel 62b5

yeruham 81b2

yerusalem 1b2, 5a1, 8b1, 23a2, 30a5, 35b4, 37b4, 38b2, 41a3, 43b1, 44a2, 56b3, 85a1, 99b3

yesbaham 84a2

yesbakassa 65b1, 68a5

yesbuham 78a1, 84a2

yeser 79a3

yeseyas 65a2, 67a5

yesiya 56a2, 62b1, 62b1

yesiyas 62a4

yesmayas 81a2

yeswa 61a1

yoab 31b3, 34b2, 34b4, 35a3, 35b2, 35b4, 37b2, 37b4, 40a4, 40b2, 41a2, 41b2, 74b3, 79a1, 81b5

yodzabat 70a3

yohab 83b5

yohaha 70a3

yohanan 70a1

yohas 82b5

yohel 8b4, 9a3, 10a5, 54b1, 73b2, 81a5

yoktan 83a5

yonatan 39b1, 82a5

yoram　32b1, 73b5, 73b5

yordane　36a3, 75a4

yosafat　31b4, 11b3

yosefe　64b5, 66b3

yoyada　83b4

yoyadas　32a1, 78b2

yoyarib　60b3

yudas　1a1, 2a2, 41a5, 81a1, 85b5, 86a1

<ž>

žeder　82b4

žersom　55b2, 55b2, 73b3

žerson　8b4, 10b2, 54a3, 54a5, 54b3, 77a4,
　　94b3

žersongni　73a5, 73b1, 77a4

žeser　7b3

žet　3b2, 29a4, 39a1, 39a3, 39b2

žetelti　65b1, 68b5

žihon　100b4

漢語語彙索引

＜凡例＞

- 本章は，満漢合璧版『古新聖經』の漢語語彙を対象とする索引である。
- 一般語彙と人名・地名に分け，一般語彙は虚詞及び口語を中心に収める。
- 語彙の配列は第一音節の拼音順による。
- 語彙の出現箇所は本文の葉・表裏・行をもって示す。
- 特定の品詞のみを収める場合は（　）内に品詞の略称を記す。使用した略称は次の通り：副＝副詞；動＝動詞；助動＝助動詞；介＝介詞；連＝連詞；助＝助詞；語＝語気詞。
- 当該語彙が補語として用いられる場合は「〜」の後に示す。
- 漢字が複数の字体で記される場合は，代表的な字体のみを収める。

157

\<a\>

an   按（介）   20a1, 28a1, 51b1, 55a4, 56a5, 57b4, 57b5, 61b4, 64b3, 71b3, 75b1, 77b2, 88b1, 89a4, 89a5, 98a2

按着   63a1, 97b1

\<b\>

ba   把（介）   1b2, 5b4, 22b2, 24b1, 31a1, 33b2, 38a2, 44b5, 45a5, 46b2, 52a3, 60a3, 87b4

罷（助）   43b4, 97b4

bai   白（副）   46a1

bei   被   35b5, 84a3

ben   本來   23b5

bi   比   11b2, 17b3, 26b2, 27a4, 59b3, 78b4, 99a4

bing   並   1a4, 8b1, 12b1, 20a3, 29a4, 34a2, 56b4, 57b1, 63a3, 73a4, 74b5, 75a1, 88b5, 90a5, 92b5, 100a3

bu   不過   53a3, 96a3

不要   6b2, 17a3, 17a3

\<c\>

cai   才（副）   6b3, 8a1, 52b1

緫   4a2, 33b5, 38b1, 41a3, 51a1, 63b5

chang   常   15a1, 15b4, 21b5, 22a2, 24a1, 26a1, 28a2, 28a4, 28b4, 42a2, 57b5, 97a4

chao   朝（介）   75a5

chu   〜出   18b3, 18b5, 23b5, 27a5, 66b2, 94a4

〜出来   60b2

除   26b3, 27a2

除了   93a1

cong   從   1b5, 2a5, 7a1, 8b2, 8b3, 8b4, 8b5, 9a1, 9a1, 10a2, 10b1, 10b2, 13a2, 14a2, 14a4, 16b5, 19b2, 22b5, 23b5, 24b5, 25a2, 25b1, 29a4, 30a1, 30b1, 31a1, 33b2, 35a1, 35b3, 36b1, 37b5, 40a5, 41a5, 43a5, 46a5, 48a5, 53b2, 53b3, 56b1, 56b4, 59b3, 59b4, 62a3, 64a1, 64b5, 69b3, 70b5, 71a2, 72a5, 72b5, 73a5, 75a3, 85b3, 85b5, 92a2, 93a2, 95a2, 96a3, 96b3

\<d\>

da   大盖   23a1

打發   34b2

dan	但	12b2, 22b2, 23b3, 25a3, 29b5, 33b4, 43a3, 45b2, 47b1, 59b2, 78a4, 82a1, 85a5, 86a3, 91a2
	単	17b5, 56a3, 95a4, 95b1
dang	當（介）	27b2, 63a3, 86b5, 95a1
	當間	12b1
dao	到底	85b2
de	的（語）	17b3, 17b4, 19b4, 21a1, 22b1, 22b5, 26a1, 27a2, 39a5, 50a2, 51a1, 59a2, 69b3, 70b4, 74b4, 79b2, 84a4, 90a1, 93a1, 95a3, 95a4
	得（助）	27a4, 52b1
dei	得（助動）	91a2
deng	等（助）	2b3, 13b1, 14b4, 22b1, 30b2, 31a2, 34a3, 57b4, 64b4, 85a1, 93a1, 97b1
di	弟兄	1b1, 8b2, 8b3, 8b4, 8b5, 9a1, 9a2, 9a5, 10a2, 10b1, 10b2, 10b3, 15a3, 19b5, 20a3, 20a4, 58b5, 66b4, 66b5, 67a1, 67a2, 67a3, 67a4, 67a5, 67b1, 67b2, 67b3, 67b4, 68a2, 68a3, 68a4, 68a5, 68b1, 68b2, 68b3, 68b4, 68b5, 69a1, 69a2, 70b2, 70b4, 71a1, 71a5, 74a4, 74b5, 75a3, 75b2, 85a2
ding	定不得	33a3, 40b5
dou	都	5a5, 5b2, 7a4, 9b5, 10b3, 12a1, 12b2, 16a2, 17a5, 17b5, 18a2, 21b4, 27a3, 28a2, 28a3, 30a5, 31a3, 34a5, 35b3, 36a5, 36b4, 38a4, 39b2, 40b4, 41a5, 43a2, 45a3, 45b4, 47a1, 48a4, 49a3, 51b2, 51b4, 52a3, 52a4, 54b4, 55b1, 57a2, 58a1, 60a1, 60a3, 62b5, 63a4, 64a4, 64b5, 65a4, 65b2, 66a5, 66b1, 66b4, 70b1, 70b3, 70b4, 71b1, 75a3, 75b5, 76b3, 78a4, 78b1, 78b3, 81b2, 83a4, 85b5, 88a3, 88b2, 90b2, 90b2, 92b5, 94a3, 95b3, 96a3, 96b4, 97b4, 99a3, 99b5, 100a5
dui	對（介）	6b4, 34a5
duo	多（副）	1b4, 74b2

<f>

fan	反	3b2, 23b1, 24a1, 25b5, 41a1
fu	富餘	93a1

<g>

gai	該（助動）	15a1, 17b3, 21a2, 21b5, 22a2, 49a1, 49a3, 51a4, 53a1, 58a1, 64a2, 71b2, 88b2, 92b1, 92b2, 92b3, 92b3, 92b4, 92b4, 93b2, 95a4, 98a5
	該當	8a2
gan	敢	3a5, 4a3, 22b5, 36b5, 96a2
gang	剛	81b5
ge	各自	58a2, 58a2, 61b4

gen	跟前 4a3, 28a4, 42b1, 42b3, 63a3
	跟着 12b4
geng	更 17b3, 97a1
gei	給（介） 3a4, 4b2, 6a2, 9b2, 14a2, 16b1, 18a3, 20b2, 22b3, 24a3, 24a4, 24b4, 27b5, 28b5, 28b2, 28b3, 31a3, 33b3, 35a2, 35a3, 40a4, 40b2, 41a3, 41b4, 44b4, 46a1, 48b3, 48b5, 49a2, 49a4, 49b1, 50a3, 50b1, 51a1, 52a5, 53b4, 56b3, 63a4, 71b1, 74b4, 90a2, 94b2, 94b5, 96a2, 96a4, 97a2, 98a1
	給（動） 16b2, 23b5, 45a5, 45b2, 45b3, 46a3, 88a3, 88b4, 88b5, 89a2, 89a2, 89a4, 89a5, 89b3
gong	共揔 57a3, 58b2
gou	彀 43b4, 56b5
guo	～過 38a5, 41a2
	過（助） 32b5, 62a2, 74b3, 81b4

\<h\>

hai	還（副） 3a5, 4a4, 4b2, 7b5, 9a2, 10a1, 12b2, 19a4, 22b4, 25a5, 26a5, 26b3, 28b4, 29a4, 30b1, 30b1, 32a5, 32b1, 37a3, 37b4, 38a3, 38b2, 39b5, 43b1, 45b3, 47b4, 48b2, 50b2, 51b5, 55a4, 58a2, 58b2, 64b2, 69a5, 70b3, 72b3, 76b2, 77a4, 84a2, 87b4, 88a3, 93a1, 93a5, 95b1, 97a1, 97b3, 98b4
hao	好（副） 30b1
	好（助動） 74a3
hen	狠（副） 1b3, 1b4, 39a4, 48b2
he	和（介） 12a3
hu	糊塗 42a2
hui	回轉 33b3, 35b4
	會（助動） 41b1, 51b3
huo	或 10a2, 10a3, 21b5, 22a1, 42b2, 42b2, 42b4, 48a5, 48a5, 57a2, 57a2, 57a3, 57a3, 57a5, 57a5, 66b1, 66b1, 66b1, 71b3, 75a5, 75a5, 88b1, 88b1, 91a2, 91a2, 91b2, 91b3, 91b3, 100a4, 100a4, 100b2, 100b2

\<j\>

ji	既 9a4, 28b3, 49b3, 87b2
	牁角 91a4
jian	揀 16a1, 25b1
	簡 42b2, 85b3, 86a1
	漸漸 13b1

jiang　将（介）　5b3, 17b1, 19a4, 33b1, 59a5, 38a4, 40b3, 41a3, 54a3, 88a3, 90b5

jiao　叫（介）　1b2

　　　教（介）　6a2, 33b2, 38a4, 66a5, 71a3

jie　接着　76b3

jin　今天　87b2

　　　緊要　85a5

jiu　就　3a2, 3b1, 5a2, 10a5, 14b3, 15a3, 16a1, 18b1, 22a3, 28a1, 28a4, 37b2, 42a5, 42b4, 45b3, 50a3, 50b2, 52a1, 52b5, 53b2, 54b2, 57b2, 69a5, 75a2, 77a1, 87b1, 93a2, 93b3

\<k\>

ke　可（助動）　8a3, 16a4, 17b3, 19b2, 23b5, 28b5, 33b5, 45b5, 48b4, 57a1, 60a1, 85b1

ken　肯　81b3

\<l\>

lai　～來　2a1, 5b1, 19a1, 23a1, 33b5, 34b2, 38a4, 60b2, 85a1

le　了　1a3, 2a1, 2a5, 2b4, 3a2, 3a3, 5a1, 5a1, 5a4, 5a4, 5a5, 5b5, 6a1, 6a2, 6a3, 6a5, 7a1, 7a2, 7b5, 8a1, 8a1, 9b3, 9b5, 10a5, 10b4, 12a1, 12a4, 12a5, 12b2, 13a1, 13a5, 13b1, 13b5, 14a4, 15a2, 16a4, 16b5, 17b1, 20a2, 20b3, 21b3, 22a5, 23a2, 24b4, 25a5, 25b1, 25b4, 26a2, 26a3, 26b1, 26b2, 27b1, 28b2, 29a4, 29a4, 29a5, 29b3, 29b3, 29b4, 29b5, 30a1, 30b1, 30b1, 30b3, 30b5, 31a4, 32b3, 33a1, 33b4, 33b5, 34a1, 34a2, 34a3, 34a5, 34b1, 34b1, 34b3, 35a1, 35a3, 35b3, 35b4, 35b4, 35b5, 36a2, 36a5, 36b1, 36b4, 37b2, 37b2, 37b4, 37b5, 38a1, 38b3, 38b4, 39a1, 39a3, 39b2, 41a2, 42a1, 42a2, 42a2, 43a5, 43b1, 43b3, 43b4, 44a3, 44a5, 44a5, 44b5, 45a1, 45a3, 45a4, 46a2, 46a4, 46a4, 46b2, 46b3, 46b3, 47a2, 47a2, 47a5, 47b2, 51a4, 52a2, 52a3, 53a2, 53a5, 53b2, 53b2, 53b3, 55a1, 56a3, 56a4, 56b3, 58b3, 59a5, 59b4, 59b4, 62b2, 62b3, 63a4, 63b5, 64b2, 69b3, 70a5, 72a1, 72a2, 72a3, 73a2, 73b4, 73b5, 73b5, 74a1, 74a1, 75b3, 75b4, 76b3, 77a2, 84b2, 85a5, 85b3, 85b5, 86a1, 86a3, 86a3, 88b2, 88b4, 88b5, 89a2, 89a4, 89a5, 89b3, 90a4, 93a1, 94a4, 94b3, 96a3, 96b3, 98a4, 99b3, 99b3, 99b5, 99b5, 101a1

lian　連（介）　2b2, 8b3, 12b1, 20b3, 27b5, 34a4, 36b2, 52b2, 72a3, 99a2

ling　令　91b3

　　　另（副）　34b4

lun　論（介）　2b2, 11a1, 14b5, 20a4, 31a3, 62a2, 73a3, 92a4

　　　輪流　54a4, 59b2, 64b3

\<m\>

me　麼　5b3, 5b3, 26a5, 26b4, 26b4, 40b4, 44a5, 44a5, 46a1

mei	沒	1b4, 3b1, 9b1, 24a1, 27a2, 27a3, 55b4, 99b1

men　們　1a5, 1a5, 1a5, 1b1, 1b2, 1b2, 1b2, 1b3, 1b4, 5b1, 5b4, 6a1, 6a3, 6b2, 6b2, 6b3, 8a3, 9a4, 9a4, 9a5, 9b1, 9b2, 9b2, 10a2, 10b3, 10b3, 11b4, 12b1, 15a4, 16a2, 16a3, 16b4, 17a2, 17a2, 17b1, 17b4, 18a3, 19a2, 19a4, 19a4, 19a4, 19a5, 19a5, 19b1, 20a1, 21b3, 22a3, 24b5, 25a1, 25a3, 27a3, 27b2, 27b4, 29a3, 30a1, 33b1, 33b3, 33b3, 33b3, 33b4, 34b4, 35a2, 35a5, 35a5, 35a5, 35b1, 35b3, 35b3, 36a2, 36a4, 38a5, 38a5, 38b4, 39b3, 40a5, 40b3, 40b4, 43b2, 44a3, 48a4, 52a2, 52a2, 52a2, 52a3, 52a3, 52a5, 52a5, 52a5, 53b4, 55b1, 55b2, 56a4, 56b1, 56b3, 57a2, 57a3, 57b4, 58a1, 58a3, 59a4, 59b2, 59b3, 61b4, 61b5, 63a2, 63a3, 63b3, 63b3, 64b3, 64b5, 65a1, 65a3, 65a4, 66a4, 66a4, 70b1, 70b4, 70b4, 71b2, 73a5, 73b2, 75a2, 75a5, 75b3, 76a2, 78b4, 84b5, 85a1, 85a2, 85a3, 85b5, 86b5, 87a1, 87a1, 87a2, 91a1, 91a3, 91b1, 95a2, 95b5, 95b5, 96a4, 96a4, 96a5, 96b2, 97a3, 97a4, 97a4, 97b4, 97b4, 97b5

man　饅頭　14a3, 57a4, 89a1, 19b4

<n>

na　那（＝那麼）　49b3, 89a5

　　那様　43b3

nan　難道　24a3

ne　呢　24a4, 26b3, 27a5, 44b1

neng　能（助動）　4a2, 18b2, 26b3, 42b3, 49b4, 50b3, 51a1, 63b2, 87a2, 87a2, 87b1, 90a1, 96b1, 99b1

nu　奴才　16a1, 40b4

nü　女孩　56a3, 13a1

nuo　挪　1b2, 2a1, 8a4, 23a1

<o>

o　哦　3b1

<p>

ping　凭　42a4

<q>

qi　～起　64a1

　　起初　100b4

qian　前頭　11b3, 19b5

qu　～去　33b3

quan　　全（副）　1b2, 6a4, 26a2, 85a1, 95a5

\<r\>

rong　　容易　21b4

ruo　　若　1a4, 21b3, 24a3, 28b5, 35a3, 35a4, 50b4, 58b2, 63b5, 86b2, 87b1, 87b2, 94b1

\<s\>

shang　　～上　10a4, 26b3, 91b4

　　　　上頭　38a2

shao　　燒餅　57a4

shen　　甚麼　21b4, 24b2, 26a2, 26a2, 26a4, 26a4, 26b3, 27a4, 30a4, 30a4, 31b1, 44a5, 74b4, 88a5, 93b2, 93b4, 96a1

shi　　使　7a3, 25b2, 26b2, 30a2, 31a5, 49b5, 91b2, 99a3

　　　　使得　46a1

suan　　算　55a1, 60a2

sui　　雖　4a3, 17a1, 18a2, 21b3, 51a3, 56b5, 86a2, 91a2

　　　　隨便　42b2

　　　　隨即　48a3, 98a1

　　　　隨着　10b3, 65a4

suo　　所有　3b4, 18b5, 82a5, 95a5, 95a5

\<t\>

tai　　太（副）　49b3, 85b1

tang　　倘　9b2, 93b4

te　　特（副）　8a3, 28b1

ti　　替　98b5

tong　　同（介）　5b3, 16a4, 24b2, 35b2, 38b2, 38b4, 50b1, 51b5, 52a2, 63a2, 74a4, 90a3

　　　　同（連）　2a1, 9a3, 9a5, 15a2, 20a4, 64b2, 66a4, 73b2, 74a4, 75a3, 75b2, 83b1, 84b5

\<w\>

wang　　徃　16b5, 24b5, 56b5

　　　　望（介）　1a3, 1a5, 4b2, 6b2, 6b3, 9a4, 10a2, 23a4, 24a4, 33a2, 35a2, 36a4, 38a5, 41b5, 42a2, 45a3, 49a5, 49b2, 85a2, 85a5, 86a5

wei　　為（介）　4b3, 6b5, 7b5, 8a3, 8a4, 9b3, 9b4, 10a4, 14a5, 15a3, 15b1, 17a2, 19a5, 19b5, 20b4, 30a2, 31a5, 33a3, 33a4, 34a2, 34b4, 35a5, 38a5, 45b1, 48b1, 48b2, 51a4, 52a5, 52b2, 57b5, 59b2, 71b4, 82a1, 85a3, 85a5, 87a2, 87b3, 88a4, 88b4, 89a1, 89a2,

89a3, 89a5, 89b1, 89b2, 92a4, 92b1, 93a1, 93a2, 93b1, 94a3, 96b2, 98a3

未　41b2, 49a3, 57a4, 62b4, 82a2, 82a2

wu　　無（副）　19a3

無論　21b4, 100b3

\<x\>

xia　　〜下　49a3, 58a1

xiao　小孩　48b5

xian　現成　49a3, 51b2

xiang　向　6b4, 16a5, 91a2

像（動）　6a2

xie　　些　6a4, 10b5, 44a5, 45b5, 53b3, 66b1, 71b1, 74b3, 82a2, 88a2, 89b5

xu　　許多　10a5

\<y\>

yang　養　5a2

yao　　要（助動）　2a1, 2a3, 2b5, 9b3, 12a2, 16a3, 17a5, 20a1, 21a4, 23a1, 25a4, 25a5, 26a4, 27a1, 28a5, 28b5, 29b1, 32b4, 34b5, 35b1, 40b5, 41a1, 45a5, 45b3, 45b5, 48a3, 48b5, 65b2, 74b4, 81b4, 85a4, 88a5, 91a5, 94b4

要緊　49a2

ye　　也　7a3, 7b3, 7b3, 8a1, 11b5, 15b3, 18b5, 21a4, 23a1, 26a4, 27b4, 28a3, 34b1, 37b3, 38b1, 41a1, 48a2, 48b5, 50a2, 50b1, 50b3, 50b3, 52a3, 52a4, 53a1, 54a3, 56a3, 57a1, 57b5, 59a4, 60b2, 70a5, 70b3, 71a1, 72b4, 74a4, 77a3, 78a3, 78b4, 79a2, 79a3, 79a5, 79b2, 79b4, 80a1, 80a3, 80a5, 80b2, 84a4, 84a4, 85b1, 86b2, 87a2, 87b2, 89a3, 89b2, 90a4, 92a3, 94a4, 96b5, 96b5, 97b1, 98a1, 98a5, 99a1

yi　　一塊（名）　23b2, 24b2, 50b1, 51b5, 52a2, 90a3

一面　11a1, 11a1

一齊　1b2, 9a5, 12a1

一様　6a2, 12b2, 39a2, 42b2, 63a2, 71b2, 77a2, 96a4

已　53a5, 77a2, 85a4, 101a1

you　　又　1a5, 4b5, 5a1, 6a5, 6b1, 8b1, 9b2, 9b3, 13b5, 16a5, 19a5, 19b3, 21b4, 24b4, 27a1, 27b3, 29a4, 29b3, 30b5, 38b4, 42a5, 46a3, 48b4, 50a4, 53b1, 59b5, 62b3, 66a2, 66a5, 72b2, 74a1, 76b2, 78a3, 83a5, 84a2, 86a5, 88b1, 89a2, 89a5, 90a2, 96a1, 97a5

yu　　于是　4b4

與（介）　13b5, 18b3, 22b2, 25b2, 27a2, 30b4, 30b5, 32b5, 43a2, 46a3, 74b5, 90a1, 91b4

與（連）　30b5, 57b1, 59b1

與其　43a3

<Z>

zai　在（介）　2a3, 2b2, 3a2, 4a3, 5a1, 5b2, 6a1, 6a3, 6b5, 7b5, 11b3, 11b4, 13b4, 15a1, 15a4, 16b4, 18a5, 18b1, 19a5, 19b5, 20a5, 22a2, 22a3, 22b4, 23a1, 23a4, 24b3, 24b5, 26a3, 28a2, 28a4, 28b4, 30a2, 31a4, 31a5, 32a2, 33b4, 34b1, 34b3, 34b4, 34b5, 36a3, 38a3, 39a3, 39b2, 42b3, 42b5, 43a3, 43b5, 44a2, 44a2, 44a4, 44b4, 45a1, 45b1, 46a3, 46b3, 47a2, 48a4, 52b2, 55a4, 55b1, 57a2, 57b2, 57b5, 58a2, 59a4, 61b5, 63a1, 63a2, 64b3, 66a1, 66a3, 71b2, 72a4, 73a1, 75a4, 81b3, 85a1, 86b5, 88a4, 90b2, 94b2, 96a5, 97a1, 98b1, 99b3, 100a2, 100b5

在（動）　3b3, 18a2, 23b1, 23b2, 24a1, 24b2, 25b5, 37b4, 42b5, 47a1, 50b1, 51b5, 52a2, 79a1, 81a5, 90a3, 95b1, 95b1, 95b3, 95b4, 100a4

zen　怎　3a5

怎麼　17b1, 23b2, 35b1, 43a1, 45b3, 45b3

zhao　照（介）　7a1, 9b5, 20b1, 26b4, 41a2, 42a5, 56b5, 64a3, 66a2, 86b2, 89a1, 90a1, 91a3, 98b3

照先　25a1

zhe　這（＝這麼）　28b2, 96a2, 97a1

這樣　17a1, 19b3, 23b4, 26a5, 26b3, 26b4, 38b1, 41b5, 42a2, 42a4, 44a4, 44a5, 45b5, 49a1, 53a2, 59a2, 62a2, 64a2, 69b3, 73a2, 84b2

着（助）　15b4, 16a3, 18a1, 26b4, 47a2, 54a1, 63b4

zhen　真（副）　19b3, 25a2, 26b2, 33b4, 42a2

zheng　正（副）　21a1, 24a5, 29b1, 43b2, 86b5

zhi　只（副）　55a1, 56b5, 59b4, 91a2, 95a4, 95a4

只管　23b2, 45b3, 93b5

直　6b2

zhu　〜住　29b2, 37b4

zi　自　2a1, 36b5

自己　2b3, 27b2, 29b5, 34a1, 35b5, 38a2, 44a3, 66a5, 66b4, 78b3

zong　揔（副）　24a1, 31b1, 100b

人名・地名

\<a\>

a 阿柏得　70b2

阿柏得多莫　3b2, 3b3, 10b5, 11a4, 11b5, 12a2, 14b4, 20a2, 20a3, 70b5

阿柏得多黙　70a2, 70b4, 72a2, 76b4

阿弟肋　65b1, 68b4

阿弟尼　70b2

阿耳南　43b5, 44b4, 45a1, 45a3, 45a4, 45b2, 46b3, 47b4, 52b5

阿耳男 46a3

阿費耳　93a2

阿漆耳　9a1, 11a2, 55a1, 56a1, 62b1, 65a5, 69a5, 11a2

阿漆黒耳　73b2

阿漆里耳　81a3

阿漆亜斯　82a5

阿漆亜烏　62b3

阿塞黒　81a4

阿托尼耳　84a4

阿西亜烏　62b2

阿匝　2b1, 2b5, 3a1, 3a3, 3a4, 20a3

阿匝秋　11a4, 81a4

an 安孟　31a2, 32b2, 33a1, 33a2, 33b5, 34a5, 34b2, 35a4, 35b3, 36b5, 37b3, 38a5

安米耳　70a4

\<b\>

ba 巴哈耳法拉西莫　5b5, 6a2

巴哈里亜達　5a4

巴拉既亜斯　10b1, 11b2

巴拉南　82b4

巴里亜　54b4, 54b5

巴畧　92b5, 100b2

巴落斯　100b2

巴那亜　10b4, 11a3, 14b4

巴那亜斯　11b4, 15a1, 32a1, 78b2, 78b4, 80a4, 83b4

bai 柏得　32a5

柏耳撒柏　40a5

柏落得　32a5

柏尼亜明　41b2, 81b1

ben　本諾　62b3

本撒烏耳　1b3

beng　崩　10b4

bo　伯得冷　38b5

伯耳加　61a4

玻詩亜烏　65a5, 67a3

<c>

cha　査費大里　81a3

<d>

da　達　37b5

達瑪斯郭　30a1, 30a2

達瑪亜烏　61b3

達未　12a1, 74a1, 75b2

達味　1a3, 1b4, 1b5, 2a1, 2b2, 3a3, 3a5, 3b2, 4b2, 4b4, 5a1, 5a4, 5b1, 5b1, 5b2, 6a1, 6a4, 6b1, 7a1, 7a2, 7b5, 8a1, 9a2, 10a1, 12a5, 12b2, 13a1, 13a2, 13b4, 13b5, 15a2, 19b4, 21a4, 22a5, 23a4, 23b1, 23b4, 24a5, 26a3, 26a3, 26b3, 28a4, 29a3, 29b2, 29b3, 30a1, 30a4, 30a5, 30b3, 30b4, 31a1, 31a5, 31b1, 31b2, 32a2, 32b4, 32b5, 33a3, 33b1, 33b3, 33b3, 34a1, 34b1, 36a2, 36a5, 36b4, 37b4, 37b5, 39b1, 39b2, 40a3, 40a4, 41a3, 41b3, 41b5, 42a2, 42a3, 42b1, 43a2, 44a1, 44a4, 44b4, 44b5, 45a1, 45a3, 45a5, 45b2, 45b5, 46a2, 46b3, 47a1, 47b1, 48a2, 48b2, 48b3, 48b4, 51b5, 52b5, 53a2, 53a5, 54a1, 54a3, 56b2, 56b5, 59a5, 63a2, 64b2, 65b2, 76a2, 80b3, 81a1, 81b3, 82a2, 83a4, 83a5, 84b2, 87b4, 89b4, 90a2, 91b2, 91b4, 92a2, 94b5, 97b3, 98b2, 98b5, 99a2, 99b1, 100a1, 100a4

dan　旦　40a5, 81b1

de　得巴　30b1

得順　30b1

di　弟落　4b2, 48b3

dou　陡斯　2a3, 2a5, 2b2, 3a5, 3b1, 3b2, 6a1, 6b1, 6b2, 6b5, 7a1, 7b2, 7b2, 7b5, 8a2, 8a4, 9b4, 10a1, 12a4, 13b4, 16a2, 19a4, 21a1, 23b2, 23b3, 26a4, 26b2, 27a3, 27a5, 27b4, 28a3, 28a4, 28b2, 35a5, 41b3, 41b5, 44a4, 44b1, 44b4, 47a3, 48a2, 49a5, 49b1, 50b1, 50b2, 50b3, 52a2, 52a5, 52a5, 55a4, 55b1, 56b3, 60a2, 62a2, 65b3, 65b3, 73a3, 85a3, 85a5, 85b3, 86b5, 87a1, 87a4, 90a3, 92a2, 92a5, 92b1, 93a2, 94a3, 95a2, 95b5, 96b2,

96b4, 97a3, 97b4, 97b5, 97b5

du　　都弟亜　78a4, 78b1, 84a3

duo　　多弟　84a3

<e>

e　　厄丹　10b3, 11a1

厄得耳　56a4

厄得肋　62b5

厄耳加　11b3

厄耳匝巴得　70b2

厄拉莫　70a1

厄里法肋得　5a3, 5a4

厄里法禄　10b5, 11a4

厄里撒範　8b5

厄里撒瑪　5a4

厄里蘇娃　5a3

厄里亜伯　10b4, 11a2, 14b4

厄里亜他　68b3

厄里亜西柏　61a2

厄里耶耳　9a1, 9a4

厄里耶則耳　11b4, 73b4, 80b4

厄留　70b3, 81a1

厄睪黒奈　70a2

厄瑪得　1b5, 30b2

厄黙耳　61a5

厄尼亜他　65b1

厄漆里　82b1

厄漆里黒耳　81b2

厄日多　1b5, 23b5, 27b1

<f>

fa　　法達亜　81a4

法耳落尼　79b1

法拉東　80a4

法労翁　22a4

法肋斯　78a2

fei	費得亜	61b1
	費肋托	32a1
	斐里斯定	5a4, 5b1, 5b3, 5b5, 6a4, 6b5, 7a2, 13b1, 29a3, 29a4, 31a2, 38b2, 38b4
fu	弗耳拉弟	70a4

\<g\>

guo	郭多里亜斯	65a2, 66b4
	郭多尼耳	80b2
	郭肋	69a3, 69b4, 73a2
	郭里亜得	39a1
	郭奈里亜斯	11b1, 12b2
	郭奈尼亜斯	75a1
	郭托尼耳	84a4

\<h\>

ha	哈加莫尼	83b1
	哈里默	60b4
	哈墨必亜斯	67b4
	哈那尼	65b1, 68b1
	哈那尼亜斯	65b1, 68a3
	哈農	32b4, 32b5, 33a1, 33a2, 33b1, 34a1
	哈撒必亜斯	75a3, 80b5
	哈塞必亜斯	65a2
	哈匝黒耳	84a3
hei	黒柏隆	9a1, 55a1, 55b5, 73b2, 75a3, 75b1, 99b3
	黒必里	62b3
	黒耳肋斯	79b1
	黒耳詩亜斯	71a4
	黒肋得	84a4
	黒瑪得	29a5
	黒幔	10a5
	黒慢	10b2, 11a1, 64b2, 65a5, 65b2, 65b2, 65b5, 66a3, 67a3
	黒滿	20b3, 21a1
	黒漆肋	61a5
	黒則既耳	61b2
hu	胡撒弟	38b3, 79b3

huo   火伯法   61a3

          火耳太   80b1

          火耳泰   84a4

          豁撒   71a2, 71a2, 71a5, 72a4, 77a1

          豁西耳   54b2

\<j\>

ji   雞東   2b4, 4a4

jia   加巴哈   7b3

          加巴翁   7a1, 7b3, 20a5, 22b5, 47a1, 47a2

          加得   8b2, 10b1, 42a3, 42b1, 43a2, 44b3, 44b5, 54a4, 54a5, 55a1, 76a3, 100a3

          加耳徳亜   22a2

          加拉得   75b4, 81a5

          加里亜弟亜里莫   2a2

          加里亜里莫   2a1

          加默耳   61b3

          加木耳   80b5

          加南   13a5, 16b2

          加撒亜   10b3

          加則耳   38b2

          加則拉   7a1, 7b3

          家西亜斯 11b5

\<k\>

ke   克禄伯   82a5

          克魯賓   2a3, 89b2, 91a1, 91a4, 91a5

ku   庫塞   83b3

\<l\>

la   拉伯   37b4

          拉法   39a5, 39b2

          拉法耳   70b2

          拉法意莫   5b2

          拉法意黙   38b3

          拉哈必亜   73b5, 73b5

          拉怕   37b4

le	肋丹	73a5, 73a5, 73a5
	肋黒丹	54a5, 54a5, 54b2, 58b2
	肋黒得	54b3, 54b4
	肋未	1b1, 8a2, 8b1, 9a3, 9a4, 9b4, 9b5, 10a2, 10a5, 11b1, 12a3, 12b1, 14a4, 22b3, 41b2, 53b1, 53b2, 54a3, 55b1, 56a5, 56b4, 56b5, 57b1, 50a3, 62a2, 62b5, 63a3, 64a4, 66a5, 72b2, 73a1, 77a4, 80b5, 88a3, 90b1
	肋味	77a2
lu	路崩	76a3, 80b3
luo	落伯尼	58b2
	落火必亜	55b3, 55b4, 62a3
	落瑪弟	82b2
	落孟弟耶則耳	69a2
	落孟鉄則耳	65b1

<m>

ma	瑪大弟亜斯	10b5, 11a4, 14b3, 65a3
	瑪大尼亜烏	65a5
	瑪哈漆亜烏	61b4
	瑪哈漆約得	65b2, 69a1
	瑪哈沙	34a3, 34a4, 80b4
	瑪哈亜西	10b5
	瑪哈西亜	11a2
	瑪頼	80a2
	瑪那斯	76a3, 81a4, 81a5
	瑪蛇弟亜斯	11a4
	瑪蛇耳落得	78a5, 78b1
	瑪蛇尼亜斯	10b5
	瑪他弟亜斯	68a1
	瑪他尼亜斯	67b1
mai	邁慢	60b5
mei	毎瑟	9b5, 22b5, 46b5, 51a1, 55a2, 55b1, 55b2, 64a4, 73b3, 77a1
mi	米加	56a2, 62b1, 62b1, 62b1
	米加黒耳	81a2
	米渇耳	13a2
mo	莫達巴	34a5, 34b3
	黙耳宮	37b5, 39b5

黙耳既亜　60b4

莫耳落弟　68b2

莫耳亜弟　65b1

莫哈伯　29a4, 29a5, 31a2

莫黒里　62b5

莫谿里　56a2, 56a2, 56a4, 62b2, 62b4

莫拉里　8b3, 10b2, 62b2, 62b3

黙拉里　54a4, 56a2, 71a2, 73a2

黙落克　39b5

黙落那得　83a3

黙塞肋米亜　69a5, 69b5, 70b5, 77a4

莫索玻達米亜　22a3, 34a2

mu　　母西　56a2, 56a4, 62b2, 62b5

<n>

na　　那　59a2

那柏奈耳　84a3

那大伯　59a3

那大那耳　11b4, 60a3

那大尼亜　64b5

那丹　5a3, 23a4, 23b1, 23b3, 26a1, 26a2, 100a3, 100b4

那費克　5a3

那哈斯　32b3, 32b4

那順　4a4

那他那耳　70a3

那他尼亜　67a2

nai　　奈耳　74b3

奈托法得　80a2, 80b1

nuo　　諾加　5a3

<o>

ou　　歐法拉得　29b1, 35b5

<q>

qi　　漆匝　54b3, 54b4

172

<r>

| re | 熱得 | 3b2, 29a4, 39a1, 39a3, 39b2 |

熱得耳　82b4

熱得耳弟　68b5

熱耳宋　8b4, 54a3, 54a5, 55b2, 55b2, 73b3, 77a4, 94b2

熱耳宋尼　73b1, 77a4

熱特耳弟　65b1

熱則耳　7b3

ri　　日紅　100b5

日露撒冷　1b2, 5a1, 5a2, 8b1, 23a2, 30a5, 35b4, 37b5, 38b2, 41a3, 43b1, 44a2, 56b3, 85a1, 99b3

ru　　如達　1a1

如達斯　2a2, 41a5, 81a1, 85b5, 86a1

ruo　　若耳當　36a3, 75a4

若瑟甫　64b5, 66b3

<s>

sa　　撒罷多　57b3

撒多克　9a3, 20a4, 20b3, 31b5, 59b1, 63a2, 81a1, 98b4, 100b4

撒耳都斯　38b5

撒耳未亜　31a3, 31b3, 74b3, 81b5

撒法得　83a2

撒法的亜斯　80b5

撒法意　38b4

撒加肋　70a3

撒拉亜斯　32b1

撒肋莫得　62a4, 62a4

撒隆　82b5, 82b5

撒落孟　5a3, 30b1, 48b5, 49a4, 52a1, 53a5, 86a3, 86b1, 87a3, 88a3, 90a2, 92a3, 97a5, 98b3, 98b5, 99a3, 99a4, 100a1

撒落米得　54b1, 55b5

撒瑪阿得　79a3

撒瑪哈　39b1

撒瑪既亜斯　70b3

撒米耳　62b1

撒莫亜斯　8b5

\<w\>

wu　　烏必肋　83a3

　　　烏里耶耳　8b2, 9a3

\<x\>

xi　　西東　48b3

　　　西割耳　1b5

　　　西加里亜斯　62b2

　　　喜拉　79a5

　　　喜拉莫　4b2

　　　西里亜　29b5, 30a2, 34a3, 35a1, 35a3, 35b2, 35b3, 35b4, 36a1, 36a4, 36b1, 36b5

　　　西黙翁　80b4

\<y\>

ya　　亜巴拉哈母　16a4, 22a2, 22a4, 97a3

　　　亜必莫肋克　22a4

　　　亜必那大伯　2a5

　　　亜必賽　31a3, 35a2, 35a2, 35b4

　　　亜必亜　61a1

　　　亜必亜大耳　9a3, 31b5, 83b4

　　　亜必亜撒費　76b2

　　　亜必耶則耳　79b5

　　　亜必由　9a3, 59a3

　　　亜伯弟亜斯　81a2

　　　亜伯奈耳　74b3, 81b1

　　　亜大肋則耳　29b1, 30b5, 36a1, 36b3

　　　亜達肋則耳　30a1, 30a4, 30b1, 30b3, 30b5

　　　亜得阿大托　39a1

　　　亜底黒耳　69b5

　　　亜弟里　83a2

　　　亜弟亜斯　83a3

　　　亜底耶耳　82a4

　　　亜多拉莫　32a5

　　　亜多拉黙　30b4, 31a1

　　　亜費塞斯　61b1

　　　亜費亜　5a4

亜佛尼　82b3

亜各伯　16a1, 16b1, 22a4, 90b5

亜各柏　22a3

亜哈得　62a4, 62a5

亜哈漆耳　56a1, 62a5

亜豁西　78a3

亜既莫肋克　31b5

亜既托伯　31b4

亜既托費耳　83b2, 83b3

亜既亜斯　73a3

亜加耳　83a4

亜加莫尼　84a2

亜近　61b2

亜可斯　60b5

亜克蛇斯　79a5

亜拉既　83b3

亜藍　54b2

亜肋烏那　47b4

亜隆　8b1, 55a2, 55a2, 57a2, 58a3, 59a2, 59a2, 61b5, 63a2, 64a3, 80b5

亜瑪肋克　31a2

亜瑪里亜斯　56a1, 62a5

亜瑪塞　11b4

亜米里　81a2

亜米那大伯　9a2, 9a4

亜米匹巴得　78b4

亜莫郎　55a1, 55a2

亜黙郎　62a2, 73b2

亜那托得　79b5

亜尼　10b4, 11a2

亜漆耳　15a1

亜漆則　83a4

亜撒費　10b1, 10b2, 11a1, 14b2, 14b5, 19b4, 64b5, 64b5, 65b5, 66a3, 66b3, 69b4, 76b2

亜撒肋黒耳　69a5

亜撒肋拉　64b5

亜塞費　15a2, 64b2

亜塞亜　8b3, 9a3

亜詩黙　61a3

亜他那黒耳　70a1

亜托　81b1

亜烏斯　54b3, 54b5

亜西耳　10b4, 54b1

亜希耳　14b3

亜西路得　31b4

亜西莫肋克　63a3

亜西黙肋克　59b1

亜西耶耳　81b1, 94b2

亜希耶耳　11a2, 83b2

亜西約　2b1

亜亜伯　35b3

亜匝黒耳　79a1

亜匝肋黒耳　67b3, 69a5

亜則耳　75b4

亜則莫得　82a4

ye　　耶巴哈落　5a3

耶布則阿　43a5, 44b4, 46b3

耶得意　60b3

耶東　31a2, 31a4, 31a5

耶法拉意黙　79b2, 80a5, 81a3

耶黒得亜　62a3

耶克瑪行　62a5

耶克忙　56a1

耶肋莫黒耳　62b4

耶肋亜匝肋　56a2, 56a3, 59a3, 59a4, 59b2, 59b3, 60a1, 60b1, 62b4, 63b5, 64a1

耶里郭　33b4

耶里莫得　56a5, 62b5, 65a5, 68a2, 81a3

耶里亜　75b2

耶里亜烏　55b5, 62a5

耶里耶則耳　55b2, 55b3, 55b4

耶落哈黙　81b2

耶落亜匝肋　59a5

耶米尼　79b5

耶撒亜　67a5

耶塞亜斯　65a2

耶斯亜斯　62a4

耶蘇巴哈莫　84a2

耶蘇巴加撒　65b1, 68a5

耶蘇柏哈黙　78a1

耶蘇玻哈莫　84a2

耶蘇瑪亜斯　81a3

耶蘇娃　61a1

耶西耳　14b3, 14b4

耶希耳　10b5, 11a4

耶西亜　56a2, 62b1, 62b1

耶希亜耳　10b4

耶希耶里　73b1

耶則耳　79a3

yi　　依達瑪耳　59a3, 59a4, 59b1, 59b3, 59b4, 60a1, 60b1, 63b5

依底同　20a3, 20b3, 21a2, 21a3, 64b2, 65a2, 65a3, 65b5, 66a3, 66b4

依撒各　22a4

依撒格　16a5, 97a3

依撒哈耳　55a1, 55b5, 73b2, 75a1

依撒哈肋　62a4

依撒加耳　70a4, 81a1

依撒里　67a1

依撒意　99b1

依賽亜斯　73b5, 73b5

依斯巴哈　61a4

依斯拉耶　23b5

依斯拉耶耳　1a4, 1a5, 2a1, 2a1, 2b2, 4b4, 4b5, 5a5, 8b1, 9a5, 9b4, 12a1, 12b3, 15b5, 16b1, 19b1, 20b1, 24a2, 24b1, 24b4, 25a2, 27a4, 27b3, 28a2, 28a3, 31b2, 35a1, 35b5, 36a3, 36a5, 36b4, 39b1, 40a3, 40b1, 40b5, 41a2, 41a4, 41b4, 42b5, 43a5, 43a5, 48a2, 48a3, 49a4, 50a2, 50a4, 50b3, 51a1, 51b5, 53a5, 53b1, 56b3, 62a1, 75a2, 75a5, 75b2, 77b2, 80b3, 81b4, 82a1, 84b2, 85b2, 85b4, 86a2, 86a4, 86b5, 94a1, 95a2, 97a3, 98a3, 99a2, 99a4, 99b2, 100a4

依斯肋黒　69a5

依斯肋拉　67a4

依斯耶耶耳　81b2

yue	約哈哈	70a3
	約哈南	70a1
	約哈斯	82b5
	約黑耳	8b4, 9a3, 10a5, 54b1, 73b1, 81a5
	約拉莫	32b1, 73b5
	約拉黙	73b5
	約那丹	39b1, 82a5, 83a5
	約撒法得	11b3, 31b4
	約亜伯	31b3, 34b2, 34b4, 35a3, 35b2, 35b4, 37b2, 37b4, 40a4, 40b2, 41b2, 74b3, 78b5, 81b5, 83b5
	約亜達	83b4
	約亜大斯	32a1
	約亜達斯	78b2
	約亜里柏	60b3
	約亜糸	41a2
	約匝巴得	70a3

<Z>

za	匝巴弟耳	78a1
	匝巴弟亜斯	70a1, 79a1
	匝柏弟耳	84a2
	匝柏弟亜斯	82b3
	匝布隆	81a2
	匝當	73b1
	匝加里亜斯	10b4, 11a2, 11b4, 14b3, 69b5, 71a4, 72a1, 81a5
	匝庫耳	64b5, 66b5
	匝枯肋	62b3
	匝拉希	79b3
	匝賴	80a2
ze	則丹	54b1
	則既里	74a1, 74a1, 80b4

II

論考編

満漢合璧版『古新聖經』の成立について

竹越　孝

1. はじめに

　本稿では，イエズス会士ポワロ（Louis Antoine de Poirot 賀清泰，1735-1813）による聖書翻訳の一バージョンである満漢合璧版『古新聖經』の成立過程について考察したいと思う。Pfister（1932-34）が引くパンジ（Joseph Panzi：潘廷章，1734-1812 頃）の書簡によれば，ポワロは 1790（乾隆 55）年までに新旧約聖書の満洲語訳を完成させていたことが知られ[1]，また李奭學（2013）によると，ポワロがバチカンの教皇庁に出版の許可を求めた 1803（嘉慶 8）年までには漢語訳も完成していたと推測されるという。『古新聖經』に満洲語版テキストと漢語版テキストが現存している以上，まず満洲語版が成立し，その後漢語版が成立したという順序に疑問の余地はないが，このたび満漢合璧版のテキストが出現したことにより，次の諸点を検討する必要が生じてきた。

　　1）満漢合璧版はどの段階でどのように作成されたか
　　2）満漢合璧版は誰によって何のために作成されたか
　　3）漢語訳に際して満洲語訳は参考にされたか

　即ち，満漢合璧版は現存の満洲語版，漢語版とどのような関係にあり，その作成者と目的は何か，また満洲語訳と漢語訳は互いに影響関係を持つか，という問題が新たに提起されることになる。

　上に見た史的背景と重ね合わせるならば，満漢合璧版，満洲語版，漢語版という三者の成立順序としては，

　　A. ①満洲語版＞②満漢合璧版＞③漢語版
　　B. ①満洲語版＞②漢語版＞③満漢合璧版
　　C. ①満漢合璧版＞②満洲語版・漢語版

という三通りの可能性を想定することができる。A 説では①満洲語版が成立した後，それに漢語訳を付す形で②満漢合璧版が作られ，しかる後に③漢語版が切り離されたという解釈，B 説では①満洲語版が成立した後，それとは別に②漢語版が作られ，両者を合わせる形で③満漢合璧版が作成されたという解釈，C 説では最初に①満漢合璧版が成立し，そこから②満洲語版及び漢語版が切り離されたという解釈が，それぞれ取られることになる。この問題に対する検討は，必然的に満洲語訳が漢語訳に影響しているか否かを問うことに繋がる。

　本稿の目的は，以上のような満漢合璧版『古新聖經』の成立に関わる諸問題を，現存テキスト間の関係から明らかにすることであり，満漢合璧版の満洲語部分と満洲語版に

---

[1] Pfister（1932-34, 2：969），Mende（2004：151）を参照。

おける異同，満漢合璧版の漢語部分と漢語版における異同，そして満洲語訳と漢語訳の間のずれ，といったいくつかの面から，満漢合璧版の成立過程を考えてみたいと思う。『古新聖經』の満漢合璧版は孤本だが，漢語版，満洲語版についてはいくつかのテキストが存在していることが知られている[2]。しかし，現存テキスト間の均質性は非常に高いとされているので[3]，ある程度閉じた体系として推論することは可能と考え，以下では満洲語版を東洋文庫蔵鈔本で，漢語版を上海徐家匯蔵書楼蔵鈔本で代表させる。なお，ポワロが満洲語訳・漢語訳にあたり基づいたのは標準ラテン語版（ウルガタ，editio Vulgata）であるとされているが[4]，現段階でラテン語原版との対照は行っていない。

2. 満洲語の異同からみた成立過程

　まず，満漢合璧版の満洲語部分と満洲語版の間に見られる満洲語の異同を取り上げる。両本の間でまず目につく相違点は，イスラエル（依斯拉耶耳）の表記が，満漢合璧版の満洲語では israyel であるところを満洲語版が israel に作ることであり，これは終始一貫しているが[5]，ここでは一貫していない相違点について考察する。

　神（創造主）を意味するデウス（Deus）の訳語として，満漢合璧版の満洲語では abkai ejen（天の主）に作るものがほとんどであるのに対し，満洲語版では一部 deus（デウス）または ejen deus（主デウス）に作る場合がある。対応する漢語は「天主」「陡斯」「主陡斯」などである。三種の『古新聖經』において神を表す満洲語と対応する漢語の関係を整理してみると次のようになる。（　）内は用例数，「―」は対応する語彙が存在しないことを表す。

表 1：『古新聖經』において神を表す満洲語と対応する漢語

満漢合璧版		漢語版	満洲語版
満洲語	漢語		
abkai ejen（233）	天主（130）	天主（130）	abkai ejen（129）
			deus（1）
	天（1）	天（1）	abkai ejen（1）
	主（3）	天主（1）	abkai ejen（3）
		主（2）	
	陡斯（49）	陡斯（47）	deus（42）

---

[2] 本書前言及び内田・李（2019）等を参照。

[3] 内田・李（2019：8）によれば『古新聖經』の漢語における北堂本と徐家匯本の違いはわずか数文字であるといい，また松村（1976：43）によれば，満洲語における東洋本と英国聖書協会（旧英国外国聖書協会）本の違いもごくわずかであることが知られている。

[4] 松村（1976：40），李奭學（2013：90），内田・李（2019：3）等を参照。

[5] 満洲語には ae の母音連続が存在しないので、israel よりも israyel の方が正書法に合致した綴りであることは確かである。

				abkai ejen （5）
		陡斯 （1）		ejen deus （2）
		主陡斯 （1）		
	主陡斯 （34）	主陡斯 （34）		ejen deus （28）
				deus （4）
				abkai ejen deus （1）
				abkai ejen （1）
	— （16）	— （16）		abkai ejen （14）
				deus （2）
	ejen deus （1）	主陡斯 （1）	主陡斯 （1）	ejen deus （1）
計	abkai ejen （233） ejen deus （1）	天主 （130） 陡斯 （49） 主陡斯 （35） 主 （3） 天 （1） — （16）	天主 （131） 陡斯 （48） 主陡斯 （36） 主 （2） 天 （1） — （16）	abkai ejen （153） deus （49） ejen deus （31） abkai ejen deus （1）

　上表から全体的な傾向を見るならば，満漢合璧版の満洲語ではほぼすべて abkai ejen を用いるのに対し，満洲語版では abkai ejen を用いるものと deus または ejen deus を用いるものが約 2 対 1 の割合で併存しており，満洲語版で deus とする個所を漢語版及び満漢合璧版の漢語ではほとんどの場合「陡斯」に作る，というところであろう。このことは，満洲語の面で deus から abkai ejen への全面的改訂，あるいは abkai ejen から deus への部分的改訂が行われたことを示唆する。

　当時のカトリックにおける聖書翻訳の状況から考えれば，神を指す満洲語として，「天主」の意訳である abkai ejen は歓迎され，デウスの音訳である deus は忌避される傾向にあったと想定するのが自然である。デウスを「天主」という漢語で表すことは，ルッジェーリ（Michele Ruggieri 羅明堅, 1543-1607）やリッチ（Matteo Ricci 利瑪竇, 1552-1610）の創案とされるが[6]，17 世紀末から 18 世紀にかけての，いわゆる「典礼問題」をめぐる一連の文書，即ち 1693（康熙 32）年の福建代牧メグロ（Charles Maigrot, 1652-1730）による教書，1704（康熙 43）年のクレメンス 11 世（Clemens XI, 1649-1721）による教令，あるいは 1715（康熙 54）年の同教皇令等においても，デウスの訳語として「天主」を用いるべきであり，「天」や「上帝」は用いるべきでないことが繰り返し強調されてい

---

[6] 矢沢（1972：72）等参照。象徴的には，最初期の公教要理である『天主實録』（1585），『天主實義』（1603）等の書名に用いられていることに示されている。

る[7]。その前提となるのは，音訳では意味が伝わらないという共通認識であろう[8]。だとすれば，満洲語としては「天主」の意訳である abkai ejen がふさわしく，音訳である deus はふさわしくないと考えられ，abkai ejen から deus への改訂よりも，deus から abkai ejen への改訂の方が自然と思われる。

以上に基づいて，それぞれの説における成立順序を解釈すると次のようになる。

A 説を取った場合，①満洲語版から②満漢合璧版が作られる過程で，満洲語の面では deus から abkai ejen へという全面的な改訂が行われ，漢語の面では一部に「陡斯」が用いられたことになる。②の段階で満洲語を変えたのならば漢語にもその影響が及ぶのが自然であり，同じ abkai ejen に対して「天主」「陡斯」という二種の漢語訳を当てるということは，かなり不自然な改変と言わざるを得ない。

B 説を取った場合，①満洲語版の成立後，②漢語版が作られる段階では deus が「陡斯」と音訳され，①②を合わせて③満漢合璧版が作られる過程で，満洲語では deus から abkai ejen への改訂が行われ，漢語では「陡斯」が踏襲されたことになる。満洲語で全面的な改訂を施しながら漢語で「陡斯」を踏襲することにやや不自然さはあるが，漢語版から機械的に移し替えられたと考えれば，あり得ないことではない。

C 説を取った場合，①満漢合璧版から②満洲語版と漢語版が作られる過程で満洲語 abkai ejen の一部が deus に改訂されたということになる。これはかなり不自然な改変と言えるであろう。

なお，上のいずれの説を取るにせよ，満洲語版で deus とするところを漢語版及び満漢合璧版の漢語において大部分「陡斯」と表記している事実から見て，『古新聖經』の満洲語と漢語の間に影響関係が存在することは確実と言える。

3. 漢語の異同からみた成立過程

次に，満漢合璧版の漢語部分と漢語版の間に見られる漢語の異同を取り上げる。異同の全体的傾向は，漢語版に存在し満漢合璧版の漢語部分に存在しない文やフレーズはあるものの，その逆の例，即ち満漢合璧版の漢語部分に存在し漢語版に存在しない文やフレーズはほぼない，というものである。以下では，満洲語に対応する部分がない場合とある場合に分けて，例を挙げつつ考察する。

3.1 満洲語に対応する部分のない例

まず，満漢合璧版の漢語になく，漢語版にはあり，満漢合璧版の満洲語及び満洲語版には対応する内容がない例をいくつか挙げる。漢語版の底本は徐家匯本である。当

---

[7] 後藤（1969, 1：95-118），矢沢（1972）等参照。

[8] クレメンス 11 世の教皇令を『康熙與羅馬使節關係文書』所収の「教王禁約譯文」から引くと以下の通り：「西洋地方稱呼天地萬物之主，用斗斯二字，此二字在中國用不成話，所以在中國之西洋人，並入天主教之人，方用天主二字，已經日久。從今以後，總不許用天字，並不許用上帝字眼。」

該部分については下線を施し，満洲語の部分は省略する。

（1a）満漢合璧版の漢語：

　　這殿及全祭台是每瑟作的，達味不敢從加巴翁挪來，大盖也有天主的旨意，要留在那裡，日露撒冷城内做了新祭台。（第16篇註解，22b4-23a2）

（1b）漢語版：

　　這殿及全祭台是每瑟作的，達味不敢從加巴翁挪來，大概也有天主的旨意，要留在那裡，日露撒冷城内做了新祭台。<u>總祭首亞必亞大耳在這上頭献祭，也在聖櫃前做本分的事</u>。（第16篇註解，39a8-39b1）

（2a）満漢合璧版の漢語：

　　天主提開亜隆，要他及他諸子永遠辦至聖所的事，按定例在天主台前焚乳香，還光榮主陡斯的聖名。（第23篇，55a2-4）

（2b）漢語版：

　　天主提開亜隆，要他及他諸子永遠辦至聖所的事，按定例在天主台前焚乳香，還光榮主陡斯的聖名。◯（第23篇，49a7-8）

　　<u>◯就是指陡斯的聖名，降福衆人</u>。（第23篇註解，50b2）

（3a）満漢合璧版の漢語：

　　達味派他們教訓引導路崩、加得、瑪那斯二族半的人。（第26篇，76a2-3）

（3b）漢語版：

　　王達味派他們教訓引導路崩、加得、瑪那斯二族半的人，<u>誠心欽崇陡斯，事奉國王</u>。（第26篇，56b3-4）

（4a）満漢合璧版の漢語：

　　ⓤ早已失了。（第29篇註解，101a1）

（4b）漢語版：

　　ⓣ<u>那丹、加得這二先知的書</u>早已失了。（第29篇註解，63b2）

　（1）では満漢合璧版にない「總祭首亞必亞大耳在這上頭献祭，也在聖櫃前做本分的事」という文が漢語版では続いており，（2）では満漢合璧版にない「就是指陡斯的聖名，降福衆人」という注が漢語版には付されており，（3）では満漢合璧版にない「誠心欽崇陡斯，事奉國王」という文が漢語版では続いており，（4）では満漢合璧版にない「那丹、加得這二先知的書」というフレーズが漢語版では冠されている[9]。以上の漢語版に存在する文やフレーズは，いずれも満漢合璧版の満洲語及び満洲語版において対応する部分が存在しない。

　以上の例に基づいて，それぞれの説における成立順序を解釈すると次のようになる。

---

[9] なお，満漢合璧版及び満洲語版では注番号を満洲語の十二字頭の順で付しているが，漢語版では漢数字で付している。

　A説を取った場合，②満漢合璧版では存在しなかった漢語の文が，③漢語版の段階で新たに加えられたという解釈になる。これは明らかに不自然な改変と言える。

　B説を取った場合，②漢語版の内容が，③満漢合璧版が作られる過程で①満洲語版の満洲語と合うように削除されたことになる。これは自然な改変と言える。

　C説を取った場合，A説と同様に，①満漢合璧版で存在しなかった漢語の文が，②漢語版で加えられたことになる。これは明らかに不自然な改変と言える。

3.2 満洲語に対応する部分がある例

　次に，満漢合璧版の漢語になく，漢語版にはあり，満漢合璧版の満洲語及び満洲語版に対応する内容がある例をいくつか挙げる。満洲語は満漢合璧版をもって代表させ，満洲語版との異同があれば注記する。

（5a）満漢合璧版の漢語：

　　那時阿耳南在塲裡打粮食，抬頭看見天神。（第 21 篇，45a1-2）

（5b）漢語版：

　　那時阿耳南在塲裡打粮食，抬頭看見天神。他的四子同他在一塊。（第 21 篇，45a1-2）

（5c）満洲語：

　　tede ornan terei duin jusei emgi je falan de maise be tūre nergin. untuhun i baru
　　そこで オルナン 彼の 四人の 子供達と 共に 打ち 場 で 麦 を 打つ 時 虚空 に 向かい
　　yasalame.
　　見ると

（6a）満漢合璧版の漢語：

　　共捴若這裡有人名，勿疑錯了。（第 23 編註解，58b2-4）

（6b）漢語版：

　　共總若這裡有人名，與諸王經上人名不對，勿疑錯了。聖經不能有錯。（第 23 篇註解，50b2）

（6c）満洲語：

　　eiterecibe aika emu niyalma ubade uttu gebulehe. tubade tutu gebulehengge be ucaraci.
　　　総じて もしも 一人の 人 ここで こう 呼んだ そこで そう 名付けたこと に 出逢えば
　　ume kenehunjere[10] tašaraha ba fuhali akū.
　　決して 疑うな 誤った 所 全く ない

（7a）満漢合璧版の漢語：

　　算是陡斯的大臣。肋未族的那大那耳的塞黙亜斯把這定的班、人名都記冊上，分

---

[10] 満洲語版（東洋本，以下同）は kenehunjere を genehunjere に作る。

二家。（第 24 篇，60a1-4）

（7b）漢語版：

算是陡斯的大臣。<u>當着王、衆大臣、二總祭首撒多克、亞必亞大耳的子亞希黙肋克、衆次祭首、肋未的子孫各家的首都在一處</u>，肋未族的那大那耳的子塞黙亜斯把這定的班、人名都紀冊上，分二家。（第 24 篇，51a2-5）

（7c）満洲語：

abkai ejen[11] i ujulaha ambasa sere turgun inu. lewei i mukūn i nadanahel[12] i jui semeyas

　天 の　主 の　頭目になった　大臣達 である　ため である　レビ の 族 の ネタネル の 子 シマヤ

bithesi. <u>wang ambasa i jakade dalaha wecen i da sadok. abiyadar[13] i jui ahimelek geren</u>

　書記　王 大臣達 の 前で 頭となった 祭祀 の 頭目 サドク アビヤタルの 子 アヒメレク 多くの

<u>wecen i da leweidasa i boo i ejete i yasai juleri</u> cagan de arahabi.

　祭祀 の 頭目 レビの頭目達 の 家 の 主人達の 眼の 前で 文書 に 書いた

（8a）満漢合璧版の漢語：

第十二是哈墨必亜斯，他子、他弟兄，共十二人的籤。第十四是瑪他弟亜斯。（第 25 篇，67b4-68a1）

（8b）漢語版：

第十二是哈撒必亞斯，他、他子、他弟兄，共十二人的籤。<u>第十三是穌巴耳，他、他子、他弟兄，共十二人的籤。</u>第十四是瑪他弟亜斯。（第 25 篇，53b7-8）

（8c）満洲語：

juwan juweci sibiya. hasabiyas. ini juse deote juwan juwe niyalma i sibiya. <u>juwan ilaci</u>

　第十 二の　籤　ハシャビヤ 彼の 子供達 弟達 十 二 人 の 籤 第十 三の

<u>sibiya. subahel. ini juse deote juwan juwe niyalma i sibiya.</u> juwan duici sibiya. matatiyas.

　籤　シュバエル 彼の 子供達 弟達 十 二 人 の 籤 第十 四の 籤 マッタテヤ

　（5）では満漢合璧版にない「他的四子同他在一塊」という文が漢語版では続いており，（6）では満漢合璧版にない「與諸王經上人名不對」及び「聖經不能有錯」というフレーズが漢語版では「勿疑錯了」を挟んで存在しており，（7）では満漢合璧版にない「當着王、衆大臣、二總祭首撒多克、亞必亞大耳的子亞希黙肋克、衆次祭首、肋未的子孫各家的首都在一處」という文が漢語版には存在しており，（8）では満漢合璧版にない「第十三是穌巴耳，他、他子、他弟兄，共十二人的籤」という文が漢語版には存在している。以上の漢語版に存在する文やフレーズは，満漢合璧版の満洲語及び満洲語版において，叙述の順序が相違する部分などもあるものの，対応する内容が存在している。

　以上の例に基づいて，それぞれの説における成立順序を解釈すると次のようになる。

---

[11] 満洲語版は abkai ejen を deus に作る。

[12] 満洲語版は nadanahel を natanahel に作る。

[13] 満洲語版は abiyadar を abiyatar に作る。

　A説を取った場合，前節と同様に，②満漢合璧版で存在しなかった漢語の文が，③漢語版の段階で加えられたという解釈になる。これは明らかに不自然な改変と言える。

　B説を取った場合，①満洲語版と符合していた②漢語版の内容が，③満漢合璧版に踏襲されなかったことになる。これはやや不自然はであるものの，②を③に移し替える段階で遺漏が生じたと考えれば，あり得ないことではない。

　C説を取った場合，A説と同様に，①満漢合璧版で存在しなかった漢語の文が，②漢語版で加えられたことになる。これは明らかに不自然な改変と言える。

4. 満洲語と漢語のずれからみた成立過程

　続いて，テキスト間の異同とは関係なく，満洲語と漢語で内容的にずれがある例を取り上げる。具体的には，満洲語にはある内容が漢語にはない例，漢語にはある内容が満洲語にはない例，そして満洲語と漢語で叙述の順序が異なる例である。

4.1 満洲語にあり漢語にない例

　まず，満洲語（満漢合璧版の満洲語及び満洲語版）には存在する内容が漢語（満漢合璧版の漢語及び漢語版）には存在しない例をいくつか挙げる。以下では漢語，満洲語とも満漢合璧版をもって代表させ，漢語版あるいは満洲語版との異同があれば注記する。

（9a）漢語：

　　達味的名處處傳開了，天主也使各等支派都怕他。（第 14 篇，7a2-7a4）

（9b）満洲語：

　　taweit i gebu babade algimbuha bime. geli ba ba i urse taweit de dahakini sere jalin.
　　　ダビデ の 名 各所に 聞こえ渡って いて また 各 所 の 人々 ダビデ に 従いたい と思う ので

　abkai ejen gelere goloro mujilen be cende bahabuha.
　　　天の 主 恐れ 驚く 心 を 彼らに 持たせた

（10a）漢語：

　　早晩祭台上給天主献全燊祀。（第 16 篇，20b1-3）

（10b）満洲語：

　　erde yamji daruhai yongkiyan wecen be abkai ejen de alibuci acambihe. yala abkai ejen
　　　早朝 夕方 いつでも 燔 祭 を 天の 主 に 献げる べきだった 本当に 天の 主

　israyel[14] i omosi de fafulaha fafun bithe de uttu ejehe bihe.
　　　イスラエル の 子孫達 に 出した 法令の 書 に この様な 敕書 あった

（11a）漢語：

　　得了二千七百家主，都是豪傑。達味[15]派他們…（第 26 篇，75b4-76a2）

---

[14] 満洲語版は israyel を israel に作る。

[15] 漢語版（徐家匯本，以下同）は「達味」を「王達味」に作る。

（11b）満洲語：

absi etuhun hahasi. ciksin se i hūncihin sa be kamcime juwe minggan. nadan tanggū booi

本当に 丈夫な 男達 壮年 達 の 同族 達 を 加えて 二 千 七 百の 家の

ejete de isinambihe. ce abkai ejen[16] i tacihiyan i kooli wang ni[17] alban i baita be

主人達に 及んでいた 彼ら 天の 主 の 教え の 法 王 の 公務 の 事 を

giyangnakini sere jalin. taweit cembe…

講じたらよいと思った ので ダビデ 彼らを

（12a）漢語：

　　也配該供的物。（第 29 篇，98a4-98b1）

（12b）満洲語：

meni meni dobocun hisan be kamcime alibuha. elhe wecen i yali. jergi jaka israyel[18] i

各 々の 供え物 酒 を 加えて 献じた 酬恩 祭 の 肉 等の物 イスラエル の

geren omosi be uleburede isika bime. hono funcetele bihe.

多くの 子孫達 に 食べさせるのに 充分 であり さらに 余るまで あった

　（9）では漢語の「達味的名處處傳開了」と「天主也使各等支派都怕他」で表される内容の間に，満洲語では「各所の人々がダビデに従いたいと思ったために」という内容があり，（10）では漢語の「早晩祭台上給天主献全祭祀」で表される内容の後に，満洲語では「天主がイスラエルの子孫達に出した法令の書にはこの様な敕書があった」という内容が続き，（11）では漢語の「都是豪傑」と「達味派他們」で表される内容の間に，満洲語では「彼らが天主の教法と王の公務を講じたらよいと思ったので」という内容があり，（12）では漢語の「也配該供的物」で表される内容の後に，満洲語では「酬恩祭の肉等はイスラエルの子孫達に食べさせるのに充分であり，余るほどあった」という内容が続いている。

　以上の例に基づいて，それぞれの説における成立順序を解釈すると次のようになる。

　A 説を取った場合，①満洲語版に存在していた満洲語の一部内容が，②満漢合璧版を作成する段階で漢語には訳されなかったという解釈になる。満洲語と漢語訳が同内容で並ばないのは合璧の原則に反するので，これは不自然な処理と言える。

　B 説を取った場合，①満洲語版における満洲語の内容と②漢語版における漢語の内容が，③満漢合璧版を作成する段階でもそのまま踏襲されたという解釈になる。漢語版の内容が機械的に移されたとするならば，あり得ることだと考えられる。

　C 説を取った場合，①満漢合璧版の段階で既に満洲語の一部が漢語に訳されていなかったということになる。これはほぼ可能性としてあり得ないと言える。

16　満洲語版は abkai ejen を deus に作る。
17　満洲語版は ni を i に作る。
18　満洲語版は israyel を israel に作る。

4.2 漢語にあり満洲語にない例

　次に，前節とは反対に，漢語には存在する内容が，満洲語には存在しない例をいくつか挙げる。

（13a）漢語：

　　　　初次因你們沒[19]來，故天主降給我們災。倘如今我們又錯了禮，<u>恐天主又要降災</u>。
　　（第 15 篇，9b1-3）

（13b）満洲語：

　　　　suwe tuktan mudan musei emgi akū ofi. abkai ejen mende jobolon isibuha. ne meni
　　　　お前達　初　回　我々と一緒でない ので 天の主　我々に 災難　及ぼした 今 私達の
　　　　yabure baita de heni waka be[20] akū seme saikan olhošoci acambi sehe.
　　　　行う　事 に 少しの 非 が ないか と ちゃんと 用心する べきだ と言った

（14a）漢語：

　　　　這都是黒慢的子，<u>黒慢本是王的樂師</u>。達味要讃美主陡斯，彰他的全能。（第 25
　　篇，65b2-3）

（14b）満洲語：

　　　　ere gemu heman i juse daweit[21] abka i ejen[22] be saišara. ini yongkiyan muten
　　　　これ みな ヘマン の 子供達 ダビデ 天 の 主　 を 称え 彼の 全き　才能
　　　　iletulebure jalin.
　　　　明らかにする ためだ

（15a）漢語：

　　　　又照王的旨，<u>亜撒費、依底同[23]</u>、黒慢在堂内辧別的事。（第 25 篇，66a2-3）

（15b）満洲語：

　　　　wang ni hese i songkoi abkai ejen i tanggin de gūwa baita be icihiyambihe.
　　　　王 の 敕旨 に 従い 天 の 主 の 堂 で 別の　事 を　処理していた

（16a）漢語：

　　　　及多少[24]獅的形像[25]，按各獅的大小，給了精金。<u>又為那多銀獅，按大小給了銀</u>。
　　（第 28 篇，89a3-89b1）

（16b）満洲語：

---

[19]　漢語版は「沒」を「未」に作る。
[20]　満洲語版は be を ba に作る。
[21]　満洲語版は daweit を taweit に作る。
[22]　満洲語版は abkai ejen を deus に作る。
[23]　漢語版は「依底同」を「依氐同」に作る。
[24]　漢語版は「少」を「小」に作る。
[25]　漢語版は「像」を「象」に作る。

geli ajige arsalan i tutala arbun be hungkererede. umesi gincihiyan aisin be tucibuhe.
　　また　小さい　獅子　の　多くの　像　を　鋳るのに　　非常に　光り輝く　金　を　出した

emu arsalan. emu arsalan i mutun be faksalame aisi[26] i fuwen yan be inu faksalaha.
　一つの　獅子　一つの　獅子　の　大きさ　を　分けて　金　の　重　量　を　も　分けた

　（13）では漢語の「恐天主又要降災」に相当する内容が満洲語になく，（14）では漢語の「黒慢本是王的樂師」に相当する内容が満洲語になく，（15）では漢語の「亜撒費、依底同、黒慢」に相当する内容が満洲語になく，（16）では漢語の「又為那多銀獅，按大小給了銀」に相当する内容が満洲語にない。

　以上の例に基づいて，それぞれの説における成立順序を解釈すると次のようになる。

　A説を取った場合，②満漢合璧版の段階で満洲語にない内容が漢語で加えられたという解釈になる。これはほぼあり得ない処理と思われる。

　B説を取った場合，①満洲語版における満洲語の内容と②漢語版における漢語の内容が，③満漢合璧版を作成する段階でもそのまま踏襲されたという解釈になる。漢語版の内容が機械的に移されたとすれば，あり得ることだと考えられる。

　C説を取った場合，①満漢合璧版の段階で既に漢語の一部が満洲語に訳されていなかったことになる。前節と同様に，これはあり得ない処理であろう。

4.3 叙述の順序が異なる例

　最後に，満洲語と漢語で内容的なまとまりが相前後する，即ち両者の間で叙述の順序が異なる例をいくつか挙げる。

（17a）漢語：
　　依斯拉耶耳衆民大樂，吹號笛、打鑼、銅鈸、弾琴[27]，跟着天主和睦結約櫃。（第15篇，12b3-5）

（17b）満洲語：
　　israyel i[28] gurun i irgese urgunjeme sebjeleme abkai ejen i hūwaliyasun doroi guise be
　　　イスラエル　の　国　の　民衆達　　喜び　　楽しんで　天の　主　の　調和　　礼儀の　櫃　を

　　fudembihe. geli bileri buren teišun fila kin yatuhan jergi agūra be baitalambihe[29].
　　送っていた　また　チャルメラ　ラッパ　銅　シンバル　琴　筝　等の　楽器　を　用いていた

（18a）漢語：
　　來了一男，身體狠高，手足有六，共二十四，他是拉法足[30]出的。（第20篇，

---

[26] 満洲語版は aisi を aisin に作る。
[27] 漢語版は「琴」を「瑟」に作る。
[28] 満洲語版は israyel を israel に作り，i を欠く。
[29] 満洲語版は baitalambihe を baitalambike に作る。
[30] 漢語版は「足」を「族」に作る。

39a3-5)

(18b) 満洲語：

ubade emu haha beye umesi den ningge. <u>rafa i mukūn ci banjihangge jihe.</u> gala bethe de
　　そこに　一人の　男　体　非常に　高い　者　　ラハ　の　一族　から　生れた者　　来た　手　足　に

ninggun simhun bifi uheri orin duin simhun de isinambihe.
　　六つ　　　指　　あり　合わせて　二十　四の　指　に　至っていた

(19a) 漢語：

　　<u>克禄伯的子厄漆里</u>，管種地的農。<u>落瑪弟地方的</u>[31]<u>塞黙亜斯</u>，管蒔葡萄人。（第27
篇，82a5-82b2）

(19b) 満洲語：

usin i weilen. boigon[32] ubašara tarire hahasi i da. <u>kelub i jui edziri.</u> mucu be tebure.
　　田　の　仕事　　土地　　耕し　　播く男達　の　頭目　ケルブ　の　子　エズリ　葡萄　を　植え

yangsara ursei da <u>romati ba i semeyas.</u>
　雑草を刈る　人達　の　頭目　ラマテ　地方　の　シメイ

(20a) 漢語：

　　為做焚弟米亜瑪香的祭台，<u>也為做克魯賓，彷彿四馬車</u>，展開翅膀，盖天主和睦
結約的[33]櫃，<u>給了至精金</u>。（第28篇，89b1-4）

(20b) 満洲語：

kemuni šugiri hiyan be dabure terkin i weilen de <u>ten i bolgo aisin be buhe.</u> emu adali
　　さらに　　乳　香　を　焚く　祭壇　の　仕事　に　最高　の　綺麗な　金　を　与えた　同じ　一つの

aisin ci asha saniyara. abkai ejen i hūwaliyasun doroi guise be buheliyere <u>kerubin sa duin</u>
　金　から　翼を　伸ばし　天の　主　の　　調和　　礼儀の　櫃　を　覆う　ケルビム　達　四つの

<u>morin i sejen murušerengge be arame weileki sembihe.</u>
　馬　の　戦車　似ているもの　を　製作　したい　と思っていた

　　（17）では漢語の「跟着天主和睦結約櫃」で表される内容が，満洲語では「依斯拉耶
耳衆民大樂」と「吹號笛、打鑼、銅鈸、弾琴」の間にあり，（18）では漢語の「他是拉法
足（族）出的」で表される内容が，満洲語では「來了一男，身體狠高」と「手足有六，
共二十四」の間にあり，（19）では漢語の「克禄伯的子厄漆里」と「管種地的農」及び
「落瑪弟地方的塞黙亜斯」と「管蒔葡萄人」で表される内容の位置が，満洲語では反対
であり，（20）では漢語の「為做焚弟米亜瑪香的祭台」と「給了至精金」及び「也為做克
魯賓，彷彿四馬車」と「展開翅膀，盖天主和睦結約的櫃」で表される内容の位置が，満
洲語では反対である。

---

[31] 漢語版は「的」字を欠く。
[32] 満洲語版は boigon を boihon に作る。
[33] 漢語版は「的」字を欠く。

　以上の例に基づいて，それぞれの説における成立順序を解釈すると次のようになる。

　Ａ説を取った場合，①満洲語版における叙述の順序が，②満漢合璧版が作成される段階で勘案されなかったという解釈になる。満漢合璧の原則からいって，これは不自然な状況である。

　Ｂ説を取った場合，①満洲語版の満洲語と②漢語版の漢語における叙述順序が，③満漢合璧版でも踏襲されたことになる。②の内容が機械的に③へと移し替えらえたとすれば，あり得ることだと考えられる。

　Ｃ説を取った場合，①満漢合璧版の段階で既に満洲語の漢語の叙述順序が異なっていたことになる。これは満漢合璧の原則から言ってあり得ない状況と言える。

5. まとめ

　以上，本稿では，『古新聖經』の満漢合璧版，満洲語版，漢語版という三つのバージョンの間に認められる満洲語部分と漢語部分の異同，及び満洲語と漢語のずれという面から，それぞれの成立順序の解釈とそれに対する評価を述べてきたが，ここでそれらを一覧の形で示すと次のようになる。

表2：成立順序についての解釈とその評価

	満洲語の異同	漢語の異同		満洲語と漢語のずれ		
		満洲語に対応なし	満洲語に対応あり	満洲語あり漢語なし	漢語あり満洲語なし	叙述順序異なる
Ａ説	不自然	不自然	不自然	不自然	あり得ない	不自然
Ｂ説	あり得る	自然	あり得る	あり得る	あり得る	あり得る
Ｃ説	不自然	不自然	不自然	あり得ない	あり得ない	あり得ない

　言語形式を扱う場合と違って，成書過程の解釈をめぐる議論は関与するファクターが格段に多く，また自然・不自然，あり得る・あり得ないという評価も，結局のところ主観的な判断に過ぎないことはもちろんであるが，少なくともこの3説の中で最も蓋然性が高いのはＢ説，即ち①満洲語版＞②漢語版＞③満漢合璧版の順と考えられる。

　以上をもとに，冒頭に掲げた三つの問題に対する暫定的な回答を記しておくならば，次のようになるであろう。

　1）満漢合璧版はどの段階でどのように作成されたか，という問題については，上の内容とも重なるが，次のように答えることができる。満漢合璧版は，既に成立していた満洲語版と漢語版を合わせる形で作成された。その際に，満洲語の面ではある程度の改訂が加えられ，漢語の面では漢語版をほぼそのまま踏襲する形で収録された。

　2）満漢合璧版は誰によって何のために作成されたか，という問題については不明と言うしかないが，本稿で得られた手掛かりと周辺の状況から次のように考えることがで

きる。上で見たように，満漢合璧版の作成にあたり，満洲語の方では deus > abkai ejen のように一定の方針をもって改訂を加えたことが窺われるのに対し，漢語の方はほぼ漢語版を踏襲するのみで，遺漏や齟齬も見られることから[34]，作成者は少なくともポワロ自身ではあり得ず，漢語よりも満洲語の方に造詣の深い，または関心の深い人物が想定される。1773（乾隆 38）年にイエズス会が解散に追い込まれた後も，ポワロはロシア正教への入信を装って北堂で聖書の訳業を続けるなど[35]，ロシア正教会と良好な関係を保っていたことが窺われ，また『古新聖經』を含め，北堂の蔵書はその後正教会の帰属となったことからすれば，満漢合璧版はポワロの訳業後に，ロシア正教会の側で作成されたのではないかと思われる。さらに，このたび発見された満漢合璧版がポワロの訳業全体から見ればごくわずかな量であることに鑑みれば，正教会の何者かが，『古新聖經』の満洲語版・漢語版における一部を素材として，乾隆期（1736-95）以降，清朝におけるあらゆる公文書のスタンダードとなった満漢合璧の形式への改編を，試験的に行ったということではないか。

　3）漢語訳に際して満洲語訳は参考にされたか，という問題については，満洲語版の deus を漢語版で選択的に「陡斯」と訳していることから見て，一定程度参考にしたことは疑いないと思われる。

　以上に述べてきた満漢合璧版『古新聖經』の成立過程をめぐる推論は，あくまで暫定的なものに過ぎず，より確実な推定のためには，標準ラテン語版とともに，現存する他の満洲語版，漢語版テキストとの対照が前提となることは言うまでもない。ただし，本稿の考察を通じて，『古新聖經』の満洲語訳と漢語訳の間に見過ごすことのできない影響関係が存在することが明らかになった以上，今後この点を踏まえずに議論を行うことは不可能である。ポワロが当時にあって真に天才的な言語能力の持ち主であったとすれば，我々がその一部だけを切り取って全体像であるかのように議論するのは不遜というものであろう。

<**参考文献**>

（日文）
内田慶市・李奭學編（2019）『古新聖經殘稿外二種：北堂本與滿漢合璧本』，吹田：関西大学出版部.
後藤末雄著，矢沢利彦校訂（1969）『中国思想のフランス西漸』（東洋文庫 144, 148），東京：平凡社.
沈国威（1994）『近代日中語彙交流史』，東京：笠間書院.

---

[34] 本稿では取り上げなかったが，満漢合璧版では，満洲語と漢語の文の開始位置が揃っていない例や，漢語における文の区切り方が通常とは異なる例も散見する。このことは，漢語の面に関しては満漢合璧版よりも漢語版の方が信頼に足ることを示唆するものでもあろう。
[35] Mende（2004：152），李奭學（2013：57），内田・李（2019：7）等を参照。

竹越孝・斉燦・余雅婷・陳暁（2017-19）「満漢合璧版『古新聖経』訳注稿（1-6）」，『或問』第 31-36 号.

陳贇（2006）「基督教用語「天主」について─その成立についての考察─」，『國文學』（関西大学国文学会）第 90 巻，1-16 頁.

新居洋子（2017）『イエズス会士と普遍の帝国：在華宣教師による文明の翻訳』，名古屋：名古屋大学出版会.

松村潤（1976）「満州語訳の聖書について」，『東洋文庫書報』第 7 号，37-53 頁.

矢沢利彦（1972）『中国とキリスト教─典礼問題─』（世界史研究双書 11），東京：近藤出版社.

（中文）

陳垣編（1932）『康熙與羅馬使節關係文書影印本』，北平：北平故宮博物院.

金東昭・金貞愛（2001）「東洋文庫藏現存滿文聖經稿本介紹」，『滿族研究』2001 年第 3 期，92-96 頁.

鐘鳴旦・杜鼎克・王仁芳主編（2013）『徐家匯藏書樓明清天主教文獻續編』第 28-34 冊，台北：台北利氏學社.

趙曉陽（2017）「滿語聖經譯本考述」，『滿族研究』2017 年第 3 期，80-83 頁.

徐宗澤編（1949）『明清間耶穌會士譯著提要』，北京：中華書局.

李奭學（2013）「近代白話文・宗教啓蒙・耶穌會傳統──試窺賀清泰及其所譯〈古新聖經〉的語言問題」，『中國文哲研究集刊』第 42 期，51-108 頁；（2016）『明清西學六論』，178-248 頁，杭州：浙江大學出版社.

李奭學・鄭海娟主編（2014）『古新聖經殘稿』（中國和歐洲文化交流史文獻叢刊），北京：中華書局.

（欧文）

Mende, Erling von (2004) Problems in translating the Bible into Manchu: observations on Louis Poirot's Old Testament, in Stephen Batalden et al. eds., *Sowing the Word: the cultural impact of the British and Foreign Bible Society, 1804-2004*, pp. 149-168, Sheffield: Sheffield Phoenix Press.

Pfister, Louis Aloys (1932-34) *Notices biographiques et bibliographiques sur les jésuites de l'ancienne mission de Chine, 1552-1773*, 2 vols., Shanghai: Imprimerie de la Mission Catholique; 費賴之著・馮承鈞譯（1995）『在華耶穌會士列傳及書目』（中外關係史名著譯叢），北京：中華書局.

満漢合璧版『古新聖經』における漢語語彙の様相

陳　暁

　聖書の漢訳は唐代にまでさかのぼるが，漢語の口語と満洲語でかなりの規模にわたって翻訳したのはイエズス会士 Louis Antoine de Poirot（賀清泰）の『古新聖經』が最も早いとされる（楊森富 1984：13, 364；金东昭、金贞爱 2001；郑海娟 2012：2, 3）。現存するいくつかのテキストのうち，満漢合璧版『古新聖經』（19 世紀初頭？）は満洲語と漢語の対訳形式を取っているのが大きな特徴である。本稿では，人名・地名，創造主の訳語，一般語彙の各面から，満漢合璧版『古新聖經』における漢語語彙の様相を素描する。

1. 人名・地名

　満漢合璧版の『古新聖經』は出版されず，広く世に知れわたることはなかったので，人名・種族名や地名などはのちの漢訳聖書に踏襲されていない。のちの漢訳に大きな影響を与えた Schereschewsky（施約瑟）訳『舊約全書』（1874）[1] 及び最も一般的な「和合本」聖書（1919）[2] と比較してみると，以下の通り：

表 1

人名・種族名			
満漢合璧版古新聖經 （19 世紀初？）	舊約全書（1874）	和合本聖書（1919）	日本語（共同訳）
達味	大衛	大衛	ダビデ
加得	迦得	哥轄	コハテ
克魯賓	基路冰	嗺嘧啪	ケルビム
肋未	利未	利未	レビ
每瑟	摩西	摩西	モーセ
那丹	拿單	拿單	ナタン
如達斯	猶大	猶大	ユダ
撒落孟	所羅門	所羅門	ソロモン
撒木耳	撒母耳	撒母耳	サムエル
沙殫	撒但	撒但	サタン
詩斯	基士	基士	キシ
亜巴拉哈母	亞伯拉罕	亞伯拉罕	アブラハム
依斯拉耶耳	以色列	以色列	イスラエル

---

[1] 本稿で用いたテキストは Union Theological Seminary 所蔵『舊約全書』1874 年版である。
[2] 本稿で用いたテキストは『新舊約全書』（官話和合譯本）1920 年版である。

地名			
満漢合璧版古新聖經 （19世紀初？）	舊約全書（1874）	和合本聖經（1919）	日本語（共同訳）
厄日多	伊及	埃及	エジプト
黑柏隆	希伯崙	希伯崙	ヘブロン
加南	迦南	迦南	カナン
莫索玻達米亜	米所波大米	米所波大米	メソポタミヤ
熱得	迦特	迦特	ガテ
日露撒冷	耶路撒冷	耶路撒冷	エルサレム
若耳當	約但	約但	ヨルダン

　満漢合璧版『古新聖經』はラテン語から翻訳され，『舊約全書』はヘブライ語から翻訳されたものである。原本の言語が異なり，年代も少し離れているため，人名・地名の翻訳が違うのは当然であるが，用いられた漢字もかなり開きがある。『舊約全書』は評価が高く，「和合本」聖書もほとんどそれを踏襲している。現在の漢語でも，ダビデ，イスラエルやエルサレムを表すのは"大衛"，"以色列"と"耶路撒冷"になる。

　もちろん，人名・地名の表記については賀清泰の基づいたラテン語の聖書から議論する必要があるので，今後の課題とする。

2. 創造主の訳語

　創造主をどのように翻訳するかについては，時代により様々な訳語がある。唐代の漢訳は"慈父阿羅訶"（父なる神ヤハウェ），"天尊"であり（楊森富 1984：354-355），明代の Matteo Ricci（利瑪竇）は"天""上帝"を用い，Michele Ruggieri（羅明堅）は"天主"を用いた[3]。明末の宣教師たちはラテン語 Deus から"陡斯"と音訳したが，羅明堅は"陡斯"の意味が不明であるとして"天主"を貫いている。

　1715年，ローマ教皇クレメンス 11 世は中国にいる宣教師たちに，

　　　西洋稱呼天地萬物之主，用斗斯二字，此二字在中國用不成語，所以在中國之西洋人，並入天主教之人，方用'天主'二字，已經日久；從今以後，總不許用'天'字，並不許用'上帝'字眼。

と教論した（楊森富 1984：135）。この教論は賀清泰の時代から少し離れているが，イエズス会士である彼はその影響を受けたと思われる。満漢合璧版『古新聖經』の漢語

---

[3] 楊森富（1984：127）によると，"天主"を初めて用いたのは Michele Ruggieri であるという。

と満洲語では，共に意味が分かりやすい"天主"abkai ejen（天の主），"主陡斯"ejen deus（主デウス）を多く用いている。以下の通り：

表2

満洲語訳			漢語訳		
deus	ejen deus	abkai ejen	陡斯	主陡斯	天主
0	1	232	48	37	139

　上表によれば，満洲語部分では単独で deus を使うものは 1 例もなく，ejen deus が 1 例のみあり，abkai ejen（天の主）が圧倒的多数である。これは，deus が意味不明であるという理解に従って作ったものであろう。ただし，漢語部分では単独で"陡斯"を使うのものが 48 例あり，満洲語部分とやや合わない。なぜ満洲語部分だけ deus の使用を極力控え，漢語部分では一部を残したのかは不明である[4]。

3. 語彙の様相
3.1 北京語の七指標
　郑海娟（2012：3），李奭學（2013），内田・李（2019）によると，賀清泰の聖書漢訳についての方針は「白話」「口語」を用いることである。ここからは満漢合璧版『古新聖經』における漢語語彙の様相を素描してみたい。
　太田辰夫氏の「北京語の七指標」（1969）に照らした場合の状況は以下の通りである。

表3

七指標	満漢合璧版『古新聖經』の例
①一人称代詞の包括形（inclusive）と除外形（exclusive）を"咱們""我們"で区別する	用例なし
②介詞"給"を有する	呼天主聖名，給衆民降福。（14a1-2）
③助詞"来着"を用いる	用例なし
④助詞"哩"を用いず"呢"を用いる	除這話外，達味還能加上甚麽話呢？（26b3）
⑤禁止の副詞"別"を有する	用例なし
⑥程度副詞"很"を状語に用いる	身體狠高，手足有六指。（39a3-4）
⑦"～多了"を形容詞の後におき「ずっと」「はるかに」の意を表す	用例なし

　上表によれば，七指標のうち三つを満たしている。

---

[4] 漢語版である上海徐家匯藏書楼藏鈔本も同じ状況にある。また，北堂版『古新聖經』は聖書の他の篇を訳しているため，"陡斯"の使用状況については考察の対象としていない。

指標②介詞"給"の用例は非常に多い。「"給"＋受け手＋動詞」という受け手を導く構造もあり，動詞のあとについて虚詞化されたものもある。例えば，

　　　早晩祭台上給天主献全祭祀。（20b2）
　　　還送給他各様蛇多落材料。（4b2-3）

また，"與"は介詞として現れる用例もあるが，"給"よりも少なく，文体による使い分けはないようである。例えば，

　　　在這裡與天主砌了祭台。（46a3-4）（"與"の受け手は「天の主」）
　　　達味説，我要憐視光待那哈斯的子哈農，他父本與我施過恩。（32b4-5）（ダビデは大臣達に語り，"與"の受け手は"我"「ダビデ」）
　　　我是何人，我民又是甚麼，敢許這多物給你。（96a1-2）（ダビデは天の主に語り，"給"の受け手は"你"「天の主」）
　　　清依斯拉耶耳後代的数入冊，後送冊給我看。（40b1-2）（ダビデは大臣達に語り，"給"の受け手は"我"「ダビデ」）

　上によると，ダビデが大臣達に語る場面で，受け手が同じ"我"「ダビデ」である場合，"與"と"給"は両方とも用いられ，受け手が「天の主」である場合も，"與"と"給"は両方とも用いられている。
　指標④について，太田氏が述べた"呢"は疑問を表すものではなく，進行や精警を表すものである。満漢合璧版『古新聖經』には後者の用例がないが，"哩"の用例も一切ない。孫錫信（1999：176-177）によれば，疑問を表す場合でも，非疑問句で現れる場合でも，清代の北京語を反映する作品には"哩"はほぼ用いられず，"呢"の割合が非常に多いという。満漢合璧版『古新聖經』で"呢"を用いる点は一貫している。
　指標⑥について，満漢合璧版『古新聖經』では"很"ではなく，"狠"という字形で現れる。清代では，"很"よりも"狠"のほうが圧倒的に優勢である。佐藤（2018）によれば，18〜19世紀の北京語作品はほとんど"狠"を用い，19世紀40年代の『品花寶鑒』には"很"の用例があるが，割合は少ないという。

3.2 代名詞・名詞
（1）代名詞
　満漢合璧版『古新聖經』で現れる人称代名詞は以下の通りである。

　　　第一人称：我 ／ 我們
　　　第二人称：你 ／ 你們

　　第三人称：他 ／ 他們

　敬称を表す“您”“你老”などは用例がない。天の主に話す場合も“你”を用いている。例えば，

　　　主陡斯，我是甚麼人，我的家也是甚麼，<u>你</u>要賞我這樣大恩麼。（26a4-5）

　指示代名詞と場所代名詞の使用状況は以下の通り：

表 4

	指示代名詞	場所代名詞
近称	這 ／ 這些	這裡
遠称	那 ／ 那些	那裡

　満漢合璧版『古新聖經』の指示代名詞には“這個”“那個”の用例がなく，場所代名詞は“這兒”“那兒”のような児化構造がない。疑問代詞では“誰”と“甚麼”を用いる。また，「“多”＋形容詞」を用いて数量を尋ねる。例えば，

　　　該用<u>多大</u>两数，都明告了他。（88b2）

　なお，場所と時間を表す疑問詞は現れない。
　注意したいのは，満漢合璧版『古新聖經』において“這・那＋形容詞”という構造があり，その“這”“那”が“這麼”“那麼”に相当することである。例えば，

　　　主你是陡斯，你給你奴許了<u>這</u>多恩。（28b2-3）
　　　你打仗太多既我台前，流<u>那</u>多人血。（49b3）

（2）“饅頭”
　旧約聖書では，パンに関連する儀礼についてルールがあり，いつ発酵のパンを食べるか，いつ未発酵のパンを食べるかを厳密に区別している。満漢合璧版『古新聖經』ではこの二種類を次のように訳している：

　　　（発酵のパン）從男至女，賞每人一塊<u>饅頭</u>一塊燒牛肉，油煎的細面。（14a3-4）
　　　（未発酵のパン）配祭的細麵，<u>未發的燒餅</u>，鉄鍋或油扎，或燒的物，並等秤升斗公平與否，這本分是諸祭首的。（57a4-57b1）

即ち，"饅頭"が発酵のパンを，"未發的燒餅"が未発酵のパンを表す。なお，前節で取り上げた『舊約全書』(1874) と「和合本」聖書 (1919) では，共に"餅"が発酵のパンを表し，"無酵薄餅"が未発酵のパンを表している。

(3) "弟兄"

満漢合璧版『古新聖經』には"弟兄"という語が多く現れ，"兄弟"の用例はない。"弟兄"は北京口語においてよく使われ，兄弟関係にある複数の人を表す。"兄弟"のほうは複数ではなく，「弟」という意味である[5]。例えば，

　　　　『四聲聯珠』(1886)：一家子是在旗的人，<u>弟兄兩個</u>。(第二卷 8a)
　　　　同上：在一個大廠院子的大天棚底下，也不論賓主，<u>不過是歲數兒大的是哥哥</u>，<u>年輕些兒的是兄弟</u>，一塊兒消夏避暑。(第三卷 61b)

満漢合璧版『古新聖經』の"弟兄"はすべて複数を表し，「弟達」か「兄達，弟達」の意味になる。

　　　　kat i mukūn da uriyel sembihe. ini <u>deote</u> emu tanggū orin niyalma（8b2）
　　　　コハテ の 族 長 ウリエル と言っていた 彼の 弟達は 一 百 二十 人
　　　　從加得族來的長是烏里耶耳　連帶的他的<u>弟兄</u>一百二十人
　　　　kat mukūn i niyalma. jai terei <u>ahūta deote</u> ci barkiyas i jui asafe（10b1）
　　　　コハテ 族 の 　人　 また 彼の 兄達 弟達 から ベレキヤ の 子 アサフ
　　　　從他<u>弟兄</u>加得族的巴拉既亞斯的子亞撒費

(4) 方位詞 "當間"

"當間"は 1 例しか現れないが，口語性が高い北京語である。

　　　　抬櫃的那肋未子孫連謳經的，並在他們<u>當間</u>。(12b1)

意味は「真ん中」で，そのうちの"間"が去声になる[6]。

(5) 方位詞 "前頭" "上頭"

満漢合璧版『古新聖經』における用例は，例えば，

　　　　這冕旒的分兩，有一達楞多金重，<u>上頭</u>鑲的多寶石。(32a1)

---

[5] 高艾軍、傅民『北京話词語』(2001：911)："兄弟，哥哥称弟弟，或并非亲兄弟男子间亲切的称谓。"
[6] 徐世榮『北京土语辞典』(1990：95)："当间儿 dāngjiànr 指物体或范围的中间。'间'必读去声。"

厄耳加那在櫃<u>前頭</u>看守。（11b3）

　"前後上下＋頭" という構造は，北方語によく使われている。筆者の調査によれば，18〜19 世紀の北京語白話小説や西洋人が編んだ漢語教科書，明治時代の漢語教科書において，"〜頭" の用例は "〜面" "〜辺" よりも多い。
　また，満漢合璧版『古新聖經』には，名詞接尾辞の "兒" がなく，「名詞・人称代名詞＋"倆" "仨"」のような構造もない。

3.3 動詞・助動詞

（1）"給"
　3.1 で介詞 "給" と "與" について述べた。動詞 "給" の用例も多い。例えば，

你把你打粮食的塲<u>給</u>我。（45a5）

　介詞 "與" の用例は少なくないものの，動詞の用法は現れない。

（2）"簡" "揀"
　18〜19 世紀の北京語を反映する文献には「選ぶ」を表す語として "簡" が用いられることが多い。字形は決まっておらず，よく使われているのは "簡/揀/撿/檢" である。満漢合璧版『古新聖經』では "簡" と "揀" を用いている。例えば，

亜各伯的子孫是他<u>揀</u>的民。（16a1）
這是天主的旨意，你隨便<u>簡</u>一樣。（42b1-2）

　"簡" と "揀" の中古音は同じく「見産開二上山」であり，清代でも同音字である。

（3）"養"
　北京語の "養" は「育てる」の意味だけではなく，「子を生む」という用法もある。例えば『正音撮要』（1834 刊本）には次のように記されている。

<u>養</u>下兒子了。生落仔。（卷二 33a）

　"養下兒子了" の下に小字で "生落仔" という注釈が付されている。これによれば，「息子を育てた」ではなく，「息子を生んだ」の意味であることが分かる。
　満漢合璧版『古新聖經』にも次のような用例がある。

達味在日露撒冷又娶了別妻生了子女，日露撒冷養的子的名就是撒木瓦，索巴柏……。（5a2-3）

（4）助動詞“得”

太田（1950）によれば，“須要”（〜しなければならない）を表す助動詞“得”は清代北京語の特徴の一つである。満漢合璧版『古新聖經』には 1 例現れる。

説的克魯賓是天神，本雖無形，但或刻或畫無奈只得用有翅膀的童形。（91a1-3）

この用例は聖書の本文ではなく，賀清泰が付けた注釈の部分である。

（5）“打發”

“打發”という語は「派遣する」や「暇をやる」といった意味を表す。18〜19 世紀の白話小説と漢語教科書に多く現れ，特に『紅樓夢』において用例が非常に多い。満漢合璧版『古新聖經』でも“打發”が用いられている。

達味聽了這信，打發約亜伯領衆勇士的隊。（34b1-2）

（6）“回轉”

「戻る」という意味を表す“回轉”は元代にすでに用例が見られる[7]。その後に目的語を付ける用法も，付けない用法もある。満漢合璧版『古新聖經』にはそれぞれ 1 例ずつ見られる。

後教他們回轉。（33b2-3）
約亜伯回轉了日露撒冷。（35b4）

（7）“挪”

「運ぶ」を表す場合，北方語は“挪”を使う傾向があり，南方語は“搬”をよく用いる。九江書会本『官話指南』（1893）には次のような用例がある。

你把這行李挪/搬到那屋/房裏去安置好了。（第三卷，134 頁）

九江書会本『官話指南』は一部の語彙を双行注の形で表記し，北京語と南方語の区別をしている。ここでは“挪”が北京語で，“搬”が南方語であることを示す。

満漢合璧版『古新聖經』には“挪”の用例が 4 例あり，“搬”は 1 例もない。例えば，

---

7 『近代汉语词典』第二巻 829 頁。

　　　我們一齊把聖櫃挪進日露撒冷。（1b2-3）

（8）"使得"

　満漢合璧版『古新聖經』では"使得"という動詞を用い，「差し支えがない，よろしい」を表す。

　　　白拿你物，給天主献全祭使得麼。（46a1）

　この"使得"はほかの満漢合璧文献にも多く用いられている。例えば，

　　　『清文啓蒙』（三槐堂本，1730）：强壓派着教去使得広？（卷二 7a6）
　　　『清文指要』（三槐堂本，1809）：我該來賀喜，倒喫你的東西也使得嗎？（卷中
　　24a5-6）

　この"使得"は北方語の特徴的な表現である。九江書会本『官話指南』（1893）には以下のような用例がある：

　　　願意上/到別處當夥計去，也使得/可以。（第二卷，41 頁）

　"使得"と"可以"を並列で表記している。これによれば，南方語では"使得"を用いないと言える。

3.4　形容詞

　聖書には重厚な場面が多いため，満漢合璧版『古新聖經』にも雄大や荘厳といった意味を表す形容詞を多く用いている。例えば，"光榮、高貴、歡樂、奧妙、熟練、平安、悅樂、奇妙、永遠、威嚴、喜樂、尊貴、體面、堅固、精壯、奮勇、强壯、朴實"などである。他の特徴的な形容詞は以下の通りである。

（1）"要緊"

　"要緊"は「重要である」という意味で，例えば，

　　　故我如今給他預俻要緊的物。（49a2）

　この"要緊"は口語性が高く，旧白話では"緊要"も用いる。香坂（1983：124-125）によれば，北方語では"要緊"を用い，南方語では混用，あるいは"緊要"が優勢であ

るという。

（2）"富餘"

　「余裕がある」を表す"富餘"は北方語でよく使われ[8]，『金瓶梅』『紅樓夢』でも用例がある。満漢合璧版『古新聖經』の例は以下の通り。

　　　　諸樣寶石，並巴畧堅固石，都是富餘的。（92b5-93a1）

3.5　介詞

（1）"把"と"将"

　処置を表す介詞"把"と"将"は，満漢合璧版『古新聖經』は"把"が 13 例，"将"が 11 例ある。永井（2003）によれば，"把"は北京の口語で，"將"は古い白話であるという。満漢合璧版『古新聖經』では口語"把"を用いる傾向が強いと言える。

（2）"按"と"照"

　太田（1964）によると，依據をあらわす"按"は南ではあまり用いないが，"照""據"などは南北で共通して用いられるという。満漢合璧版『古新聖經』では"按"が 16 例，"照"が 14 例用いられ，また"按着"も 2 例ある。例えば，

　　　　要他們一生按班日，聖櫃前盡唱經的本分。（20a1）
　　　　助未子孫照天主命每瑟的㫖意，放棍肩上抬陡斯的櫃。（9b5-10a1）

（3）"望"

　「～へ向かって」を表す介詞は北京口語において wang/wan（去声）を用い，文字としては"望"か"往"で示す[9]。満漢合璧版『古新聖經』は，合計で 17 章分の内容にとどまるが，"望"は多く現れ，"向"は極めて少なく，"徃"は 3 例しかない[10]。

　　　　達味在地宮裡望先知者那丹説："我如今住蛇多落木房……。"（23a4）

　「～へ向かって」を表す介詞として，満漢合璧版『古新聖經』では北京口語を反映する"望"を用いる傾向が強い。

（4）"給"と"與"

---

[8] 白維国『白话小说语言词典』（2010：386）："足够而有剩余；多余。"
[9] 徐世荣『北京土语辞典』（1990：408）："往 wàng '往南走'，'往前看'，'往里去'等的'往'字，作为介词，北京人或变调为去声……或写作'望'。"
[10] そのうち 2 例は時間を表す"徃後"である。

3.1 を参照。

（5）"叫"

"叫"を使役と被動の両方に用いるのは北方語の特徴であるが，満漢合璧版『古新聖經』では被動の例がなく，使役の例がある。

　　　<u>叫</u>他們全到我們這裡。（1b2）

この"叫"は動詞にも見えるが，徐家匯本はこの箇所を"教"に作るので，この"叫"の用法は虚詞化されており，使役を表すものであろう。

（6）"論"

"論"は介詞として北京語でよく使われる[11]。満漢合璧版『古新聖經』の"論"は音声については不明であるが，介詞の用法がある。

　　　<u>論</u>亜撒費是打銅鈸的職，祭首巴那亜斯及亜漆耳本分該常在天主和睦結約櫃前吹號器。（14b5-15a1）
　　　<u>論</u>堂的工程，是大工程，不是為人立旅舍。（92a4-5）

3.6 副詞

（1）"沒"

太田（1964）によれば，副詞「まだ」を表す場合，北方語ではよく"沒"を用い，南方語では"沒有"が多く使われるという。満漢合璧版『古新聖經』には"沒"が 8 例あり，"沒有"は 1 例しかないので，"沒"を使う傾向があると言える。

　　　初次因你們<u>沒</u>來，故天主降給我們災。（9b1-2）
　　　因此<u>沒有</u>送到他家裡。（3b1）

（2）"不要"

満漢合璧版『古新聖經』において禁止を表す副詞は"不要"であり，「北京語の七指標」である"別"の用例はない。例えば，

　　　<u>不要</u>動我選的民，<u>不要</u>傷損我的先知者。（17a3-4）

---

[11] 徐世荣『北京土语辞典』（1990：408）："论 lìn 北京土音 lùn 变读，或变为 lùn。按照规定来讲求。"董树人『新编北京方言词典』（2011：295）："论 lùn 就某一方面而言。"

　"不要"は唐代から使われるが，清代にもよく現れる。例えば，『紅樓夢』（庚辰本，1760）や漢語教科書『語言自邇集』（1867）には確かに"別"が用いられているが，実は"不要"の用例もとても多い。満漢合璧版『古新聖經』では歴史が長く，広い範囲で使われている"不要"を選んだのであろう。

（3）"狠"
　3.1 を参照。

（4）"繰"
　清代の文献では，"才"は"才能""秀才"のような意味を表し，"纔""繰"のほうは副詞として「やっと」の意味を表す傾向がある。満漢合璧版『古新聖經』では副詞の場合に"才"と"繰"を混用した用例があるが，名詞の場合は"繰"を用いず，すべて"才"を用いる。例えば，

　　　（副詞）後繰領兵回轉日露撒冷。（38b1-2）
　　　（副詞）達味才説，肋未子孫該當抬陡斯的櫃。（8a1-2）
　　　（名詞）大有才德的匝加里亞斯，得了北門的籤。（72a1-2）

（5）"定不得"
　"定不得"はもともと「動詞＋可能補語」の構造であるが，定型表現として「ひょっとすると…かもしれない」という意味を表す。清代の白話小説では，述語として用いられるものもあり，副詞として用いられるものもある。例えば，

　　　『兒女英雄傳』（聚珍堂本，1878）第九回：然後好借重我爹媽給他作個月下老人，聯成一牀三好，也定不得。（14a）
　　　『紅樓夢』（庚辰本，1760）第十回：如今听起大奶奶这个来，定不得还是喜呢。（222 頁）[12]

　満漢合璧版『古新聖經』においては 2 例あり，すべて副詞である。

　　　定不得你得罪依斯拉耶耳會的人。（40b5）

（6）"直"
　拙稿（2015）で述べたところによれば，副詞として「直接，直ちに」を表す"直"は明代に用例が見られるが，清代には「全く」「まるで」という意味も現れ，副詞"簡直"

---

[12] 庚辰本は鈔本であり，葉数はない。この頁数は『古本小説集成』による（徐陥旧蔵本の影印）。

に類似する。満漢合璧版『古新聖經』では「直接，直ちに」の意味で用いられている。

　　　　陡斯答他，不要<u>直</u>望他們打仗。（6b2）

（7）"白"
　副詞として「ただで，報酬なしで」を表す"白"は明代に現れ，現在でもよく使われるが，一部の先行研究では"白"が満洲語の bai や baibi に由来すると指摘している[13]。満漢合璧版『古新聖經』には副詞"白"が 1 例あり，相当する満洲語は bai である。

　　　sini jaka be <u>bai</u> gamafi. yongkiyan wecen be abkai ejen de alibure doro bio.
　　　お前の　物　を　ただで　取り　　燔　　　祭　を　天の　主　に　献げる礼儀　あるか
　　　<u>白</u>拿你物，給天主献全祭使得麽。（46a1-2）

　満洲語の bai は意味と音声がともに"白"に似ているので，"白"を使うのは適当であろうが，"白"が満洲語 bai に由来するものかどうかは不明である。"白"は入声で，「文読」と「白読」の問題もあるため断言できない。

（8）"都"と"多"
　満漢合璧版『古新聖經』では，範囲副詞"都"が多く現れる。例えば，

　　　　普天下大小事<u>都</u>是他判断。（16a2）

　"多"が「すべて」「全部」の意味を表すのは 1 例ある。

　　　　他們内没有一個不服達味的話，故<u>多</u>説狠是。（1b4）

　前の文には"没有一個不服"とあり，しかも徐家匯本はこの箇所を"都"に作るため，この"多"は確実に「すべて」の意味を表す。清代の文献には，この"多"の用法が少なくない。例えば1862年の鈔本『十全福』にも見られる。

　　　　老洪班人箱<u>多</u>來了。——<u>多</u>來了，快々開箱，預備点戯。（二本・囑騙）

（9）"共捻"
　現代語では"總共"を用い，「合計して」を表すが，清代の文献には"共捻/總"が多く現れ，"總共"は非常に少ない。例えば『紅樓夢』（庚辰本，1760），『四聲聯珠』（1886），

---

[13] 例えば愛新覚羅・瀛生（1993：190）など。

『亜細亜言語集』（1890）では“共捴/總”が圧倒的に多い。満漢合璧版『古新聖經』でも同じように“共捴”を使い，“總共”の用例はない。

　　或遊廊，或徧房，或齋戒的地方，或聖地内，<u>共捴</u>用他們辦堂内的事。（57a2-3）

3.7 文末助詞

　太田（1950）と拙著（2018：110-126）に照らし，満漢合璧版『古新聖經』の文末助詞の使用状況を示すと以下の通りである。

表5

文末助詞	有無	例　文
罷	○	你們都讚美我們主陡斯<u>罷</u>。（97b4）
麼	○	你這樣貴重你奴<u>麼</u>，這樣記着<u>麼</u>？（26b3-4）
嘛	×	
嗎	×	
咧	×	
啦	×	
哩	×	
呢	○	除這話外達味還能加上甚麼話<u>呢</u>？（26b3）
的	○	天主的仁慈本是無窮無盡<u>的</u>。（20b5-21a1）
阿	×	
啊	×	
呀	×	
喲	×	
哦	○	我怎敢請陡斯的櫃進我的家<u>哦</u>。（3a5-3b1）
哇	×	
罷了	×	
罷咱	×	
罷咧	×	
罷哩	×	

　満漢合璧版『古新聖經』で用いられる文末助詞は多くなく，最も一般的に使われた“阿”“啊”も見られない。その理由は，分量が少ないことと，内容面での重厚さに関連すると思われる。

　“呢”については3.1で述べたが，以下は他の文末助詞を取り上げる。

（1）“罷”

太田（1958：367）によると，“罷”の命令の用法は元代にすでに現れているが，推測に用いた例は明代以前にはほとんどなく，清代でも，多くは“大概”“許”その他の副詞を伴うのが普通であるという。拙著（2018：127）によれば，“吧”という文字が文末助詞に用いられる最も早い文献は『清語易言』（1766）であるが，民国初期（20世紀初頭）まで，ほとんど“罷”という字形である。満漢合璧版『古新聖經』の成立は1766年より遅いが，“吧”を用いず，すべて“罷”である。用法は命令のみ，推測の用例はない。

（2）“麼”

満漢合璧版『古新聖經』には“麼”が多く現れ，“嗎”の用例がない。孫錫信（1999：159, 160）によれば，清代の中葉まで“麼”が圧倒的多数で，“嗎”は僅かであるという。拙著（2018:127）によると，19世紀中葉以降“麼”“嗎”はともに使われ，使用頻度も同様に高い。満漢合璧版『古新聖經』の“麼”は18世紀末〜19世紀前半の状況を反映すると考えられる。

（3）“哦”

“哦”は清代の文献において感嘆詞として用いられ，「相手の言うことに同意・納得すること」を表す。例えば，

> 『紅樓夢』（庚辰本，1760）第二十七回：鳳姐听了十分岔異，說道：“哦，原來是他的丫頭。”（613頁）

筆者の調査によれば，文末助詞として使われる用例は極めて少ないが，例えば『庸言知旨』（1819）にいくつかの例がある。

> 不是哦，我的光景難道你不知道麼？（卷二 12b）

満漢合璧版『古新聖經』には“阿”“啊”“呀”など一般的な文末助詞がないが，“哦”が1例ある（表5参照）。

4. まとめ

本稿では，満漢合璧版『古新聖經』における漢語語彙の様相について素描した。満漢合璧版『古新聖經』の言語は，北京語の小説や教科書類と比べた場合に，北京語か南方語かとははっきり言えないものの，古めかしい文言の使用を控え，口語性が高い語彙を

用いる傾向がある。中には，北方語や北京語を反映する語彙も少なくない。

　満漢合璧版『古新聖經』は満漢対訳の形を取っているのが最大の特徴であり，満洲語と漢語の関係，また漢語の文体について，更に詳しく考察する必要があると思われる。

＜参考文献＞

（日文）

内田慶市・李奭學編（2019）『古新聖經殘稿外二種：北堂本與滿漢合璧本』，関西大学出版部.

太田辰夫（1950）「清代の北京語について」，『中国語学』34 号，1-5 頁；（1995）『中国語文論集』（語学篇・元雑劇篇），東京：汲古書院，90-96 頁.

太田辰夫（1958）『中国語歴史文法』，東京：江南書院.

太田辰夫（1964）「北京語の文法特点」，『久重福三郎先生・坂本一郎先生還暦記念中国研究』37-55 頁；（1995）『中国語文論集』（語学篇・元雑劇篇），243-265 頁.

太田辰夫（1969）「近代漢語」，『中国語学新辞典』，東京：光生館，186-187 頁；（1988）『中国語史通考』，東京：白帝社，285-288 頁.

香坂順一（1983）『白話語彙の研究』，東京：光生館.

佐藤晴彦（2018）「『北京官話全編』における強調を示す補語表現について——兼ねて"狠"から"很"への変化に関わる問題を論ず」，『北京官話全編の研究』下巻，23-38 頁.

竹越孝・陳暁（2017）「校注『清語易言』」，『神戸外大論叢』，第 67 巻第 4 号，29-70 頁.

竹越孝・斉燦・余雅婷・陳暁（2017-2019）「満漢合璧版『古新聖経』訳注稿」（1-6），『或問』第 31-36 号.

永井崇弘（2003）「『A First Reader in the Mandarin Dialect』と南京官話について」，『關西大學中國文學會紀要』第 24 号，133-145 頁.

（中文）

爱新觉罗・瀛生（1993）《北京土话中的满语》，北京：北京燕山出版社。

白维国（2010）《白话小说语言词典》，北京：商务印书馆。

白维国、江蓝生、汪维辉（2015）《近代汉语词典》，上海：上海教育出版社。

陈晓（2015）清后期至民初"简直（的）+VP"结构，『中国語研究』第 57 号，56-74 頁。

陈晓（2018）《基于清后期至民国初年北京话文献语料的个案研究》，北京：北京大学出版社。

高艾军、傅民（2001）《北京话词语》，北京：北京大学出版社。

金东昭、金贞爱（2001）东洋文库藏现存满文圣经稿本介绍，《满族研究》，2001 年第 4 期，92-96 页。

李奭學（2013）近代白话文・宗教啟蒙・耶穌會傳統——試窺賀清泰及其所譯《古新聖經》的語言問題，《中國文哲研究集刊》，第四十二期，51-108 頁。

孙锡信（1999）《近代汉语语气词》，北京：语文出版社。

吴青（2017）西教与中土接榫：施约瑟与晚清圣经汉译研究，《世界宗教研究》，2017 年第 2 期，109-121 页。

徐世荣（1990）《北京土语辞典》，北京：北京出版社。

楊森富（1984）《中國基督教史》，台北：台灣商務印書館。

赵晓阳（2013）汉语官话方言圣经译本考述，《世界宗教研究》，2013 年第 6 期，77-86 页。

郑海娟（2012）贺清泰《古新圣经》研究，北京大学博士论文。

满汉合璧版《古新圣经》文体研究

齐　灿

汉译《圣经》的传统古已有之，至今已经延续了一千多年。而伴随着《圣经》的汉译，西方传教士关于汉语文体的讨论与研究也从未停止。在翻译圣经的过程中，传教士们依据西方修辞学的"三体说"，将汉语的文体分为三种，即：一、深文理，又称文言；二、浅文理，又称浅文言；三、白话。贺清泰的《古新圣经》是目前可见最早的白话《圣经》，其满汉合璧版虽非全本圣经，但出现时间及内容与汉语版大致相当。

本文选取了文理、浅文理、白话三种文体的《圣经》版本，通过满汉合璧版《古新圣经》与三种不同文体《圣经》相对应章节的语言对比，阐明满汉合璧版《古新圣经》的文体特征。

本文选取的《圣经》版本为[1]：

一、贺清泰（Louis de Poirot，1735-1814）满汉合璧版《古新圣经》，成书于 19 世纪初，后文称为 A 本；

二、白话版本：施约瑟（Samuel I. J. Schereschewsky，1831-1906）《旧约全书》，成书于 1874 年，后文称为 B 本；

三、浅文理版本：马礼逊（Robert Morrison，1782-1834）《神天圣书》，成书于 1823 年，后文简称为 C 本；

四、深文理版本：马士曼（Joshua Marshman，1768-1837）《圣经》，成书于 1822 年，后文简称为 D 本。

1. 四版本代词使用差异

1.1 人称代词

在人称代词的使用上，同为白话本的 A 本和 B 本较为一致，主要使用"我、你、他"及复数形式"我们、你们、他们"，其他出现的代词还有"自己、大家、彼此"，但使用频率均较低；C 本和 D 本人称代词使用丰富，多使用"我、吾、汝、尔、伊、厥"等，复数形式如"我等、尔曹、汝辈"等，所用人称代词大都带有明显的文言色彩。不同文体《圣经》在人称代词使用上的具体区别见下。

"我"、"吾"均为先秦两汉时期既已普遍使用的第一人称代词，据向熹（2010），魏晋以后，"我"仍然是第一人称代词最基本的形式，口语及书面语中均普遍使用；但东晋后，"吾"在口语中逐渐被"我"取代，成为书面语。A 本中，第一人称"我"共出现117 例，其中 B 本、C 本均使用"我"的情况为 103 例，D 本则使用人称代词"我"（45

---

[1] 满汉合璧版《古新圣经》仅存《旧约》的 13-29 章内容，因此本文仅就施约瑟《旧约全书》、马礼逊《神天圣书》与马士曼《圣经》中与满汉合璧版《古新圣经》对应的内容进行研究，并以满汉合璧版《古新圣经》为出发点，考察四个版本文体在用词上的差异，所得结论或有偏颇之处，敬请谅解。

例）或"吾"（54 例）与之对应，例如：

（1）　A：到底依斯拉耶耳主陡斯從<u>我</u>父全家簡了<u>我</u>。（85b2-85b3）

　　　　B：以色列天主耶和華在<u>我</u>父家中，特選<u>我</u>作以色列王。（28:4）

　　　　C：然以色耳神者神主，亦曾有選<u>我</u>先於<u>我</u>父全家。

　　　　D：然以色耳勒之神耶賀華，當<u>吾</u>父之全家前選我以為王[2]。

　　据王力（2015），上古汉语中，人称代词单复数采用同一形式，汉代以后才慢慢出现"属、曹、等、辈"等，但这些词仍保有实际意义，并未形成表示复数的固定词尾；约在10-11 世纪时，表示复数的固定词尾"们"才开始见于使用。A 本中主要使用"们"表示人称代词的复数，"我们"共出现 26 例，B 本情况与 A 本大致相同，C 本、D 本则不使用"们"，其中 C 本更倾向于使用汉代后出现的临时词尾"属、曹"等表示复数，使用频率较高的有"我等"（13 例）及"吾曹"（6 例），D 本则更接近上古汉语早期形态，主要使用单复同形的"吾"（12 例）表示复数，例如：

（2）　A：<u>我們</u>主陡斯，<u>我們</u>今感讚你的大名。（95b5）

　　　　B：<u>我們</u>的天主，现在<u>我們</u>讚美你，頌揚你的榮名。（29:13）

　　　　C：故<u>吾曹</u>之神，<u>我等</u>今謝爾，又讚爾有榮之名矣。

　　　　D：<u>吾</u>神，故今<u>吾儕</u>頌謝爾，並讚爾榮名。

　　"尔"、"汝"均是上古人称代词，据向熹（2010），至中古时期，第二人称代词逐渐统一为"尔"、"汝"，且"你"逐渐从"尔"字形中分化出来，书面上形成"尔"、"汝"、"你" 三者并用的局面。元明以后，"你"在白话作品中广泛使用，成为第二人称单数的主要形式。在第二人称代词的使用上，A 本中只使用了产生时期较晚的"你"，共 140 例；B 本中与之保持一致的情况为 97 例；C 本、D 本主要使用上古人称代词"尔"，其中 C 本用例 84 例，D 本用例 105 例，此外，C 本中也出现了使用代词"汝"的情况，共 30 例，例如：

（3）　A：<u>你</u>听梨樹上，向走的脚嚮，<u>你</u>陡入，對敵勇戰。（6b3-6b4）

　　　　B：<u>你</u>聽見桑樹稍上有脚步的聲音，<u>你</u>就出去打仗。（14:15）

　　　　C：且<u>汝</u>將聽猶若走去之聲在桑樹之梢上時，<u>汝</u>即出陣。

　　　　D：且將如是。<u>爾</u>聞上桑樹頂之聲時方可出戰。

　　"你们"在 A 本中共出现 20 例，B 本对应内容使用"你们"14 例，6 例不使用人称代词；C 本中对应情况较为复杂，使用频率较高的代词主要是"汝等"（5 例）、"汝曹"（3 例）及"汝"（3 例）；D 本中则多使用"尔"（8 例），例如：

（4）　A：<u>你們</u>既是肋未後代的首，同<u>你們</u>的弟兄一齊潔净。（9a4-9a5）

　　　　B：<u>你們</u>是利未人的族長，<u>你們</u>和<u>你們</u>的族弟兄，應當自潔。（15:12）

　　　　C：<u>汝等</u>為利未人各父中之首輩，與<u>汝</u>之弟兄們，<u>汝等</u>要成聖己。

　　　　D：<u>爾曹</u>為利未輩父輩之首，聖自。

---

2 本文所用四种文献，除 A 本无标点符号外，其余三个版本在行文中均以顿号表示句中停顿，为研究方便，本文已根据文献原义，将例句标点换为现代汉语标点符号。

关于第三人称代词的使用，A 本与 B 本只有"他、他们"的用例，其中 A 本中使用"他" 218 例，"他们" 72 例，B 本中使用"他" 203 例，"他们" 70 例。C 本、D 本则更多使用了偏文言色彩的人称代词"厥、其、之、伊"等，例如：

（5）　　A：安孟國的王那哈斯去世，<u>他</u>子續了<u>他</u>的位。（32b3）

　　　　　B：此後亞捫王拿轄死了，<u>他</u>兒子接續<u>他</u>作王。（19:1）

　　　　　C：此後亞門子輩之王拿下實崩，而<u>厥</u>子繼<u>其</u>位。

　　　　　D：後此亞們子輩之王拿夏書終，<u>其</u>子王於<u>厥</u>位。

（6）　　A：主你將<u>他</u>放我手裡麼。天主答應<u>他</u>去戰，我把<u>他們</u>放你手裡。（5b4-5b5）

　　　　　B：主將非利士人交在我手裏不交。主對<u>他</u>說，你可以上去，我必將非利士人交在你手裏。（14:10）

　　　　　C：爾將付<u>之</u>於我手內乎。神主應曰，上去，蓋我將付<u>之</u>于汝之手也。

　　　　　D：爾將付<u>伊</u>於吾手乎。耶賀華答<u>之</u>曰。上去。盖我將付<u>伊</u>於爾手也。

C 本中人称代词"他"的用例共 29 例，"他们"未见使用，D 本则完全不使用"他、他们"。"厥"在 C 本、D 本中的用例均为 144 例，其在 A 本、B 本主要与"他"对应，与"他们"对应的频率远低于"他"；"其"在 C 本、D 本的用例分别为 159 例、119 例，其在 A 本、B 本也主要与"他"对应。

C 本、D 本中，表示第三人称复数的词主要是"伊、伊等"，此外还有"厥"、"其"、"之"等，但使用频率均较低，例如：

（7）　　A：凡関係天主的事，<u>他们</u>都在亜隆的諸子手下領本分。（57a2）

　　　　　B：派<u>他們</u>服事亞倫的子孫，在主殿當差。（23:28）

　　　　　C：因<u>伊等</u>之職乃為侍亞倫子輩，以行神主屋之事。

　　　　　D：因<u>伊</u>職屬亞倫之子輩，為承役于耶賀華之堂。

反身代词"自己"在 A 本中共出现 9 例，该词在其他三版本出现对应代词的情况并不多见，仅 2 例，例如：

（8）　　A：西里亜國的兵見<u>自己</u>被依斯拉耶耳國的兵殺敗了，遣使者傕歐法拉得江那邊住的西里亜支派的兵。（35b4-36a1）

　　　　　B：亞蘭人見<u>自己</u>被以色列人打敗，就差遣人招募了百辣河外的亞蘭人來。（19:16）

　　　　　C：西利亞輩見<u>自己</u>被擊在以色耳之前，伊等則遣幾使提那在河外之西利亞輩來。

　　　　　D：西利亞輩見<u>自</u>敗於以色耳勒輩前，乃遣使調在上河之西利亞輩。

如上例，"自己"在 B 本共出现 14 例，C 本和 D 本则更倾向于使用单音节的"自"或"己"，有时也使用第三人称"其"、"伊"、"厥"等表示"自己"，例如：

（9）　　B：於是眾民各囘各家，大衛也轉囘去，為<u>自己</u>的家祝福。（16:43）

　　　　　C：且眾民各回<u>其</u>本家，而大五得亦回去，以言祝<u>其</u>家也。

　　　　　D：眾民離別各歸<u>己</u>家。大五得轉身而祝<u>己</u>家焉。

1.2 指示代词

A 本中使用的指示代词主要是近指代词"这"和远指代词"那"，这两个词汇均在唐代时期就已开始使用。"这"在 A 本共出现 58 例，B 本中无对应指示代词的情况较多，共 37 例；使用的指示代词也以"这"（13 例）为主，此外"这些"、"这样"、"此"也有使用。C 本和 D 本中与"这"对应的指示代词主要是"此"，此外 C、D 两版本还使用了上古指示代词"是"、"之"、"斯"、"厥"等，例如：

（10） A：這都是肋未的子。（62b5）

　　　B：這都歸利未支派的宗族。（24:30）

　　　C：此乃利未子輩。

　　　D：是皆利未輩之子。

A 本中表示处所的"这里/这地"共 11 例，在 B、C、D 三版本中仅 2 例采用了表示"这"的代词，例如：

（11） A：還更樂見你民，在這裡會合，給你獻儀。（97a1-97a2）

　　　B：我見在這裏的你的民也樂意獻禮物，我甚歡樂。（29:17）

　　　C：且今我亦喜見爾民在此者，甘心而獻也。

　　　D：且見爾民之在此者情願帶喜奉獻與爾。

三版本中也有使用远指代词与 A 本的"这里/这地"对应的情况，例如：

（12） A：仇敵在這地抛遺了他們的神像，達味全命燒那些像。（6a4）

　　　B：非利士人在那裏丟棄他們的神像，大衛吩咐人用火焚燒。（14:12）

　　　C：腓利色氏亞輩留其各神像在彼處時，大五得發令，而其皆被燒也。

　　　D：既伊舉厥偽神於彼。大五得發令，皆卽被火焚燒。

A 本中表示两个以上人或事物的"这些"共 9 例，B 本主要以"这/这些"对应，C、D 两版本除无对应指示代词的情况外，多以"此"及含"此"的双音节代词与之对应，例如：

（13） A：交給這些人看守門的責任。（71b1）

　　　B：這些人都是看守門的班長，各按班次在主殿當差。（26:12）

　　　C：在此等中有門吏輩之各分派。

　　　D：此輩中為司閽輩之分別。

另外，A 本中还出现了表示性质、状态、方式等的"这样"（18 例），B、C、D 三版本不出现对应指示代词的情况均在 50%以上，出现对应代词时，B 本多用"这/这样"，C 本更倾向于用"此"，D 本除"此"外，也使用了指示代词"是"。

远指代词中，A 本共出现"那"13 例，B 本主要以"那/那里"对应；C 本对应指示代词较多，有"彼"、"其"、"他"、"那"等，D 本中较少使用对应指示代词，仅出现了"彼"、"当"和"是"，例如：

（14） A：那一日大慶在天主台前吃飲。（98b1）

B：那日眾人在主面前吃喝，大大喜樂。（29:22）

C：伊等于彼日，以大喜而飲食在神主之前。

D：是日大喜，食飲于耶賀華前。

A 本中表示时间的"那时"仅在 B 本出现 2 例，C、D 两版本均未出现对应指示代词；与此情况类似的还有表示处所的"那里/那边"，在 B、C、D 三版本中仅有 1 例使用了对应代词，例如：

（15）　A：天主説這話時，他們的數目少，力弱旅居在那裡。（16b3-16b4）

B：當時你們人丁可數，人數無多，在那地方為客旅。（16:19）

C：當時爾等數少，且甚少，又為旅在其地也。

D：時爾曹無幾，無多，而客于彼。

"那些"与"那样"在 B 本中均无对应代词；C 本中以"其"对应"那些"，"此"对应"那样"；D 本中以"其"对应"那样"，"那些"则无对应代词，例如：

（16）　A：正殺他們時，天主轉眼一看，那樣大災，動了慈心。（43b3）

B：使者正滅民，主看見就囬心轉意，不要再降災與民。（21:15）

C：其敗間，神主觀看，而自悔及此災。

D：毀間，耶賀華顧而悔及其禍。

1.3 疑问代词

四版本中所见疑问代词均较少，其中 A 本主要使用"甚么"、"怎/怎么"，B 本主要使用"谁"、"何"，C 本与 D 本主要使用"何"。A 本中出现"甚么"16 例，在其他三版本主要与"何"对应；"怎/怎么"共 8 例，在其他三版本多无对应疑问代词，例如：

（17）　A：捻説達味到甚麼處，天主保護他。（31b1）

B：大衛往何處去，主都保佑他得勝。（18:13）

C：如此大五得不拘何往，神主常保佑他也。

D：耶賀華之護其所往若是焉。

如上例所示，A 本中"甚么"多用于陈述句，表示任指，用于疑问句的情况较少，且多是无疑而问，例如：

（18）　A：主陞斯，我是甚麼人？我的家也是甚麼？你要賞我這樣大恩麼？（26a4-26a5）

疑问代词"怎么"在 A 本中也多表示任指，但也有用于特指问的情况，例如：

（19）　A：你如今絕斷，要我怎麼答應遣我的？（43a1-43a2）

B：你立定主意，使我囬去囬覆差遣我來的主。（21:12）

C：故汝今要自定意說我知，以何言而回報遣我者也？

D：今請自思以何言而回復遣我者。

A 本代词总体使用情况及与 B 本、C 本、D 本对应情况见下表 1[3]。

3　表中"∅"表示无同词类的词对应的情况，后表皆同。

表1

词类 ＼ 版本		A本	B本	C本	D本
人称代词	第一人称	我（117）	我（104） Ø（13）	我（109） Ø（8）	我（47） 吾（56） Ø（14）
		我们（26）	我们（21） 我（1） 你们（2） Ø（2）	我们（1） 吾（1） 汝（2） 我等（13） 吾辈（1） 吾曹（6） Ø（1）	我们（2） 吾（12） 尔（2） 我等（3） 吾等（3） 吾侪（1） Ø（3）
	第二人称	你（140）⁴	你（97） Ø（43）	尔（84） 汝（30） 他（1） Ø（25）	尔（105） Ø（35）
		你们（15）	你们（11） 我（1） Ø（3）	汝等（4） 汝曹（2） 尔等（1） 汝（1） 尔（1） 我（1） Ø（3）	尔曹（2） 尔众（1） 尔（6） Ø（5）
	第三人称	他（217）	他（119） 他们（3） 你（2） 自己（2） Ø（91）	他（21） 厥（101） 其（42） 之（11） 尔（3） 己（2） 汝（1） Ø（38）	厥（108） 其（33） 之（22） 尔（3） 己（1） 伊（5） 斯（1） Ø（44）
		他们（72）	他们（33）	伊等（27）	伊等（8）

---

4 其中一例在 A 本写作 "的"，但徐汇本《古新圣经》为 "你"。

			他（1） 你们（1） 自己（1） Ø（36）	伊（1） 厥（6） 其（2） 之（3） 尔（1） Ø（30）	伊（19） 厥（1） 其（1） 之（3） 尔曹（1） Ø（34）
	其他	自己（9）	自己（2） Ø（7）	自己（1） Ø（8）	自（1） Ø（8）
		彼此（1）	Ø（1）	Ø（1）	Ø（1）
指示代词	近指	这（57）	这（13） 这些（2） 这样（2） 这里（1） 此（2） 那些（1） Ø（36）	此（18） 之（2） 其（1） 此等（1） 此诸（1） Ø（34）	此（10） 是（5） 之（3） 厥（1） 斯（1） 此等（1） 此诸（1） 此辈（1） 此般（1） 此样（1） Ø（32）
		这样（18）	这样（5） Ø（13）	此（7） 然（1） Ø（10）	此（4） 是（2） Ø（12）
		这里（10） 这地（1）	这里（2） 那里（3） 其（1） Ø（5）	此（1） 彼（2） 彼处（1） 那处（1） 己处（1） Ø（5）	此（1） 彼（2） Ø（8）
		这些（9）	这些（4） 这（1） 其（1） Ø（3）	此（1） 其（1） 此等（1） 此诸（1） 伊等（1） Ø（4）	此（1） 其（1） 此诸（2） 此辈（1） 伊等（1） Ø（3）
		这时（1）	Ø（1）	Ø（1）	Ø（1）

远指	那（13）	那（6） 那里（1） 这（1） ∅（5）	那（1） 彼（2） 其（2） 他（1） ∅（7）	彼（1） 是（2） ∅（10）
	那时（5）	那时（2） ∅（3）	∅（5）	∅（5）
	那里（3） 那边（2）	那（1） ∅（4）	其（1） ∅（4）	彼（1） ∅（4）
	那些（2）	∅（2）	其（2）	其（1） ∅（1）
	那样（1）	∅（1）	此（1）	其（1）
疑问代词	甚么（16）	甚么（3） 何（5） 谁（1） ∅（7）	何（9） 谁（1） ∅（6）	何（5） 谁（1） ∅（10）
	怎（2） 怎么（6）	岂（1） ∅（7）	何（2） ∅（6）	何（2） ∅（6）
	何（2）	何（2）	何（2）	何（2）
	多少（1）	∅（1）	∅（1）	∅（1）

2. 四版本助词使用差异

2.1 结构助词

A 本出现的结构助词仅有"的"（857 例），B 本中除 408 例无对应助词的情况，也主要使用了结构助词"的"（447 例），文言色彩较浓的"之"仅出现 2 例；C 本、D 本则主要使用结构助词"之"，两版本用例分别为 359 例、324 例，例如：

（20）　A：從亞必那大伯家請陡斯<u>的</u>聖櫃，放了新車上。（2a5-2b1）

　　　　B：他們就將天主<u>的</u>約櫃從亞庇拿達的宅裏取出來，放在新車上。（13:7）

　　　　C：伊等帶神<u>之</u>約箱在新車上，出亞比拿大百之家來。

　　　　D：伊等自亞比拿達之堂，擡神<u>之</u>契約箱，置在一乘新車。

C 本与 D 本虽然一为浅文理，一为深文理，但两版本中均出现了"的"的用例，例如：

（21）　C：蓋此諸情皆由爾來，則我們以爾己<u>的</u>送與爾也。（29:14）

（22）　D：大五得奪在遐大地色耳之臣身上<u>的</u>金牌，而帶回耶路撒冷。（18:7）

结构助词"地"自唐代开始出现零星用例，宋代以后，"地"字结构类型增多。据曹广顺（1995），元代中叶开始，"地"出现了写作"的"的例子。具有文言色彩的 C、D 两

版本中均未见"地"的用例，A、B 两个白话版本中，A 本未使用结构助词"地"，仅在 B 本检得 8 例，但用字为"的"，例如：

（23） B：我兒所羅門，你當認識你父的天主，誠心樂意<u>的</u>事奉他。（28:9）

结构助词"得"在 A 本未发现用例，仅在 B 本出现 1 例用例，例如：

（24） B：銅和鐵多<u>得</u>不可平量。（22:14）

A 本中帮助构成名词结构的助词"者"仅见于"先知者"中，用例较少（5 例），该助词在 C、D 两本使用频率较高，分别为 165 例、81 例，作用上以表示某类人或事物为主，有时也用于提示主语，例如：

（25） C：以色耳之神<u>者</u>，萬軍之神主也，卽其為神與以色耳<u>者</u>也。（17:24）

2.2 动态助词

动态助词"着"在 A、B、C 三版本均见使用，D 本则未见用例。A 本中共出现"着"11 例，B 本中共出现"着"29 例，两版本中，出现在"着"前面的动词大多为静态动词，如"按着"、"照着"、"记着"等。需要指出的是，A、B 两本虽同为白话版本，但两者在"着"的字形使用上有所不同，A 本使用"着"，B 本则除 2 例用"着"外，其余均用"著"，例如：

（26） A：他們的父依底同，對合琵琶唱經，他們都隨<u>着</u>讚美天主唱經。（25:3）

（27） B：冕重一他連得，又嵌<u>著</u>實石。（20:2）

C 本中动态助词"着"共 3 例用例，其中 1 例表示持续态，其余 2 例则表示完成态，例如：

（28） C：伊遂雇<u>着</u>三萬二千乘車，又馬亞加之王與厥民，而其來下寨于馬氏巴之前。（19:7）

据曹广顺（2014），元代及明代前期，"着"可兼表持续态、完成态与曾经发生，这种情况可能是受元白话的影响产生的。

动态助词"了"主要见于 A 本，共 153 例；B 本出现动态助词"了"40 例，C、D 两版本则几乎不使用"了"。A 本中的动态助词"了"在 B、C、D 三版本大多无对应助词，三版本多使用一般陈述句，通过文本语境表现事情发生的时间，有时句中也会出现表示完成的副词，例如：

（29） A：我本已預俻<u>了</u>為堂工程緊要用的物。（85a4-85a5）

B：我<u>已經</u>豫備材料，等著建造。（28:2）

C：且我<u>已曾</u>俻便為築建。

D：<u>業經</u>准備為建造矣。

动态助词"过"仅见于 A 本与 B 本，且使用频率较低。现代汉语中，动态助词"过"有两种用法：一是表示动作完成，二是表示过去曾经发生过某事。A、B 两版本中"过"均已第二种用法为主，例如：

（30） A：依斯拉耶耳的主陡斯，本這樣分付<u>過</u>。（24:19）

　　与"着、了"一样，"过"也曾出现在"V+O+过"的格式中，据曹广顺（2002），这一格式目前最早见于中古译经中，后世明清小说及现代汉语的方言中，这一格式也一直在沿用。A本中也出现了1例"V+O+过"的用例，例如：

（31）　A：教城裡民都出來，將有刀的拖床，走他們身上過。（20:3）

2.3 事态助词

　　事态助词"了"仅见于A本和B本，其中A本用例16例，B本用例11例，此事态助词"了"与句末语气助词"了"重合，因此C、D两版本多以"也"、"矣"与之对应，例如：

（32）　A：毃了，縮你手罷。（43b4）

　　　　B：現在毃了，你止住手罷。（21:15）

　　　　C：足矣，今止爾之手也。

　　　　D：足矣。罷爾手也。

2.4 语气助词

　　A本中所见语气助词较少，仅"的"、"吧"、"么"、"呢"、"哦"5个，且使用频率均较低。"的"、"吧"在A本只出现在陈述句句末，前者在C、D两版本几乎无对应助词，后者在C、D两版本只与语气助词"也"对应，例如：

（33）　A：亞隆的諸子的班，是這樣分開安排的。（59a2）

（34）　A：你們都讚美我們主陡斯罷。（97b4）

　　　　B：你們應當讚美你們天主耶和華。（29:20）

　　　　C：汝曹今祝謝神主汝之神也。

　　　　D：頌爾神耶賀華也。

　　"么"、"呢"、"哦"在A本均出现在疑问句末尾，其中"么"既可以表示一般疑问，也可以表示反问；"哦"和"呢"则只用于反问句中，例如：

（35）　A：同斐里斯定戦可麼？主你將他放我手裡麼？（5b3）

　　　　B：我上去攻擊非利士人，可以不可以？主將非利士人交在我手裏不交？（14:10）

　　　　C：我該上去攻腓利色氏亞輩否？爾將付之於我手内乎？

　　　　D：我可上攻非利士氏輩乎？爾將付伊於吾手乎？

（36）　A：我怎敢請陡斯的櫃進我的家哦？（3a5-3b1）

　　　　B：天主的約櫃，我豈可取到我的地方呢？（13:12）

　　　　C：我何能帶神之約箱至我處乎？

　　　　D：我何以擡神之約箱到吾家耶？

　　B本中语气助词"的"、"罷"、"么"、"呢"也见使用，但除"呢"（6例）外，其他三个语气助词用例均在5例以下；此外，B本也使用了在A本未见用例的语气助词

"阿"（5 例），其位置主要是用于主名之后，表示对天主的呼告，例如：

（37）　B：我天主阿，我知道你鉴察人心，喜悦诚实。（29:17）

　　A、B 两版本所用语气助词在 C、D 两版本均未见使用，C、D 两版本所用语气助词有"也"、"矣"、"焉"、"耳"、"乎"、"耶"、"哉"、"呜呼"及"而已"，均为上古汉语中已见使用的词汇。几个语气助词中，以"也"使用频率最高，其次是"矣"、"乎"、"欤"、"焉"，其余几个语气助词使用频率较低，均不足 10 例。此外，C、D 两版本还出现了上古汉语中的发语词"夫"和"盖"，两词在 A、B 两版本也未发现用例。

　　A 本助词总体使用情况及与 B 本、C 本、D 本对应情况见下表 2。

表 2

词类＼版本	A 本	B 本	C 本	D 本
结构助词	的（862）	的（448） 之（2） ∅（412）	的（4） 之（360） ∅（498）	的（3） 之（324） ∅（535）
	者（5）	∅（5）	者（4） ∅（1）	者（4） ∅（1）
	之（1）	之（1）	之（1）	之（1）
动态助词	着（11）	∅（11）	∅（11）	∅（11）
	了（153）	了（5） 在（1） ∅（147）	在（1） 已（2） ∅（150）	在（1） 至（1） 矣（1） ∅（150）
	过（6）	∅（6）	已（1） ∅（5）	∅（6）
事态助词	了（16）	了（5） ∅（11）	也（2） 矣（1） ∅（13）	也（1） 矣（1） 既（1） ∅（13）
语气助词	的（10）	的（2） ∅（8）	也（1） 矣（1） ∅（8）	矣（1） ∅（9）
	罢（2）	罢（1） ∅（1）	也（2）	也（2）
	么（9）	∅（9）	乎（4） 否（1）	乎（5） ∅（4）

		Ø（4）	
呢（4）	呢（3） 么（1）	乎（2） Ø（2）	乎（1） Ø（3）
哦（1）	呢（1）	乎（1）	耶（1）

3. 介词

3.1 处所介词

    A 本中引进处所的介词主要有"从"、"到"、"在"等，其中介词"从"在上古汉语中主要作为处所介词、时间介词使用，其在 A 本中共出现 56 例，功能上以引进处所、时间的起点或范围为主，例如：

（38） A：從依斯拉耶耳衆兵内挑了精壯的，去戰西里亞的兵。（35a1）

        B：就從以色列的精兵裏挑選了最強壯的，對著亞蘭人列陣。（19:10）

        C：其則在以色耳精兵中擇出兵來，而擺之攻西利亞輩。

        D：隨自以色耳勒輩之見選人中挑選，而令伊等備攻西利亞輩。

    引进范围的介词"从"在 A 本中共 29 例，B、C、D 三本以不使用介词的情况居多，当出现对应介词时，B 本与 C 本主要使用介词"在"，D 本则使用介词"由"。引进处所、时间起点的介词"从"在 A 本中共 24 例，B 本中主要对应介词也为"从"，C 本与 D 本则更多使用介词"自"来引进起点。此外，A 本中也出现了"从"引进经由处的用例（3 例），例如：

（39） A：撒烏耳的女孩米渴耳從窗見達味跳舞踴躍，心裡輕慢他。（13a2-13a3）

    与介词"从"功能大致相同的"自"在 A 本和 B 本用例都较少，C 本和 D 本则用例较多，分别为 19 例、32 例；介词"由"在 A 本和 B 本未发现用例，仅在文理文体的 C 本和 D 本有所使用，其在 A、B 两版本主要是与"从"对应。

    "到"作为引进时间、地点的介词，主要用于 A 本和 B 本，C、D 两版本则几乎不用"到"，而使用"至"、"于"等引进时间、地点的终点，例如：

（40） A：求主你給你奴連他的家口，許的事成全到永遠不改。（27b5-28a1）

        B：你應許僕人和你僕人家的話，求你成就到永久。（17:23）

        C：故此神主歟，爾今所說論及爾僕，又論及厥家之言，求使之穩立至永久。

        D：故今耶賀華，願爾所言及爾臣與及厥家之情見定于永遠。

    与"到"功能大致相同的介词"至"主要用于 C、D 两版本中，使用频率较高，但在 A 本中仅 2 例用例，例如：

（41） A：本來從厄日多救出依斯拉耶後代，至今我捴没住堂内。（23b5-24a1）

    介词"在"在 A 本中共出现 88 例，功能以引进动作、行为发生或存在的场所为主，其在 B 本也多与"在"对应；C 本对应部分除使用介词"在"外，还使用了介词"于"；D 本中介词"在"也有使用，但使用频率较低，该本更倾向于使用介词"于"，例如：

（42） A：但與其落在人手裡，不如落在天主手裡，因他仁慈是無限量的。（43a3-

43a4）

B：我願落在主手裏，因為主大施憐憫，我不願落在人手裏。（21:13）

C：寧願我等落在神主之手，蓋厥各恤憐大矣，而我不願落于人之手也。

D：我願付於耶賀華之手，蓋厥慈悲甚大，而弗願付於人之手。

如上例，介词"于"主要见于 C 本和 D 本，且在字形上，C、D 两本均是"于"与其后起字形"於"混用；A 本仅出现 1 例"於"的用例，例如：

（43） A：住於依斯拉耶耳當中，若分付一個審士管我的民，難道給他説：何故不給我建蛇多落木的堂呢？（24a2-24a4）

3.2 对象介词

A 本中使用的对象介词主要有"望"、"给"、"为"等。据向熹（2010），介词"对"在上古时期就已出现，表示动作、行为的对象，介词"望"则出现较晚，魏晋时期才见使用，表示方向或趋向。A 本中介词"望"共 21 例，介词"对"共 2 例，作用均以引进动作、行为涉及的对象为主，其中"望"多出现在"望+人称/专名+说"结构中，例如：

（44） A：又話望我说：你子撒落孟修我的堂，兼堂的諸院。（86b1）

B：主曾對我說：你兒子所羅門必建造我的宮殿院宇。（28:6）

C：神亦謂我曰：爾之子所羅門將建我屋，與我各院。

D：且其謂我曰：爾子所羅們，其將建吾堂吾殿。

如上例，A 本中介词"望"在 B 本主要与"对"对应，C、D 两本则多以动词"谓"与之对应；此外，D 本也出现了以"与"和"于"引进言说对象的用例，例如：

（45） A：達味望陡斯説：我作這樣事，大得了罪。（41b5-42a1）

B：大衛對天主說：我行這事，甚是有罪。（21:8）

C：大五得謂神曰：我大有罪矣，因已行此事也。

D：大五得言於神曰：我獲大罪矣，因作此事。

介词"与"与介词"同"在 A 本各出现 11 例，两词均作为引进对象的介词使用，在 B、C、D 三版本中的对应介词也以"与"为主，例如：

（46） A：在這裡與天主砌了祭台，殺了全安二祭的牲口。（46a3-46a4）

B：在那裏為主築了一座壇，與主獻燔祭和酬恩祭。（21:26）

C：又大五得在彼建一祭臺與神主，而獻燒祭，及平和祭。

D：彼大五得建一祭臺與耶賀華，而獻焚祭和祭。

（47） A：還加則耳城同斐里斯定的兵了仗。（38b2-38b3）[5]

B：此後以色列人又與非利士人在基色打仗。（20:4）

C：於此後在厄西耳有與腓利色氏亞輩交戰。

D：後此又起打仗于加色耳偕非利士氏輩。

作为上古汉语中就已出现的介词，"与"在文理文体的 C、D 两版本的使用频率均较

---

[5] 此句在徐家匯本為：還加則耳城同斐里斯定仇打了仗。

高，分别为 82 例、65 例，且作用主要以引进交付、传递的对象为主，与同时期白话文体的 A 本之间差异较为明显，A 本中介词"与"使用频率较低，且所见作用使用频率比较均衡，除例（46）引进受益对象（3 例）外，还可以引进动作、行为涉及的对象（2 例）；引进交付、传递的对象（3 例）；引进动作、行为伴随、协同的对象（2 例）及引进比较对象（1 例）。

如例（47），介词"同"除与"与"对应外，在 C、D 两版本中也常与动词"偕"对应，其作用是引进动作、行为伴随、协同的对象（6 例）及引进动作、行为涉及的对象（5 例）。

介词"连"产生于六朝，由"连带"义动词演变而来，该词在 A 本共出现 16 例，在 B 本主要与"和"对应，在 C、D 两版本则主要与"与"对应，例如：

（48）　A：從莫拉里族來的長是亞塞亞，連他帶的弟兄二百二十人。（8b3）

　　　　B：米喇里子孫有族長亞帥亞，和他族弟兄二百二十人。（15:6）

　　　　C：在米拉利子輩後，有首者亞撒以亞，與厥弟兄們，共二百有二十人。

　　　　D：屬咩隙利之子輩，其首亞尸亞，與厥兄弟百有二十。

A 本中共出现 44 例介词"给"，B、C、D 三版本几乎不使用介词"给"，与"给"对应的介词主要是"与"，例如：

（49）　A：若誰有寶石，交給熱耳宋族的亞西耶耳，入在天主堂庫內。（94b1-94b2）

　　　　B：凡有寶石的，都交給革順人耶葉獻入主的府庫。（29:8）

　　　　C：且凡有寶貝石者，送之與神主屋之倉，以其耳順人耶希以勒之手。

　　　　D：又伊帶有寶石與耶賀華堂之庫，由革耳順人耶希路之手。

如上例（49），A 本中介词"给"的作用以引进交付、传递的对象为主，共 21 例，"给"引进受益/受损对象的用例共 18 例，引进动作、行为涉及对象的用例仅 5 例。

除"给"外，A 本中引进受益/受损对象的介词还有"为"，共 9 例，但该介词在 A 本中更多是作为引进原因的介词使用，共 41 例，例如：

（50）　A：論堂的工程，是大工程，不是為人立旅舍，是立陡斯的殿。（92a4-92a5）

　　　　B：這工程甚大，因為宮殿不是為人建造，乃是為你們天主耶和華建造。（29:1）

　　　　C：而其工為大，蓋斯殿非為人，乃為神者神主也。

　　　　D：而此事大，蓋此宮殿非為人，乃為耶賀華神耳。

（51）　A：你奮勇，我們兩個為我們的民、我們陡斯的城血戰。（35a5）

　　　　B：我們大家都當為我們的民、為我天主的城邑奮勇。（19:13）

　　　　C：宜堅毅，我等該為吾民，及吾神之各城，而勇行。

　　　　D：宜為毅，自壯為民與為吾神之諸邑。

上例（50）中，"为"引进的是受益对象，例（51）中，"为"引进的是原因。介词"为"在其他三本有对应介词的情况较少，当出现对应介词时，B、C、D 三本使用的介词也主要是"为"，其他如介词"因"、"与"、"以"等则使用频率较低。

A 本中，引进处置对象的介词"把"共 12 例，介词"将"共 10 例。B、C 三版本中

228

均未发现介词"把"的用例，B 本中主要使用介词"将"引进处置对象，共 31 例；C 本中介词"将"共 13 例；D 本中仅出现 2 例介词"将"的用例，该本中大多以"动词+宾语+介词"的短语形式表示处置含义。四版本中介词"把"和"将"的用例如：

（52） A：你<u>把</u>你打粮食的塲給我。（45a5）

B：你<u>將</u>這禾塲給我。（21:22）

C：<u>以</u>此打禾塲之處給我。

D：<u>讓</u>此打禾塲之地方與我。

（53） A：<u>將</u>册簿献給達味看。（41a3）

B：約押就<u>將</u>民的數目告訴王。（21:5）

C：若亞百<u>以</u>民之總數奏大五得。

D：若亞布<u>呈</u>民之數目與大五得。

如上例，C、D 两版本中偶尔也使用介词"以"对应 A 本中的介词"把"、"将"，但用例较少。

在被动介词的使用上，A 本与其他三个版本差异较大。A 本仅见 1 例被动介词"被"，例如：

（54） A：西里亜國的兵見自己<u>被</u>依斯拉耶耳國的兵殺敗了。（6a1）

B：亞蘭人見自己<u>被</u>以色列人打敗。（19:16）

C：西利亞輩見自己<u>被</u>擊在以色耳之前。

D：西利亞輩見自敗<u>於</u>以色耳勒輩前。

介词"被"在 B、C、D 本均有使用，其中以 C 本中"被"的使用频率最高，共 26 例；C 本、D 本除使用介词"被"外，还使用了上古时期就已出现的助动词"见"表示被动关系，例如：

（55） D：惟我將定之永在吾堂與在吾國。厥位<u>見</u>定于永遠。（17:14）

表示被动的"见"在 C 本仅见 1 例，在 D 本共出现 14 例。

A 本介词总体使用情况及与 B 本、C 本、D 本对应情况见下表 3。

表3

版本 词类	A 本	B 本	C 本	D 本
处所介词	从（56）	从（14） 自（1） 在（3） 往（1） Ø（37）	自（11） 由（4） 在（4） 于（1） Ø（36）	从（1） 自（14） 由（5） Ø（36）
	自（1）	Ø（1）	Ø（1）	Ø（1）
	到（22）	到（13）	到（3）	到（1）

		在（1） 给（1） ∅（7）	至（6） 及（2） 于（3） ∅（7）	至（4） 于（5） 与（2） ∅（9）
	至（2）	到（1） ∅（1）	至（1） ∅（1）	至（1） ∅（1）
	在（88）	在（55） 到（1） 从（2） ∅（30）	在（37） 到（1） 于（13） 与（1） 以（1） ∅（35）	在（10） 于（32） 与（1） 自（1） ∅（44）
	于（1）	∅（1）	∅（1）	∅（1）
对象介词	望（21）	对（10） 与（1） ∅（10）	与（1） ∅（20）	与（3） 于（4） ∅（14）
	对（2）	在（1） ∅（1）	于（1） ∅（1）	于（1） ∅（1）
	与（11）	和（1） 对（1） 在（1） 为（2） ∅（6）	与（3） 于（1） ∅（7）	与（4） 于（1） ∅（6）
	同（11）	与（3） ∅（8）	与（3） ∅（8）	与（2） ∅（9）
	连（16）	和（11） 并（3） ∅（2）	与（10） 及（2） ∅（4）	与（10） 及（2） 并（1） 同（1） ∅（2）
	给（44）	给（2） 与（12） 为（9） 向（1） 对（1） ∅（19）	与（17） 于（2） ∅（25）	与（15） 于（1） 为（2） 对（1） ∅（25）

		为（20） 因（3） 以（1） 与（3） ∅（23）	为（17） 因（1） 以（4） 与（3） ∅（25）
为（50）	为（10） 因（2） 与（1） ∅（37）	为（20） 因（3） 以（1） 与（3） ∅（23）	为（17） 因（1） 以（4） 与（3） ∅（25）
把（12）	将（6） ∅（6）	以（3） 被（1） ∅（8）	以（1） ∅（11）
将（10）	将（5） ∅（5）	将（3） 以（1） ∅（6）	将（2） 以（1） ∅（7）
被（1）	将（1）	将（1）	∅（1）

4. 连词

整体而言，A 本中出现的连词种类及用例均较少，用于联合复句中的连词使用频率较用于偏正复句中的连词低。A 本中连词具体使用情况如下。

4.1 联合复句中的连词

A 本中，表并列关系的连词主要有"及"、"并"、"同"三个，另"兼"、"与"也出现个别用例，但用例均不足 5 例。同为白话文体的 B 本使用频率最高的并列连词是"和"，共 128 例，而其他三个版本中，连词"和"几乎不见使用。浅文理文体的 C 本在四个版本中，并列连词使用频率最高，主要使用的并列连词有"及"、"且"、"与"三个，用例均在 100 例左右。深文理文体的 D 本在四个版本中，并列连词的种类最为丰富，除使用频率较高的"与"、"同"外，还有"及"、"且"、"并"、"而"、"连"、"兼"等。

连词"及"在 A 本共出现 23 例，B 本未见"及"的用例，仅见 2 例"以及"，该本主要以连词"和"对应"及"；C 本也主要使用连词"及"；D 本则主要使用"与"表示并列关系，例如：

（56） A：每瑟的子們，是熟耳宋及耶里耶则耳。（55b2）

B：摩西的兒子，是革順和以利亞撒。（23:15）

C：摩西之子乃其耳説麥，及以來以士耳。

D：摩西之子，革耳順與依利鴉沙。

据刘坚（1989）、向熹（2010），"及"和"与"均在上古汉语中就已作为并列连词使用，"和"则出现较晚，到唐代时期才虚化为连词。四个版本中，D 本使用连词"与"139例，连词"及"11 例；C 本使用连词"与"90 例，连词"及"181 例；成书最晚的 B 本几乎不使用上古连词"与"和"及"，而大量使用了产生较晚的连词"和"，应是与三个

版本选择的文体同有关。但与 B 本同为白话文体的 A 本仅见 1 例 "和" 的用例，而主要采用了产生时期较早的连词 "及"，或与两个版本面向的对象有关，但产生差异的具体原因还有待进一步研究。

连词 "并" 在 A 本出现 16 例，在 B 本主要对应连词 "和"，在 C、D 两版本主要对应连词 "与"，例如：

（57）　A：又從斐里斯定的手取了熱得城並他管的村庄。（29a4）

　　　　B：從他們手下奪取了迦得和屬迦得的村莊。（18:1）

　　　　C：又取厄得與其之各邑出腓利色氏亞人之手。

　　　　D：及奪厄忒與其諸邑自非利士氏輩之手。

据向熹（2010），"并" 作为递进连词，产生于周代，宋以后又产生并列连词的用法，连接两个名词或名词性词组。我们通过调查发现，A、B 两版本中，连词 "并" 主要保留了表并列关系的用法，其表递进关系的用法主要出现在 D 本，例如：

（58）　A：盛能威柄都在你手，人物俱在你權下。（95b3-95b4）

　　　　B：你手有大能大力，凡尊大强盛，都出自你手。（29:12）

　　　　C：在于爾手有能，且大德矣。所使為大，且施力與眾，是出爾手也。

　　　　D：權能在爾手，皆由爾手使大，並賜能與眾。

如上例，连词 "且" 主要出现在 C 本，其在 A、B 两版本均未发现用例，D 本也仅见 15 例用例。

连词 "同" 在 A 本共出现 14 例，在 D 本共出现 26 例，B、C 两版本则未见用例。与连词 "并" 相同，该词在 B 本也主要对应连词 "和"，在 C、D 两版本主要对应连词 "与"，但 D 本中也出现了以 "连" 对应的情况，例如：

（59）　A：你們既是肋未後代的首，同你們的弟兄一齊潔净，為抬依斯拉耶耳陡斯的櫃送進預俗的殿内。（9a4-9b1）

　　　　B：你們是利未人的族長，你們和你們的族弟兄，應當自潔，取以色列天主耶和華的約櫃，到我為他豫備的所在。（15:12）

　　　　C：汝等為利未人各父中之首輩，與汝之弟兄們，汝等要成聖己，致汝等可將以色耳神者神主之約箱，帶至我為之而所備之處。

　　　　D：爾曹為利未輩父輩之首，聖自，爾連爾兄弟以擡以色耳勒之神耶賀華之契約箱，上我所備為箱之處。

作为并列连词，"兼" 出现时间与 "及" 相同，也是在周代就已经见于使用。该词在 A 本仅见 2 例，例如：

（60）　A：你子撒落孟修我的堂，兼堂的諸院。（86b1）

　　　　B：你兒子所羅門必建造我的宫殿院宇。（28:6）

　　　　C：爾之子所羅門將建我屋，與我各院。

　　　　D：爾子所羅們，其將建吾堂吾殿。

连词 "兼" 只见于 A 本与 D 本，用例均在 3 例以下，在 B、C 两版本则未见使用。

此外，C 本中也出现了"而"表示并列关系的用例，例如：

（61） C：伊等與厥子厥弟兄們能而有力于事者，六十二人。（26:8）

除表并列关系外，"而"还在 C、D 两版本中表示承接关系，例如：

（62） A：你動手起這工程，天主同你在一塊。（51b4-51b5）

B：你可以起來辦事，惟願主保佑你。（22:16）

C：汝起而行，且願神主偕汝也。

D：且起而為，蓋耶賀華在偕爾也。

如上例，A、B 两版本主要靠语序表示事件的先后顺序，较少使用承接连词；A 本中仅见少数"即"表承接的用例，B 本则主要使用"于是"表示承接关系，例如：

（63） A：達味還分付在那裡的眾人説：你們都讚美我們主陡斯罷。眾人即讚美他們祖宗的陡斯。（97b3-97b5）

B：大衛對會眾說：你們應當讚美你們天主耶和華。於是會眾就讚美他們的天主耶和華。（29:20）

C：大五得謂全會曰：汝曹今祝謝神主汝之神也。全會遂祝謝伊等列祖之神者神主。

D：大五得謂眾會曰：頌爾神耶賀華也。眾會隨頌伊列祖之神耶賀華。

A 本中主要使用连词"或"表示选择关系，B 本和 C 本也使用了连词"或"，但用例较少，D 本则未出现"或"的用例，例如：

（64） A：或三年的饑饉；或你三個月，在你仇跟前逃跑，不能免他的刀；或三天，遭天主的刀。（42b2-42b4）

B：或饑荒三年；或敗在你敵人面前，被敵人的刀追殺三月；或在你國中有瘟疫三日。（21:12）

C：或三年之饑荒；或三月在汝仇之前被敗，而受汝敵之劍所趕及；或神主之劍，即瘟疫在地。

D：願三載饑荒；抑三個月見敗仇前，於爾仇之刀獲爾時；抑三日耶賀華之刀，即災殃于境內。

4.2 偏正复句中的连词

A 本中使用的转折连词主要是"雖"和"但"，例如：

（65） A：我雖窮，為立堂的工程該費用的銀子預俻了十萬達楞多金、百萬達楞多銀。（51a3-51a5）

B：我苦苦的為建造主殿，豫備了金子十萬他連得、銀子一百萬他連得。（22:14）

C：在我艱難中，我却曾為神主之屋，而俻金十萬吪唎吪、及銀一百萬吪唎吪。

D：夫我勞時，預備為耶賀華之堂十萬吪唎吪之金、一百萬吪唎吪之銀。

（66） A：但陡斯望我説：因為你戰太多，也流人血，不可立光榮我名的堂。（85a5-

233

85b2）

　　B：<u>只是</u>天主對我說：你不可為我名建造殿宇，因為你常常打仗殺戮人命。

　　（28:3）

　　C：<u>但</u>神謂我曰：因爾已為戰士，又已流血，故爾將不建屋為我名也。

　　D：<u>惟</u>神謂我曰：爾不可建堂與吾名，因爾嘗為打仗人，嘗流人血矣。

　连词"虽"在 A 本共出现 4 例，在其他三版本各出现 1 例；连词"但"在 A 本共出现 10 例，B 本未见使用，C 本与 D 本分别出现 4 例、3 例。A 本中的连词"但"在 B 本多无对应连词，在 C 本则除"惟"外，也有与"然"对应的情况，例如：

（67）　A：撒耳未亚的子约亚伯剛起查民数，<u>但</u>為這事，天主義怒。（96a1-96a2）

　　B：西魯雅的兒子約押計數以色列人的數目，主因此發怒。（27:24）

　　C：西路以亞之子若亞百始點數，<u>然</u>因此事有怒落于以色耳。

　　D：西路耶之子若亞布起首點，<u>惟</u>未畢，因有怒。

　如上例，表转折的连词"然"仅见于 C、D 两版本，A、B 两版本则未发现用例。

　A 本中目的连词仅见 1 例"以"，例如：

（68）　A：海波浪衝撞<u>以</u>表欣悦，田地内所有的物也彰出他的歡樂。（18b4-18b5）

　　B：海和其中的萬物都要發大聲，田野和其中所有的物都要歡樂。（16:32）

　　C：海與其之滿載者宜大發喊，又各田與其所載者，亦樂矣。

　　D：海宜響與充盈彼中者，田宜喜與在其内者。

　目的连词"以"在 B 本未见使用，在 C、D 两版本使用情况大体相同，均在 30 例左右。

　A 本中所见表示因果关系的连词主要是"因"、"因为"、"因此"、"故"四个，其中"故"与"因"用例最多。"故"在其他三个版本对应的连词主要是"因此、因为"，"因"在 B 本主要对应"因为"，在 C、D 两版则主要对应表原因的"盖"，例如：

（69）　A：告诉你奴要給他立家，<u>故</u>你奴满心指望特求你。（28a5-28b1）

　　B：我天主既應許為僕人建立家室，<u>所以</u>僕人敢大膽在主面前祈禱。（17:25）

　　C：爾曾有說于爾僕之耳，言爾要建室與之，<u>因此</u>爾僕敢獻此祈禱在爾之前矣。

　　D：<u>蓋</u>爾曾告爾臣以爾將建之一家，<u>因此</u>爾臣萌諸厥心，以禱爾前。

（70）　A：<u>因</u>王交付的事不合約亚伯的意，未数肋未栢尼亚明的男子。（41b1-41b2）

　　B：惟利未人和便雅憫人沒有數在其内，<u>因為</u>約押厭惡王的這命令。（21:6）

　　C：但利未及便者民其不算之在此等内，<u>蓋</u>王之言乃若亞百所惡也。

　　D：惟利未輩與便者民輩不算入其數，<u>蓋</u>王之言與若亞布為可惡也。

　"因为"在 A 本共 8 例，其在 B、C、D 三版本也主要与"因/因为"对应；"因此"在 A 本共 7 例，B 本中未见"因此"的用例，而多是以"于是"对应"因此"，C 本则多以"遂"对应该词，D 本中不使用对应连词的情况居多，例如：

（71）　A：<u>因此</u>達味遣使到哈農，安慰他父的喪。（32b5-33a1）

　　B：<u>於是</u>大衛差遣使者去弔他喪父。（19:2）

C：大五得遂遣數使弔慰他，為他之父。

D：大五得遣使以弔慰之為厥父。

在假设连词的使用上，四个版本都使用了连词"若"，不同的是，A 本也出现了 2 例"倘"的用例，D 本则出现了 1 例"如"的用例，例如：

（72）　A：若西里亞仇兵勝了我，你來助我；若安孟仇壓的，我即護你。（35a3-35a4）

B：亞蘭人若強過我，你就幫助我；亞捫人若強過你，我就幫助你。（19:12）

C：若西利亞人為太強于我，汝則助我；而若亞門子輩為太強于汝，我則助汝。

D：如西利亞輩與我為太強，則爾等助我；惟若亞們之子輩與爾為太強，則我助爾。

（73）　A：倘有人願献甚麼，今日只管献。（93b4-93b5）

A 本连词总体使用情况及与 B 本、C 本、D 本对应情况见下表 4。

表 4

词类	版本	A 本	B 本	C 本	D 本
联合复句	并列	及（23）	和（16）并（1）∅（6）	及（13）与（3）且（2）∅（5）	与（12）并（2）∅（9）
		并（16）	并（1）和（10）以及（1）∅（4）	与（5）及（4）或（1）∅（6）	与（7）兼（1）∅（8）
		同（14）	和（6）∅（8）	与（7）∅（7）	与（7）∅（7）
		兼（2）	并（1）∅（1）	与（1）及（1）	与（1）∅（1）
		与（1）	和（1）	∅（1）	与（1）
	顺承	即（4）	∅（4）	即（1）则（1）∅（2）	则（1）∅（3）
	选择	或（22）	或（5）和（1）∅（16）	或（3）及（1）∅（18）	抑（2）与（2）∅（18）
偏正复句	转折	但（10）	只是（1）∅（9）	但（1）然（1）	惟（2）∅（8）

				而（1） Ø（7）	
		虽（4）	Ø（4）	却（1） 而（1） Ø（2）	Ø（4）
	目的	以（1）	Ø（1）	Ø（1）	Ø（1）
	因果	因（11）	因（1） 因为（3） Ø（7）	因（1） 盖（10）	因（1） 盖（9） Ø（1）
		因为（8）	因为（3） 因（2） Ø（3）	因（5） 盖（1） Ø（2）	因（5） 盖（1） Ø（2）
		因此（7）	于是（4） Ø（3）	因而（1） Ø（6）	于是（1） 遂（1） 如是（1） Ø（4）
		故（19）	因为（2） 因此（1） 所以（2） Ø（14）	故（7） 盖（2） 然（1） 则（1） 遂（1） 因为（1） 因此（1） Ø（5）	故（2） 盖（2） 然（1） 因（1） 因此（5） 故此（1） Ø（7）
	假设	若（10）	若（8） Ø（2）	若（7） Ø（3）	若（5） 如（1） Ø（4）
		倘（2）	Ø（2）	Ø（2）	Ø（2）

5. 结语

通过对四个版本圣经中代词、助词、介词、连词的穷尽性调查，我们将四个版本在文体上的用词差异整理如下表 5[6]。

---

6 1）本表中，用例不足 5 例的情况忽略不计。
　2）本表中，双引号的词包括该词及由该词构成的其他词语，如"这"包括"这/这里/这些/这样"等。

表 5

版本 词类	白话		浅文理	深文理
	A 本	B 本	C 本	D 本
代词	我/我们、你/你们、他/他们、自己、这、那、甚么、怎/怎么	我/我们、你/你们、他/他们、自己、这、那、其、谁、何	我/我等、吾/吾曹、尔、汝/汝等、他、厥/其、伊/伊等、之、此、那、彼、何	我、吾、尔/尔曹、厥/其、伊/伊等、之、此、是、彼、何
助词	的、者、着、了、过、么	的、的（地）、著（着）、了、呢、阿（啊）	的、者、之、也、矣、焉、乎、欤、夫、盖	的、者、之、也、矣、焉、乎、耳、夫、盖
介词	望、从、到、在、给、同、连、为、把、将	对、到、从、在、与、给、和、为、将、被	自、由、到、至、在、于、与、连、为、以、被	自、由、到、至、在、于、与、为、以、被
连词	同、及、并、因为、因此、故	和、并、且、因为	与、及、而、因、盖、故、以	同、与、及、并、而、且、因、因此、盖、故、以

由上表可知：

第一，总体而言，白话文体的两本圣经与文言文体的两本圣经在词汇使用上存在较大差异，浅文理的《神天圣书》虽为介于白话与深文理的"中间文体"，但在代词、助词、介词连词的使用上更加接近深文理，而非白话。就具体词类看，白话与文言在代词、助词方面的差异大于在介词、连词方面的差异。

第二，仅就词汇使用而言，马士曼的深文理《圣经》与马礼逊的浅文理《神天圣书》差异不大，都更倾向于使用典雅的文言词汇，但就整体语言风格而言，深文理《圣经》行文更加简约，但语言比较生硬难懂，浅文理《神天圣书》行文更加流畅自然。

第三，相较施约瑟的《旧约全书》，贺清泰的满汉合璧版《古新圣经》在白话的使用上更加"纯粹"，如《旧约全书》中仍保留了上古汉语中的代词"其"、"何"，以及"着"的较早字形，《古新圣经》中则未出现这些语言现象；与此同时，出现时期较晚的《旧约全书》也较《古新圣经》的语言现象更加丰富，如其使用了助词"的（地）"、"呢"、"阿（啊）"及介词"被"等。

第四，相较马礼逊的《神天圣书》与马士曼的《圣经》，贺清泰的满汉合璧版《古新圣经》在人称代词、疑问代词、介词的使用上更加丰富，指示代词、助词、连词的使用则较为简单。

通过不同文体的圣经的比较，我们初步厘清了深文理、浅文理、白话三种文体的用词

差异，但对于满汉合璧版《古新圣经》中的一些语言现象，还需要我们深入挖掘，探究这些语言现象产生的原因，如满汉合璧版《古新圣经》中为何回避介词"被"的使用，为何相较于介词"和"更倾向使用"连"等，这些都是我们今后要继续研究的问题。

参考文献

（日文）

内田慶市（2010）「近代欧米人の中国語文体観」，『文化交渉学と言語接触—中国言語学における周縁からのアプローチ—』，吹田：関西大学出版部，43-64 頁.

内田慶市・李奭學（2018）『古新聖經殘稿 外二種 北堂本與滿漢合璧本』，吹田：関西大学出版部，3-22 頁.

竹越孝・斉燦・余雅婷・陳暁（2017-2019）「満漢合璧版『古新聖経』訳注稿」（1-6），『或問』第 31-36 号.

（中文）

曹广顺（2014）《近代汉语助词》，北京：商务印书馆。

蒋绍愚、曹广顺（2005）《近代汉语语法史研究综述》，北京：商务印书馆。

金东昭著，林惠彬译（2015）最初汉语及满洲语《圣经》译者——耶稣会士贺清泰，《国际汉学》2015 年第 2 期，109-120 页。

刘坚、江蓝生、白维国、曹广顺（2018）《近代汉语虚词》，北京：商务印书馆。

刘平（2019）道在中华：中华圣经译本千年史（635-2019 年）——「和合译本」百年（1919-2019）纪念专文（上），《福音与当代中国》第 6 期，13-33 页。

宋刚（2015）"本意"与"土语"之间：清代耶稣会士贺清泰的《圣经》汉译及诠释，《国际汉学》2015 年第 4 期，23-49 页。

孙锡信（1999）《近代汉语语气词——汉语语气词的历时考察》，北京：语文出版社。

王力（2015）《汉语史稿》，北京：中华书局。

王硕丰（2013）《贺清泰〈古新圣经〉研究》，北京外国语大学博士论文。

向熹（2010）《简明汉语史（下）》，北京：商务印书馆。

郑海娟（2012）《贺清泰〈古新圣经〉研究》，北京大学博士论文。

郑海娟（2015）文白变迁：从《圣经直解》到《古新圣经》，《华文文学》2015 年第 4 期，46-55 页。

Mutual encounters and linguistic exchanges: De Poirot's translation of the Bible and the role of rhetoric in shaping language and readership

Ya-Ting YU

1. Introduction

As we explore the history of language usage, especially the topic of "mutual encounters and linguistic exchanges", we can notice that ideology, religion, and language have always been indistinguishably linked. Within the history of Chinese-Western contacts, this link also played a significant role, even though in different periods such contact had different dimensions, leading to different repercussions.

In this regard, the Bible's role demands our attention for several reasons. From late Ming (1368–1644) to Qing (1644–1911) China, missionaries came in contact with a highly literate civilisation, where the missionary message could only prevail in the form of verbal messages, for example conveyed in preaching: it had to be reinforced by the written text. The latter was represented not only by classical Chinese, but also a variety of spoken languages. Nonetheless, systematic comparisons and evaluations of the various Bibles, classical and colloquial, on stylistic, linguistic, and other grounds are still lacking. What these different Bibles are like, the translation strategies used, and the shortcomings and excellence of their language, are topics still not clearly understood.

With this in mind, it is important to note that Jesuits, from the late Ming to Qing dynasty, wanted to manifest the cosmic patterns that shaped various aspects of China and the Chinese world. Their methods are incarnated, among others, in ideology, drawings, and texts, the latter including Bible translations, dictionaries, and grammar books. In this sense, understanding the texts composed by Jesuits is a fundamental instrument for conducting research on their religious views, their ideology, and to discover the interpretation by missionaries of the Chinese language.

Guxin Shengjing 古新聖經 (Old and New Testament) is a text composed by Louis Antoine de Poirot (He Qingtai 賀清泰, 1735–1814), an under-researched Jesuit painter and missionary who worked for the emperor Qianlong at the beginning of the eighteenth century. De Poirot studied philosophy and theology in Florence[1] in 1745, inheriting the Greco-Roman era rhetorical tradition of Aristotle, Quintilian, and Cicero. After completing all courses, he set off for China in 1769 and died in Beijing at the end of

---

[1] See Li Sher-shiueh ed., *Guxin shengjing cangao* (Beijing: Zhonghua shuju, 2014), vol. 1, 8.

1814.[2] Not only was de Poirot able to speak Manchu and Chinese fluently, but he was also actively engaged in the translation of official documents between St. Petersburg and Beijing, from Latin to Manchu, or from Manchu to Latin.[3]

His most representative work, *Guxin Shengjing*, is a translation of the Bible composed in the second half of the eighteenth century. It adopted the *Vulgate* as source text: the text, though, was never published.[4] This text can be considered an example of how the author skilfully used his linguistic skills, which are reflected in the usage and identity of modern Chinese adopted in the text.

Guxin Shengjing was written in two languages, translating this Latin version of the Bible into vernacular / Beijing dialect (*baihua* 白話 / *Beijinghua* 北京話) and Manchu. There are four existing versions of the text, respectively: Church of the Saviour's (Beijing Beitang 北京北堂) version, Shanghai Xujiahui Library's (徐家匯藏書樓) version, St. Petersburg Branch of the Institute of Oriental Studies' version, composed as a Manchu-Chinese version (滿漢合璧版), and Tokyo Tōyō Bunko's (東洋文庫) version, although it is composed only in Manchu, without Chinese translation.

2. De Poirot's background of Western rhetoric

When discussing the rhetorical background of the Jesuits, one key figure should be pointed out: Cicero (Marcus Tullius, 106–43 BCE). When referring to Cicero, we can affirm that rhetoric was the object of profound meditation throughout his life. The corpus of his rhetorical writings shows how he used rhetoric to convince his Roman audience and readers. He emphasises in *De inventione* that he was composing an *ars*, meaning both "art" and "handbook," a term for a rational system that can be taught. Its specific method of oratorical training is a status theory, a technique for rhetorical invention credited to the Greek rhetorician Hermagoras.[5]

Later on, in the *Rhetorica ad Herennium*, we can find the first extant division of the three styles or figures of speech: the first, or the "grand"; the second, or the "middle"; and the third, or the "simple." Such a division was conceived by the anonymous author of the *Rhetorica ad Herennium*:

---

[2] Louis Pfister, Mei Chengqi, and Mei Chengjun, *Ming Qing jian zai Hua Yesu huishi liezhuan (1552–1773)* (Shanghai: Tianzhujiao Shanghai jiaoqu guangqishe, 1997), 1189.

[3] *Ibidem.*

[4] Xu Zongze, *Ming Qing jian Yesu huishi yizhu tiyao* (Shanghai: Shanghai shudian chubanshe, 2010), 13.

[5] Catherine Steel, ed., *The Cambridge Companion to Cicero* (New York: Cambridge University Press, 2013), 27.

The grand type consists of a smooth and ornate arrangement of impressive words. The middle type consists of words of lower, yet not of the lowest and most colloquial, class of words. The simple type is brought down even to the most current idiom of standard speech.[6]

All readers of Cicero will be able to infer that each style has the peculiar traits that make it most effective for the defined purposes in oration. In the grand style, the *ornatissima* (most ornate) words are applied to each idea that can be found, whether literary or figurative. The middle type, as Cicero states, has a somewhat relaxed style and yet has not descended to the most ordinary prose. Finally comes the simple type of style, which is brought down to the most ordinary everyday speech. Each type of style—the grand, the middle, and the simple—gains distinction from rhetorical figures. Later on, in the *Oratore*, the doctrine of the three styles is transferred to the composition, with the adoption of the concepts of vigorous (*vehemens*), for swaying listeners, the middle (*modicum*) for delight, and the plain (*subtile*) serving for proof.

During the Middle Ages, it was Saint Augustine (354–430 CE) who raised the rhetorical culture to a new stage of hermeneutics. In his work *De doctrina christiana* (On Christian teaching), he expounded his ideas about Cicero's rhetorical treatises.[7] Augustine fuses the Ciceronian aim of speaking about the ideal with his homiletic eloquence that "the *grandis* moves, the *temperatus* delights, the *summissus* informs".[8]

Proceeding in chronological order, in 1599, the marriage of casuistry with classical rhetorical tradition can be traced to the codification of the Jesuit pedagogy within the *Ratio Studiorum*.[9] For example, in "Rule of the teacher of Rhetoric" it is stated that:

Cicero is to be the one model of style, though the beat historians and poets are to be sampled. All of Cicero's works are appropriate models of style [...] Only Cicero is to be taken for orations, and both Cicero and Aristotle for the precepts of rhetoric. The

---

[6] See Cicero, *Ad Herennium*, G.P. Goold, trans., Harry Caplan, Loeb Classical Library 403 (Cambridge, MA: Harvard University Press, 1954) 4, vii, 11 (vol. 1, 253).

[7] Michael J. MacDonald, ed., *The Oxford Handbook of Rhetorical Studies* (New York: Oxford University Press, 2017), 305–306.

[8] *Ibidem*.

[9] Robert Aleksander Maryks, *Saint Cicero and the Jesuits: The Influence of the Liberal Arts on the Adoption of Moral Probabilism* (Routledge: London, 2008), 83.

oration is never to be omitted.[10]

Analysing the educational background of the Society of Jesus, we can see that their understanding of classical rhetoric is deeply rooted in Ciceronian foundations. The special rules of Cicero are also applied to the class of humanities, in the "Rule of the Academy of Students of Rhetoric and Humanities" of the Jesuit *Ratio*:

> The programs scheduled by the academy shall, in general, be as following: the moderator, as he shall judge timely, may lecture on or throw open for discussion some suitable topic or passage from an author or he may explain some more challenging principles of oratory, as given by Aristotle, Cicero, or other rhetoricians,[11] or he may rapidly read through an author and question the members of the academy on what he has read, or he may propose problems to be solved, and conduct other exercises of the sort.

Tracing the influence of the Ciceronian rhetoric at a later stage, when Michele Ruggieri (1543–1607) and Matteo Ricci (1552–1610) sailed eastbound, rhetoric had already become part of the Jesuit curricula,[12] as evidenced in some texts composed by Jesuit missionaries in China, which mention the concept of *rhetoric*.

3. The rhetorical background of *Guxin shengjing*

In the above paragraph, we understand Poirot's background. In this, by analysing "Guxin shengjing xu" 古新聖經序 (Preface to the Old and New Testament) and "Guxin shengjing zaixu" 古新聖經再序 (Another preface to the Old and New Testament), not only will we better understand why de Poirot chose to translate the Bible with the vernacular, but also the kind of translation view of the Bible de Poirot brought to his reader through *Guxin shengjing*.

In "Guxin shengjing xu" we can read:

---

[10] Allen P. Farrell, S.J., ed., trans., *The Jesuit Ratio Studiorum of 1599* (Washington: Conference of Major Superiors of Jesuits, 1970), 74–75.

[11] Ivi, 110.

[12] Li Sher-shiueh, "Rhetorica and exemplum: the genesis of Christian literature in late imperial China," *Religion* 10, no. 8 (2019): 23–24.

那翻譯的名士，也知道各國有各國文理的說法，他們不按各人本國文章的文法，全全按着《聖經》的本文、本意，不圖悅人聽，惟圖保存《聖經》的本文、本意。自古以來，聖賢既然都是這樣行，我亦效法而行，共總緊要的是道理，貴重的是道理，至於說的體面、文法奇妙，與人真正善處有何裨益？[13]

When translating [the Bible], eminent personalities also knew that all countries have their own literary and grammar theories. They did not follow the textual style (*wenfa* 文法) of their respective country, instead completely abiding by the original text and original meaning of the Bible; they did not want to please their readers, they only aimed at keeping the original text and original meaning of the Bible intact. Since the beginning, all sages have acted this way, therefore I shall also follow their model. The most valuable thing is the truth, the most precious thing is the truth. As for the [concept of] decency and beauty of writing, what is the real benefit for people?

Furthermore, Poirot deliberately mentioned the story of Hieronymus (St. Jerome, ca. 347–419/420) in "Guxin shengjing zaixu":

起初聖教內有一極高明的人名熱羅尼莫，也這樣想。他幾十年看古時博學人的書，後頭覺得外教的人輕慢《聖經》，因為話平常，說法太俗，定了主意要光榮《聖經》，挑選西瑟落作的書，以他為模樣，照他的高文法翻譯《聖經》。已經動手，不料一夜睡臥夢寐之中，天神執鞭顯現，責備他，用鞭渾身上下亂打。一面打，一面譏誚說：『你是西瑟落的門弟，我們特來酬報你。』熱羅尼莫一醒，天神不見了，但聖人渾身覺得疼，也滿身有鞭痕，終知道他的工夫不合天主聖意，就住了手。[14]

In the beginning, there was an extremely intelligent man of religion, Hieronymus, who thought like that. For dozens of years, he read books composed by the literati of the past; Hieronymus, therefore, thought that the pagans had underestimated the Bible by reason that its words were too mundane and its language too plain (*su* 俗). He determined to honour the Bible by choosing books composed by Cicero, adopting him as a model; he used his grand type (*gao wenfa* 高文法) to translate the Bible. He had already started his work when one night, unexpectedly, an angel showed up in his dream with a whip and admonished him. The angel flogged him all over his body,

---

[13] Xu Zongze, *Ming Qing jian*, 15.

[14] Ivi, 16–17.

condemning him: "You are a disciple of Cicero, I came here especially to punish you." The angel disappeared when Hieronymus woke up, but he felt aches all over him, caused by lash marks. He, therefore, realised that his work was not in God's will, and thus he stopped.

What is most noteworthy is that in "Guxin shengjing xu" and "Guxin shengjing zaixu" de Poirot pointed out the two concepts of "style," *wenfa* 文法, and "grand style", *gao wenfa* 髙文法. Based on the context of the citations above, we can speculate that *wenfa* does not include the meaning of modern language "grammar." Based on the episode of St. Jerome's dream, "Guxin shengjing zaixu" clearly shows the principles of de Poirot's translation: the Bible was not written according to man's will. It was, instead, God's own words recorded by the apostles, the rejection of embellishment in favour of clarity, and the invaluableness represented by Christian truth.

Looking back on one of the most representative early Jesuits, Matteo Ricci, we can read that he already pointed out how eloquence, in Chinese, was found in written rather than in spoken form:

> In style and composition, their written language differs widely from the language used in ordinary conversation, and no book is ever written in the colloquial idiom.
>
> A writer who would very closely approach the colloquial style in a book would be considered as placing himself and his book on a level with ordinary people. Strange to say, however, that despite the difference that exists between the elegant language which is employed in writing and the ordinary idiom used in everyday life, the words employed are common to both languages. The difference between the two forms is therefore entirely a matter of composition and style.[15]

Ricci even affirmed that the Chinese people devoted most attention to the development of written language and were not greatly concerned with the spoken tongue; even in his time, all their eloquence was found in writing rather than in the spoken word.[16] Ricci's words show how he embodies both European and Chinese experiences: "People separated by two places can also communicate in words. People after a hundred years can also know my opinions through my writings, just like in the same period."[17] We can, therefore,

---

[15] Matteo Ricci (Nicolas Trigault and Louis J. Gallagher, S. J., trans.), *China in the Sixteenth Century: The Journals of Matthew Ricci: 1583–1610* (New York: Random House, 1953), 26.

[16] Ivi, 28.

[17] Adapted from Li Madou, "Shuwen zeng Youbo Cheng zi," in *Li Madou zhongwen zhuyi ji*, ed. Zhu

assume that Ricci knew that the core concept of rhetoric should be changed from colloquial, that is, spoken Chinese, to written Chinese.

Following in the footsteps of Ricci, Alfonso Vagnone (Gao Yizhi 高一志, 1566–1640), Giulio Aleni (Ai Rulüe 艾儒略, 1582–1649), Emmanuel Diaz (Yang Manuo 陽瑪諾, 1574–1659), Francisco Furtado (Fu Fanji 傅汎際, 1589–1653), and Jean Basset (Bai Risheng 白日陞, 1662–1707), all consistently used *wenyan* 文言 (classical Chinese) to compile their texts. Thus, in texts such as Vagnone's *Xixue xiushen* 西學修身 (Western learning on self-cultivation), Aleni's *Xixuefan* 西學凡 (Summary of Western learning), and Furtado's *Minglitan* 名理探 (An exploration in names and principles), the "colloquial" nature of Cicero's rhetoric is interestingly translated as *wen* 文. Specifically, Aleni's *Xixuefan*[18] and Furtado's *Minglitan*[19] tend to adopt a transliteration of the Latin term *rhetoric* in their translations. With this, their focus shifted from spoken to written language; this repositioning can still be traced in their Chinese writings and translations. However, only de Poirot, dissimilarly from his predecessors, adopted the plain style of Cicero within a text composed in vernacular.

4. Concluding remarks

The translation of the Bible has a long history, having been rendered into countless languages. In terms of the theory of its translation, the idea of "equivalence" was advanced by Eugene Albert Nida (1914–2011) in the 1960s. He stressed, as the focus of translation, "the natural equivalence closest to the message of the starting language".[20] Previous research dealing with the linguistic aspects of colonialism paid attention to religious factors, by analysing the influence of missionary activities all over the globe on the standardisation and documentation of languages. It also overtly and critically examined the often insidious effects of religiously-inspired language spread "on language ecology, on languages, their speakers, and the well-being of those speakers".[21] Focusing instead on translations and texts composed by de Poirot during Qing China from

---

Weizheng (Shanghai: Fudan daxue chubanshe, 2001), 268.

[18] Refer to Nong Ye, ed., *Ai Rulüe hanwen zhushu quanji: shang* (Guilin: Guangxi shifan daxue chubanshe, 2011), 90.

[19] Zhang Xiping, Ren Dayuan, Federico Masini, and Ambrogio M. Piazzoni, ed., *Fandigang tushuguan cang Ming Qing Zhong-Xi wenhua jiaoliu shi wenxian congkan* (Zhengzhou: Daxiang chubanshe, 2014), vol. 35, 308.

[20] Eugene A. Nida, *Toward a Science of Translating* (Leiden: Brill, 1964), 166.

[21] Robert B. Kaplan and Richard B. Baldauf, *Language Planning from Practice to Theory* (Clevedon: Multilingual Matters, 1997), 230.

different perspectives, such as rhetoric, we can promote a better understanding of the interaction between culture and ideology through language modelling and reshaping. Furthermore, Poirot's Chinese Bible crosslinks with traditional Latin rhetoric reflects the process through which new linguistic and rhetorical standpoints were created by de Poirot himself and how they were in turn accepted by Chinese readers. Thus, the study of *Guxin shengjing*, by comparing it with literary and rhetorical elements and the Beijing dialect, can better contribute to understanding the inherent structure of Chinese. The author believes that by expanding this research to other texts compiled not only in the time frame considered, this study will inspire other scholars and lead to further results.

References

English:

Cicero. *Ad Herennium*, G.P. Goold, trans., Harry Caplan. Loeb Classical Library 403. Cambridge, MA: Harvard University Press, 1954.

Farrell, Allen P., S.J., ed., trans. *The Jesuit Ratio Studiorum of 1599*. Washington: Conference of Major Superiors of Jesuits, 1970.

Kaplan, Robert B., and Richard B. Baldauf. *Language Planning from Practice to Theory*. Clevedon: Multilingual Matters, 1997.

Li Sher-shiueh 李奭學. "Rhetorica and exemplum: the genesis of Christian literature in late imperial China." *Religion* 10, no. 8 (2019): 23–34.

MacDonald, Michael J., ed. *The Oxford Handbook of Rhetorical Studies*. New York: Oxford University Press, 2017.

Maryks, Robert Aleksander. *Saint Cicero and the Jesuits: The Influence of the Liberal Arts on the Adoption of Moral Probabilism*. Routledge: London, 2008.

Nida, Eugene A. *Toward a Science of Translating*. Leiden: Brill, 1964.

Ricci, Matteo (Nicolas Trigault, and Louis J. Gallagher S. J. trans.). *China in the Sixteenth Century: The Journals of Matthew Ricci: 1583–1610*. New York: Random House, 1953.

Steel, Catherine, ed. *The Cambridge Companion to Cicero*. New York: Cambridge University Press, 2013.

Chinese:

Li Madou 利瑪竇 (Matteo Ricci). "Shuwen zeng Youbo Cheng zi 述文贈幼博程子." In *Li Madou zhongwen zhuyi ji* 利瑪竇中文著譯集, edited by Zhu Weizheng 朱維錚, 268–69. Shanghai: Fudan daxue chubanshe 復旦大學出版社, 2001.

Li Sher-shiueh 李奭學. *Zhongguo wan Ming yu Ouzhou wenxue: Ming mo Yesuhui gudian xing zhengdao gushi kaoquan* 中國晚明與歐洲文學：明末耶穌會古典型證道故事考詮. Academia Sinica, Linking chubanshe: Taipei, revised edition, 2007.

Li Sher-shiueh 李奭學, ed. *Guxin shengjing cangao* 古新聖經殘稿. Beijing: Zhonghua shuju 中華書局, 2014.

Pfister, Louis (Mei Chengqi 梅乘騏 and Mei Chengjun 梅乘駿 trans.). *Ming Qing jian zai Hua Yesu huishi liezhuan (1552–1773)* 明清間在华耶稣会士列传 (1552–1773). Shanghai: Tianzhujiao Shanghai jiaoqu guangqishe 天主教上海教区光啟社, 1997.

Xu Zongze 徐宗泽. *Ming Qing jian Yesu huishi yizhu tiyao* 明清间耶稣会士译著提要. Shanghai: Shanghai shudian chubanshe 上海书店出版社, 2010.

Ye Nong 葉農, ed. *Ai Rulüe hanwen zhushu quanji: shang* 艾儒畧漢文著述全集：上. Guilin: Guangxi shifan daxue chubanshe 广西师范大学出版社, 2011.

Zhang Xiping 張西平, Ren Dayuan 任大援, Federico Masini (馬西尼), and Ambrogio M. Piazzoni (裴佐宁), ed. *Fandigang tushuguan cang ming qing Zhong-Xi wenhua jiaoliu shi wenxian congkan* 梵蒂岡圖書館藏明清中西文化交流史文獻叢刊. Zhengzhou: Daxiang chubanshe 大象出版社, 2014, vol. 35.

あとがき

　本書の基礎となったのは，2016年3月から2018年2月まで，神戸市外国語大学で行った満漢合璧版『古新聖經』の読書会である。関西大学大学院で内田慶市先生の教えを受けていた斉燦さんが，その年の初めに私のもとを訪れ，満洲語を習いたいと願い出たのがきっかけだった。動機は，内田先生がサンクトペテルブルクで発見してきた満漢合璧版を読みたいということだったので，案ずるよりは産むが易しで，満洲語に関する簡単なレクチャーを行った後，当時日本学術振興会の外国人特別研究員として神戸外大に籍のあった陳暁さんを誘い，読書会の形で読んでいくことにした。2ヵ月ほど遅れて，斉さんと同じく関西大学大学院で学んでいた余雅婷さんも加わり，以後我々は週1回，神戸外大の中国学科共同研究室に集い，毎回概ね1葉半のペースで読み進めた。満洲語文献の読解は満洲文字の転写が最難関なので，前もって私がローマナイズした原稿を送り，彼女たちは辞書と文法書を引いて試訳を作成，読書会の場で漢語と突き合わせながらそれを検討するという形を取った。私自身，本格的に鈔本の満洲語に取り組むのは初めてだったため，最初は解釈も行きつ戻りつで難渋したが，内田先生に校合対象となる東洋文庫蔵鈔本の画像を見せていただいて以降，飛躍的に効率が上がった。斉さんが学位を取得し中国に帰ってからも，インターネットでビデオ回線をつないで読書会を継続した。ほぼ2年の時間を費やして読了，それと並行して，沈国威先生のご厚意で6回にわたり『或問』誌に訳注稿を連載させていただいた。このたび，それに満洲語と漢語の語彙索引を付し，かつ4人が1本ずつ関連の論考を寄せる形で，一書にまとめることができて安堵している。

　今でも思い起こすのは，彼女たちの学びに対するアグレッシブな姿勢である。私は当時勤務先で少し忙しいポジションに就いていたので，会議や打ち合わせが突発的に入り，読書会を直前でキャンセルせざるを得なくなることもしばしばあった。詫びつつその旨を伝えると，彼女たちは決まって，翌日でも，翌々日でも，週末でも，空いている時間に読書会はできないかと尋ねるのだった。恐らく日本人の院生ならば簡単に引き下がり，では翌週に，となっていただろう。おかげで，授業・会議・読書会で1限から5限までが全部埋まったことも一再ではない。ただ，そうした姿勢に触れる中で，私もいつしか覚悟を決め，むしろ彼女たちの熱に巻き込まれるように，ポワロと『古新聖經』のたどった数奇な運命に興味を抱き，読解に熱中するようになった。

　かつて読書会で神戸に集った3人は，今それぞれの地で，それぞれの観点から東西言語文化交渉史の研究を続けている。私を含めた4人が，この共同研究で得たことを糧として，研究の進展に寄与できればと願っている。

2021年3月

竹越　孝

<著者紹介>

竹越　孝（Takashi TAKEKOSHI）

1969 年青森県生まれ。東京都立大学大学院博士課程中退。

現在，神戸市外国語大学教授。専門は中国語語彙・語法史。

主要著作に，『朝鮮時代漢語教科書叢刊続編』（共編，中華書局，2011 年），『満漢字清文啓蒙―校本と索引―』（好文出版，2016 年），『早期北京話珍稀文献集成・清代満漢合璧文献萃編』（共編，北京大学出版社，2018 年）などがある。

斉　燦（Can QI）

1988 年河北省生まれ。関西大学大学院博士課程修了。博士（文化交渉学）。

現在，揚州大学文学院講師。専門は対外漢語教育，域外漢語教材と関係文献の研究。

主要著作に，「19 世紀末南北京官話介詞比較研究――以《官話指南》《官話類編》注釈為例」（『東アジア文化交渉研究』第 9 号，2016 年），「狄考文的漢語観研究――以《官話類編》為中心」，（『中国語研究』第 60 号，2018 年）などがある。

余　雅婷（Ya-ting YU）

1984 年台湾生まれ。関西大学大学院博士課程修了。博士（文化交渉学）。

現在，台湾中央研究院中国文哲研究所ポスドク研究員。専門は宣教師言語学，文化交渉学。

主要著作に，「聖書福音書の漢訳をめぐって―『天主降生言行紀畧』から『古新聖経』へ―」（『東アジア文化交渉研究』第 10 号，2017 年），Mutual encounters and linguistic exchanges: A comparative approach to Ricci and Ruggieri's *Dicionário*（『関西大学中国文学会紀要』第 42 号，2021 年）などがある。

陳　暁（Xiao CHEN）

1984 年重慶生まれ。北京大学大学院博士課程修了。博士（文学）。

現在，お茶の水女子大学講師。専門は近世中国語。

主要著作に，「北京大学蔵『玉霜簃藏曲』の言語について―『十全福』を中心に―」（『神戸外大論叢』第 67 巻第 4 号，2017 年），『基于清後期至民国初期北京話文献語料的個案研究』（北京大学出版社，2018 年），『早期北京話珍稀文献集成・清代満漢合璧文献萃編』（共編，北京大学出版社，2018 年）などがある。

満漢合璧版『古新聖經』の研究

2021 年 4 月 30 日　　発行

■ 著者　　　　竹越孝・斉燦・余雅婷・陳暁
■ 発行者　　　尾方敏裕
■ 発行所　　　株式会社 好文出版
　　　　　　　〒162-0041　東京都新宿区早稲田鶴巻町540　　林ビル3F
　　　　　　　Tel. 03-5273-2739 Fax. 03-5273-2740
　　　　　　　http://www.kohbun.co.jp/
■ 制作　　　　日本学術書出版機構（JAPO）